Schaduw

Karin Alvtegen

Schaduw

Vertaald uit het Zweeds
door Edith Sybesma

DE GEUS

Oorspronkelijke titel *Skugga*, verschenen bij Bokförlaget Natur och Kultur, Stockholm 2007
Oorspronkelijke tekst © Karin Alvtegen 2007
Published by agreement with Salomonsson Agency
Nederlandse vertaling © Edith Sybesma en De Geus BV, Breda 2008
Omslagontwerp Stef van Zimmeren | Riesenkind
Omslagillustratie © PNC/First Light
Druk Koninklijke Wöhrmann BV, Zutphen
ISBN 978 90 445 1157 4
NUR 332

Voor mijn gezin,
de onmisbare voorwaarde.

'Als je dit geluid hoort, "plingeliiing", als je dat hoort, dan weet je dat het tijd is om een bladzij om te slaan. Dan gaan we nu beginnen.'

De stem op de band was veranderd. Het leek nu wel een meneer, hoewel hij wist dat het een mevrouw was. Hij nam weer de eerste bladzij van het boek over Bambi voor zich en luisterde naar het verhaal op het bandje. Hij kende het uit zijn hoofd. Hij kende het eerder ook al uit zijn hoofd, maar vandaag had hij er zo ontzettend vaak naar geluisterd dat de mevrouw een lage stem had gekregen.

Het werd donker om hem heen, er kwamen nu niet zo veel vaders en moeder met kinderen en ballonnen meer langs als eerst. Hij had honger. De broodjes die hij had gekregen waren op en van het drinken moest hij nodig plassen, maar ze had gezegd dat hij daar moest blijven zitten, dus daarom durfde hij nergens heen te gaan. Hij was het gewend om te wachten. Maar hij moest nu echt heel nodig plassen en als ze hem niet gauw kwam halen, plaste hij misschien in zijn broek. Hij wilde niet dat zijn moeder zo zou kijken. Met die blik die hem pijn deed en waarmee hij soms alleen werd gelaten in het donker. Hij legde zijn hand op de zere plek die hij gisteren had opgelopen toen hij niet mee wilde. Ze had ontzettend boos gekeken en ze had gezegd dat hij stout was. En toen had zijn rug pijn gedaan. Ze wilde zo vaak naar dat huis toe. Eerst met de bus en dan nog een heel eind lopen. Soms bleef ze bij hem buiten staan, maar ze bleef ook weleens een hele poos weg en dan mocht hij niet storen. Er stond een vreemd glazen huis in de tuin waar hij leuk kon spelen, maar niet aldoor en niet alleen. Er stond ook een huisje met hout waar hij figuren uit kon snijden ook al mocht hij niet met messen spelen. Soms begon het al donker te worden voor ze terug was. Dan kwamen de spoken aansluipen, en de dieven. Dan was het mes in de houtschuur zijn enige bescherming. En de magische vloerplank met de donkere vlek die wel een oog leek. Als hij erop ging staan met het mes in zijn hand en 'Twinkel, twinkel, kleine ster' zong, dan konden ze hem niets doen. Vroeger zei ze altijd dat ze op een dag in dat huis zouden gaan wonen, niet in dat van glas of in het huisje met het hout, maar in het grote huis, en dan zou hij een eigen kamer krijgen. Dan werd alles goed, had ze gezegd.

Hij keek om zich heen. Hij zat boven aan een brede trap en achter hem was een vijver met vogels erin. Even vroeg hij zich af of hij zijn plaats zou durven verlaten om bij de vijver te gaan kijken, maar toen herinnerde hij zich wat ze had gezegd, en hij bleef zitten waar hij zat. Het begon koud te worden op de steen. De stem op het bandje werd steeds langzamer, alsof de mevrouw elk moment in slaap kon vallen. Ten slotte sprong de knop omhoog en de stem zei niets meer. Opeens voelde hij zich eenzaam. Hij kon zijn plas niet lang meer ophouden. Hij wist niet waar een wc was en nu begon hij ook een beetje verdrietig te worden. Hij wilde daar niet langer blijven zitten. Hij had al zo lang gewacht en nu moest hij naar de wc en daarna wilde hij weg.

'Hoi.'

Hij schrok van de stem. Voor hem stond een man met groene kleren aan. Het leken wel politiekleren, al klopte de kleur niet, maar er stonden wel letters op de borst, net als hij bij politiemensen had gezien.

'Hoe heet je?'

Hij gaf geen antwoord. Zijn moeder had gezegd dat hij niet met vreemde mensen mocht praten en hij sloeg zijn ogen neer en keek strak naar de stenen traptrede.

'We gaan nu sluiten en iedereen moet naar huis. Waar zijn je vader en moeder?'

Hij zei het niet op een boze manier en eigenlijk was hij wel aardig, maar toch mocht hij niets terugzeggen. Aan de andere kant mocht hij ook niet onbeleefd zijn, en dat was hij nu wel, dus opeens wist hij niet meer wat hij moest doen. Twee grote druppels landden voor zijn voeten en vormden donkere vlekken op de steen. En daarna nog twee.

'Ben je hier met je vader en moeder?'

Hij schudde langzaam zijn hoofd. Dat was immers geen praten.

'Met wie ben je hier dan?'

Hij haalde zijn schouders op.

'Je hoeft niet verdrietig te zijn. Ik heet Sven en ik ben bewaker hier in de dierentuin, dus iedereen die hulp nodig heeft kan naar mij toe komen. Als je je ouders bent kwijtgeraakt, als je de weg niet meer weet, of als je iets wilt vragen.'

Het was even stil.

'Hoe oud ben je?'

Voorzichtig stak hij de vingers van zijn linkerhand op en met zijn andere hand duwde hij de pink en de duim naar beneden.

'Ben je drie jaar?'

Hij schudde zijn hoofd.

'Nee, vier.'

Hij sloeg zijn hand voor zijn mond. Nu had hij toch met hem gepraat. Stel je voor dat die meneer het aan zijn moeder zou doorvertellen.

Hij zei niets meer en bleef naar de grond kijken. Toen keek hij de man van opzij aan om te kijken of hij eruitzag als een verklikker. De man glimlachte naar hem.

'Als je wilt kun je met me meelopen naar dat kleine huisje daar beneden, daar werk ik, dan kunnen we daar wachten totdat ze komen.'

Hij moest zo nodig plassen. Straks deed hij het nog in zijn broek en dan zou zijn moeder alleen nog maar bozer worden.

'Ik moet plassen.'

De man knikte en glimlachte nog steeds.

'De wc's zijn daar beneden. Ga er gauw heen, dan pas ik zolang wel op je spullen. Zie je die deur daar?'

Hij aarzelde maar even en deed toen wat hem gezegd was.

Sven Johansson bleef nog even op de trap staan, terwijl hij het jongetje dat pijlsnel naar de wc's rende bezorgd nakeek. Hij was hem die middag al eerder opgevallen en nu vertrouwde hij het zaakje niet meer. Toen het jongetje verdwenen was, ging hij op zijn hurken zitten en bekeek zijn spullen. Een cassetterecorder, een Bambiboek, een doorzichtig plastic zakje met kruimels en een flesje frisdrank van 33 cl met een gele plastic dop waar nog een restje in zat. Hij sloeg het boek open om te zien of de naam van de jongen erin stond. Er viel een opgevouwen briefje uit. Met een akelig voorgevoel vouwde hij het blaadje open en zijn bangste vermoedens werden bewaarheid. Het korte briefje was in een fraai handschrift geschreven: 'Zorg goed voor dit kind. Sorry.'

De sleutel van het appartement was in een luchtkussenenvelop van de politie gekomen. Een bruin gefineerde deur in een ouderwets trappenhuis dat door de tand des tijds was aangevreten. Gerda Persson had drie dagen dood in huis gelegen voordat de thuiszorg haar lichaam vond. Na tweeënnegentig jaar en ruim drie maanden had ze haar longen nog een laatste keer volgezogen om vervolgens in een herinnering te veranderen. Meer wist Marianne niet. Dat uitgerekend zij hier voor de deur van het appartement stond, was een teken dat de politie of de thuiszorg er niet in was geslaagd een familielid van de overledene op te sporen dat de nodige dingen kon regelen. In zo'n geval kreeg Marianne Folkesson die taak toebedeeld. Een vreemde sleutel van een onbekend leven, waarvan zij moest zien te ontdekken hoe het was geweest.

Ze was eerder in deze buurt geweest. Hier woonden veel bejaarden in kleine appartementen en veel van hen stonden in contact met de afdeling ouderen van de sociale dienst. In geval van overlijden was er niet altijd iemand om contact mee op te nemen. Alleen de boedelbeschrijver van de stadsdeelraad, Marianne Folkesson.

Ze deed haar tas open en haalde de dunne plastic handschoenen tevoorschijn, maar het mondkapje liet ze erin zitten. Ze wist nooit wat haar te wachten stond achter de vreemde deuren, maar uit respect voor de dode probeerde ze onbevooroordeeld te zijn. Soms waren de woningen keurig als poppenhuizen, en werden ze brandschoon aan de wereld nagelaten. Zorgvuldig gekoesterde voorwerpen, waar niemand naar zou vragen. Maar tussen de bezittingen die de woning van de overledene tot een thuis hadden gemaakt, hing soms een onverklaarbaar gevoel van aanwezigheid. Haar eigen verschijning was in zekere zin een schending, en daar deed ze liever niet nog een schepje bovenop door een beledigend mondkapje. Ze wilde zichzelf als een bondgenoot zien die de levens die schuilgingen achter de onbekende namen die op haar bureau waren terechtgekomen, met respect en waardigheid kwam afronden. Ze kwam om op te ruimen en te sorteren, om de herinneringen te bewaren die ze er aantrof en om zo mogelijk iemand te vinden voor wie ze iets betekenden. Ze was niet bang meer voor de dood. Na twintig jaar in het vak had ze ingezien dat die bij het leven hoorde. Ze was niet langer op zoek naar de zin van het leven, wat niet wilde zeggen dat ze die gevonden meende te hebben. Aangezien het universum de moeite nam om te bestaan, moest daar een reden voor zijn. Dat mysterie was voor haar genoeg, en ze was er gerust op dat het wel goed zou komen.

Het leven. Een spatje tussen twee eeuwigheden.

In lang niet alle gevallen die ze bij de hand had gehad, was er sprake geweest van een eenzaam leven, ook al was de kennissenkring in de loop der jaren wat uitgedund en waren de laatste jaren wel eenzaam geweest. Er waren ook woningen die het tegenovergestelde waren van de keurige poppenhuizen. Waar het zo'n vieze bende was dat het een opgave was om de stap over de drempel te zetten. Afgescheurd behang en kapotte meubels, die luidkeels de wanhoop verkondigden die de overledene had gevoeld. In die gevallen leverde haar onderzoek vaak het beeld op van een psychisch labiele persoon zonder sociaal netwerk, die zich had weten te redden zolang er psychiatrische zorg was, die misschien in een woongroep had gewoond, met wie het langzamerhand steeds beter was gegaan en die als te gezond was beschouwd om een van de weinige plaatsen in te nemen die de samenleving ter beschikking had gesteld. Die zich daarna zelf maar weer moest zien te redden en een eigen woning had gekregen, waarna de eenzaamheid de ziekte snel kwam helpen om het verloren terrein te herwinnen. Een eenzame die zorg nodig had, maar na een afwijzing niet in staat was geweest om te bidden en te smeken. Dan was het haar plicht om voor rehabilitatie te zorgen. Om alles te doen wat ze kon om een familielid op te sporen dat op zijn minst de begrafenis wilde bijwonen. Soms was er niemand. Dan volgden zij, de dominee, de begrafenisondernemer en de organist de overledene naar zijn laatste rustplaats. Dan moest ze zich met behulp van foto's en persoonlijke bezittingen een beeld zien te vormen van de overledene, om de begrafenis zo mogelijk een persoonlijk tintje te geven. Wanneer ze als enige haar bloemen neerlegde bij de kist, bood ze altijd haar verontschuldigingen aan voor het tekortschieten van de maatschappij. Voor het feit dat die het had laten afweten, hen had laten stikken en niet had ingegrepen.

Ze draaide zich om en gaf haar metgezel een paar handschoenen. Ze mocht nooit alleen een woning binnengaan. De eerste keer moest er nog iemand van de gemeente bij zijn. Er mocht geen twijfel over bestaan dat het allemaal naar behoren verliep. Dat kon telkens een andere collega zijn, het hing ervan af wie er tijd had. Deze keer was het een van de bijstandsmedewerkers van de afdeling ouderen. Marianne wist hoe ze van haar voornaam heette, maar kon zich op dit moment haar achternaam niet herinneren.

Solveig trok de handschoenen aan en Marianne stak de sleutel in het slot. Het halletje lag vol reclamefolders en een paar exemplaren van het gratis wijkblad. Het stonk er niet, er hing alleen een muffe lucht omdat er nodig geventileerd moest worden. Ze keek snel de post door en maakte er een stapeltje van dat ze vervolgens op de kapstok legde. Zo te zien zaten er geen rekeningen bij of abonnementen die betaald of opgezegd moesten worden. Er zat maar één brief bij die aan Gerda persoonlijk was geadresseerd: een aanbieding van een kabelexploitant.

Het appartement zag er netjes uit, er lag alleen een dun laagje stof als een vlies over ongebruikte oppervlakken. Van de thuiszorg wist ze dat Gerda om de drie weken een werkster had gehad en dat er elke maandag iemand kwam voor de boodschappen. Verder had ze geen hulp nodig gehad en wilde ze alles zelf doen. Het stof was vast geen teken van slordigheid, maar eerder een bewijs dat ze slecht zag. Dat kwam Marianne wel vaker tegen. Appartementen van oude mensen die piekfijn in orde waren, maar waar het stof rustig mocht blijven liggen.

In de keuken stonden een bord en een glas op het afdruiprek. Verder was het aanrecht leeg. Er hing een theedoek over de verwarming en er stonden twee stoelen bij de kleine tafel, die leeg was op een broodmandje van gevlochten berkenbast na dat op een tafelzeiltje met kleine bloemetjes stond. Ze deed de koelkast open. Een stank van verrotting sloeg hun tegemoet en ze haalde een meegebrachte plastic tas tevoorschijn. Er waren twee weken verstreken sinds Gerda was overleden en nadat de ambulance het lichaam had opgehaald had de thuiszorg geen toegang meer gehad tot het appartement. Een geopend pak halfvolle melk, een kuipje boter, smeerworst en een verrotte komkommer belandden in de plastic zak die ze snel dichtmaakte en bij de voordeur zette.

'Kijk hier eens. Ze heeft boeken in het vriesvak liggen.'

Solveig stond nog voor de open koelkastdeur en Marianne kwam terug naar de keuken. Er had zich een dikke laag ijs om de boeken gevormd, die verpakt in plastic folie in keurige stapeltjes achter in het vak lagen. Marianne vond een spatel in een van de keukenlaatjes en daarmee slaagde ze erin ze uit hun gevangenis te bevrijden. Het plastic was beslagen en ze schraapte met haar nagel over de rug van het boek. *Laat de stenen spreken* van Axel Ragnerfeldt. Een van de echt grote schrijvers. Niet zijn bekendste roman, maar al zijn werken werden tot de klassiekers gerekend.

'Misschien zit er geld tussen de bladzijden verstopt', opperde Solveig.

Dat was niet eens zo'n gek idee. Marianne had verscheidene keren op de gekste plaatsen bankbiljetten gevonden, maar in dit boek zat niets en in de andere boeken evenmin. Ze waren allemaal geschreven door Axel Ragnerfeldt, en tot hun verbazing ontdekten ze dat ze allemaal een handgeschreven opdracht hadden. 'Voor Gerda uit toegenegenheid' en 'Voor Gerda met hartelijke dank'. En vervolgens een handtekening in grote krullen boven de gedrukte naam van de schrijver. Marianne kreeg een warm gevoel in haar hart. Ze was telkens weer blij met elk teken dat iemand die eenzaam was geweest vroeger ergens bij had gehoord. Dat het leven niet altijd alleen maar eenzaamheid was geweest. In dit geval was de voldoening dubbel, want als er geen geld was en er niets van waarde werd gevonden, zat een mooie begrafenis er niet in. Die boeken met de persoonlijke opdracht van Axel Ragnerfeldt zouden vast wel wat kunnen opbrengen, en zij zou ervoor zorgen dat er zo veel mogelijk besteed werd aan bloemen voor in de kerk en een extra mooie grafsteen. Een laatste blijk van respect voor de vrouw wier leven was geëindigd.

'Ze lijken niet geleden te hebben onder het invriezen. Dit zullen wel dure boeken zijn.'

Marianne knikte. De verlegen Nobelprijswinnaar had een roem bereikt die zijn weerga in het Zweedse culturele leven niet kende, maar hij gaf zelden interviews. Ze kon zich geen enkel detail over zijn privéleven herinneren.

'Gerda Persson was tweeënnegentig. Dan waren ze zeker ongeveer even oud?'

'Ik dacht niet dat hij zo oud was. Denk jij wel?'

Marianne wist het niet. En de boekomslagen hielpen hen niet verder. Ze waren gedrukt voor het tijdperk van de persoonsverheerlijking, toen de woorden van een schrijver nog interessanter waren dan zijn uiterlijk.

Het appartement bestond uit twee kamers en een keuken. Ze liepen de hal door, passeerden de woonkamer en gingen de slaapkamer binnen. Een rollator lag op zijn kant. Het nachtkastje was omgegooid en de lakens waren van het bed getrokken. Het kleed lag schots en scheef met een wirwar van kleren en kranten erover uitgespreid. Een gevallen waterglas, een tube Helosanzalf, een doosje Valeriaan Nacht. En te midden van dat alles een wekker die koppig doortikte. Marianne tilde het nachtkastje overeind en zette het nachtlampje op zijn plaats. In het laatje van het nachtkastje lagen een heleboel krantenknipsels, keelpastilles, een bijbel, een ketting, een paar enveloppen en een kleine zakagenda. Ze sloeg hem lukraak open. 'Om zes uur wakker geworden. Aardappelen en gehaktballetjes. Hedda Gabler op tv.' De meeste krantenartikelen gingen over hartaandoeningen en de data gaven aan dat ze die al heel lang had gespaard. Er zaten ook gedichten bij uit overlijdensadvertenties waar de namen uit geknipt waren. De eerste envelop bevatte een vijftien jaar oude cadeaubon voor een pedicure, de tweede een felicitatiekaart voor haar vijfenzeventigste verjaardag van haar vrienden van de bejaardenvereniging van de bibliotheek, de derde was dikker en zag er beduimeld uit. Marianne keek in de envelop. Solveig trok een kast open, maar deed die weer dicht toen ze zag dat er alleen kleren in zaten.

'Hoeveel is het?'

Marianne haalde de stapel bankbiljetten eruit en telde.

'Elfduizend vijfhonderdzeventig.'

Ze duwde het laatje dicht, maar hield de envelop met het geld. Wanneer ze straks klaar was met het doorzoeken van het appartement moest ze een inventarisatieformulier invullen waarop meubels en kostbare voorwerpen moesten worden vermeld, evenals meegenomen artikelen, zoals contanten. De middelen uit de nalatenschap zouden in de eerste plaats naar de begrafenis en de grafsteen gaan, in de tweede plaats naar het ontruimen van de woning. Wat er daarna nog overbleef, ging naar eventuele schuldeisers.

Solveig keek snel de tweede kast door en Marianne ging de woonkamer binnen. Solveig kwam achter haar aan. De woonkamer was hoofdzakelijk gemeubileerd met oude meubels. Een buffetkast, een boekenkast en een iets modernere bank, geen meubelstukken die grote bedragen zouden opleveren voor de boedel. Er stond een bed voor de tv en op de tafel ernaast lag een programmablad, twee afgekrabde krasloten zonder winst en een opvallend grote hoeveelheid medicijnen. Ze lagen op een rijtje op geruit papier, met de datum er met de hand bij geschreven. Marianne las de namen op de aluminium strips: Isoptin, Bisoprolol, Plavix, Plendil, Cipramil, Pravastatin.

Wat de samenleving niet allemaal deed om mensen in leven te houden. Om van het enthousiasme van de farmaceutische industrie nog maar te zwijgen.

Op een tafeltje vlak bij de deur stond midden tussen het ouderwetse meubilair een knalrode telefoon met tiptoetsen. Marianne liep erheen en bladerde door een stapeltje papieren. Een handgeschreven lijst met gironummers voor de omroepbijdrage, de telefoon en de verzekering. Een oproep van het Söderziekenhuis. Een reclamefolder van de ICA. Een voorlichtingsbrochure van de apotheek over het gebruik van Bisoprolol. Onder in de stapel lag een beduimeld adresboekje. Marianne keek onder de letter a. Een handvol namen en telefoonnummers die met verschillende pennen waren opgeschreven en op twee na allemaal weer doorgehaald. De contacten van een heel leven, verzameld in een boekje waaruit het ene na het andere kanaal naar de buitenwereld was verdwenen en weggestreept. Adresboekjes waren haar beste hulpmiddel bij het zoeken naar familie. Ze belde altijd iedereen op die erin stond, in de hoop tenminste iemand naar de begrafenis te kunnen lokken. Wanneer het oudere mensen waren die waren overleden, bestonden de nummers vaak niet meer, en soms was er zo veel tijd verstreken dat nieuwe abonnees ze hadden overgenomen.

Ze kreeg de ingeving om bij de letter r te kijken. Bovenaan in de rij vond ze wat ze zocht. Ragnerfeldt. De naam was niet doorgestreept.

'Hier liggen foto's.'

Marianne draaide zich om. Solveig stond voor de oude buffetkast met een bruine envelop in haar handen. Marianne stopte het adresboekje in haar tas, kwam bij haar staan en wierp een blik door de open deurtjes van de buffetkast. Stapels netjes gestreken tafelkleden, kristallen glazen in verschillende uitvoeringen, een op China geïnspireerd koffieservies. Een rode kartonnen map met het opschrift 'kasboek' op de rug. Die stopte Marianne in haar tas.

'Zou dit haar zijn? Het lijkt een foto van een verjaardag.'

Solveig keek op de achterkant.

'Er staat niets op.'

Ze gaf de foto aan Marianne. Een verbleekte kleurenfoto van een keurig geklede dame. Ze zat in een leunstoel omgeven door vazen met bloemen. Het haar achterovergekamd en in een knoet, het gezicht ernstig, alsof ze niet graag in het middelpunt stond.

Solveig zocht verder in de envelop en haalde nog een foto tevoorschijn.

'Kijk hier eens, dat is hem toch?'

Marianne keek naar de foto. Zwart-wit ditmaal. Axel Ragnerfeldt zat met een kopje koffie in zijn hand aan een tuintafel voor zich uit te staren. Een vrouw van ongeveer zijn leeftijd en twee kleine kinderen zaten aan dezelfde tuintafel en keken in de camera. Een meisje en een jongetje. Het jongetje was een paar jaar ouder.

Marianne knikte.

'Ja, dat moet hem zijn. Ik wist niet eens dat hij een gezin had.'

'Misschien zijn het zijn vrouw en kinderen niet.'

'Het lijkt wel een gezinsfoto.'

Marianne deed de foto weer in de envelop, die ze ook in haar tas stopte en Solveig liep door naar de boekenkast.

'Hier staan meer boeken van hem.'

Marianne liep achter haar aan.

'Gesigneerd?'

Solveig sloeg de eerste bladzij op. De zwierige handtekening waaierde uit boven de gedrukte naam, ditmaal zonder persoonlijke groet. Marianne haalde er een ander boek uit, liet de bladzijden langs haar duim glijden, en hapte naar adem toen ze tot haar verbazing ontdekte dat er op elke bladzij een dik, rood kruis was gezet. Degene die de rode pen had gehanteerd, was hier en daar kennelijk hevig geschokt door de inhoud, want op sommige plaatsen was de tekst met zo veel kracht doorgestreept dat hij onleesbaar was geworden en er bijna gaten in het papier zaten.

'Waarom heeft ze dat in vredesnaam gedaan?'

Ze controleerden het ene boek na het andere en allemaal hadden ze hetzelfde lot ondergaan. Bladzijden vol bloedrode strepen, met hier en daar gaatjes in het papier die door de pen waren gemaakt. Marianne haalde een boek van een andere schrijver uit de kast en stelde vast dat daarmee niets was gebeurd.

'Hm', liet ze zich ontvallen. Het was niet haar gewoonte te laten merken wat ze ergens van vond. Vooral niet wanneer het iets was wat iemand in zijn eigen huis deed en waar niemand last van had. Maar ze vond het op zijn zachtst gezegd eigenaardig dat iemand opzettelijk een gesigneerd boek van Axel Ragnerfeldt had beschadigd. Temeer omdat deze huishouding de extra inkomsten uit de verkoop van een eventuele kostbaarheid waarschijnlijk goed had kunnen gebruiken. Verbijsterd zette Marianne het boek weer op zijn plaats.

'Wat zeg je ervan? Heb je voor het moment alles wat je nodig hebt?'

Marianne opende haar tas en haalde de map met inventarisatieformulieren eruit.

'We moeten alleen dit nog even invullen.'

Toen het formulier was ingevuld en Solveig was vertrokken, bleef Marianne in de woonkamer voor het raam staan. Ze liet het uitzicht op zich inwerken dat Gerda Persson had gehad. Een boom, een grasveldje en op de achtergrond de grijsgroene gevel van een huurflat. Achter de ramen de levens en geheimen van andere mensen. Alles wat ze op dit moment nodig had, zat in haar tas. Als zich na de kennisgeving van overlijden geen familie meldde, was ze aangewezen op het provinciaal archief en op de geboorteregisters van de kerk. En op de namen uit het adresboekje. Ze zou haar uiterste best doen om zo veel mogelijk puzzelstukjes te vinden, zodat Gerda Persson een waardige begrafenis zou krijgen. Hier begon haar werk. De jacht op het verleden van Gerda Persson.

Eén naam had ze al gevonden: Axel Ragnerfeldt.

'NIEMAND HEEFT ZO'N GROTE INVLOED gehad op het leven en werk van mijn vader als Joseph Schultz.'

Met zijn vinger bij de naam op zijn spiekbriefje laste Jan-Erik Ragnerfeldt een goed getimede pauze in en hij keek uit over het veelkoppige publiek.

'Ik weet niet meer hoe oud ik was toen mijn vader voor het eerst over Joseph Schultz vertelde, maar ik ben opgegroeid met het verhaal over zijn keuze en levenslot. Joseph Schultz was mijn vaders ideaal, hij beschouwde hem als het grote voorbeeld voor de mensheid. Ik weet nog dat mijn vader over hem vertelde en dat mij daarbij één ding telkens duidelijker werd: dat het heel mooi is om goed te dénken, maar dat het nog belangrijker is om goed te hándelen.'

Het licht van de schijnwerper verblindde hem. Hij zag alleen de mensen op de voorste rijen, maar hij wist dat ze daar zaten. Een anonieme muur van mensen die allemaal aandachtig wachtten op wat hij nog meer zou zeggen.

'En wie was die bijzondere Joseph Schultz dan wel? Is er iemand van u die zijn naam kent?'

Met zijn hand boven zijn ogen schermde hij het licht af. Zij zat helemaal vooraan, schuin onder het toneel. Ze was hem al eerder opgevallen, maar nu maakte hij van de gelegenheid gebruik om haar nauwkeuriger op te nemen. Fraai gebeeldhouwde trekken. Haar volle borsten onder een glanzende bloes met knopen die dapper hun best deden. Een kiertje waar ze hadden gefaald, een donkere gleuf die zijn belangstelling wekte. Hij liet zijn arm weer zakken.

'De jonge Joseph Schultz was in de Tweede Wereldoorlog soldaat in het Duitse leger. Op 20 juli 1941 bevindt hij zich samen met zeven strijdmakkers in Smederevska Palanka aan het oostfront. Het verzet van de partizanen maakt het de Duitsers moeilijk en ze krijgen opdracht de opstand neer te slaan. Het is hoogzomer, midden in de hooitijd, en Schultz en zijn makkers zijn op een routineopdracht uitgestuurd – denken ze.'

Hij bleef doodstil staan. Een plotselinge beweging zou de spanning verbreken die hij had opgebouwd. Hij was er steeds bedrevener in geraakt, de ervaring had zijn zelfvertrouwen versterkt en hij durfde nu veel meer dan eerst. Het voorrecht van het succes. Hoe zekerder, hoe meer charisma.

Hij verplaatste zijn blik en keek haar in de ogen. Hij had zijn keus bepaald. Zij zou hem door de avond heen helpen en dat zou hij haar ook duidelijk laten merken. Dat ze uitverkoren was. En hij voelde de kriebeling waarnaar hij had verlangd, om daar op het toneel te staan en te kunnen kiezen, terwijl zij zich alleen maar kon voegen.

'Na een korte mars begrijpen ze dat de opdracht van die dag een andere is dan ze gewend zijn, want plotseling wordt de groep van Joseph Schultz door een commandant staande gehouden.'

Ze sloeg haar ogen neer, maar te laat. Ze had zich al verraden. Er was haar een glimlach ontsnapt die aangaf dat ze genoot van zijn aandacht. Net als alle vrouwen die hij ontmoette, viel ze voor zijn machtspositie.

Het spel was begonnen.

'De plaatselijke bevolking is bezig het hooi binnen te halen, de voorraadschuren moeten worden gevuld voor de winter, want ook in oorlogstijd moeten de mensen eten en moet het dagelijkse werk doorgaan. Voor een van de hooimijten die tijdens het werk van die ochtend zijn ontstaan, staan veertien burgers opgesteld. Geblinddoekt en met hun handen op de rug gebonden. Schultz en zijn zeven kameraden beseffen dat het de bedoeling is dat zij als vuurpeloton zullen fungeren.'

Ze stribbelde tegen, hij moest haar niet onderschatten. Ze keek niet in zijn ogen, maar naar iets ernaast.

'Acht jongemannen die, gelegitimeerd door de wet van het uniform, het bevel krijgen om veertien onschuldige medemensen te doden.'

Iemand hoestte. Geërgerd constateerde hij dat de magie die hij had geschapen, verbroken was. Bewegingen in de zaal gaven aan dat sommige mensen even gingen verzitten. Toen was haar blik weer terug. Zekerder ditmaal, de verbinding was gelegd. In een zaal met driehonderd mensen wisten ze beiden dat het contact was gemaakt. Er waren verwachtingen gewekt. Een richting, een prikkeling, een geilheid.

Die niet bevredigd kon worden.

'Zeven van de acht patrouilleleden aarzelen niet, ze zijn bereid het bevel op te volgen en ze leggen hun wapens aan. Maar voor Joseph Schultz is plotseling de maat vol. In de stilte die ontstaat laat hij zijn wapen op de grond vallen en langzaam loopt hij naar de hooiberg en neemt plaats in de rij van ter dood veroordeelden.'

Hij klikte op zijn powerpointprogramma. Het zwart-witte beeld van de gebeurtenis die zich vijfenzestig jaar geleden had afgespeeld, ontvouwde zich op het filmdock tegen de achterwand van het toneel.

'Vermoedelijk zou niemand zich Joseph Schultz en diens heroische keuze herinneren als een van zijn kameraden geen foto van de gebeurtenis had gemaakt. Hoe kán een mens ooit de keuze maken die Joseph Schultz maakte? Welke eigenschap had hij die de andere leden van zijn patrouille niet hadden? De mannen die niet alleen bereid waren om veertien onbekende burgers te executeren, maar ook hun kameraad Joseph Schultz.'

Hij liet de stilte voor zich spreken en nam een slokje water. Haar ogen waren de hele tijd op hem gericht, en daar groeide hij van. Er zat geen man naast haar, maar dat hoefde niet te betekenen dat die er niet was. Het overgrote deel van het publiek dat de literaire avonden bezocht die door het hele land werden georganiseerd was vrouw en ze leken altijd in groepjes te komen en de man thuis te laten. Godzijdank had de ervaring hem geleerd dat een echtgenoot thuis geen beletsel hoefde te vormen. De macht van het toneel deed wonderen en opende deuren die niet eerder waren opengegaan. Hij hoopte dat dat voor haar ook gold. Haar blik deed vermoeden dat de lezing de moeite waard zou worden.

'Met die vraag bleef mijn vader zich in zijn werk voortdurend bezighouden, en let wel: ik zeg "bezighouden", niet "beantwoorden". Als schrijver voelde mijn vader de drang om tot de kern van de daad van Joseph Schultz door te dringen. Hij vroeg zich af waarom Joseph Schultz zich niet wilde laten verblinden door de troosteloze gedachte dat het toch niet uitmaakt wat we doen, maar de opvatting omarmde dat onze keuzes er wel degelijk toe doen. Bij hem kregen angst en egoïsme niet het laatste woord, terwijl deze eigenschappen, die we allemaal verachten, ons en onze keuzes voortdurend lijken te bepalen.'

Hij pauzeerde. Dat deed hij altijd op dit punt in zijn betoog en net als altijd leken zijn toehoorders wel gehypnotiseerd door zijn woorden, of eigenlijk niet zíjn woorden, maar die van zijn vader, maar nu was hij het, Jan-Erik, die ze doorgaf. Hun stemmen leken heel veel op elkaar en na jaren van voordrachten had hij de individuele verschillen weggeslepen, zodat ze bijna niet meer van elkaar te onderscheiden waren. Veel mensen hadden thuis wel een opname van een legendarische lezing van zijn vader, zijn stem was nationaal bezit geworden. Maar die waardevolle opnamen waren het enige wat nog van Axel Ragnerfeldts stem restte. Vijf jaar geleden had een herseninfarct hem het zwijgen opgelegd en nu was het Jan-Eriks beurt om de culturele erfenis uit te dragen. De boeken waren wereldwijd vertaald en elk jaar stroomden de royaltyvergoedingen het familiebedrijf binnen dat in de loop der jaren tot een klein imperium was uitgegroeid, met stichtingen en fondsen voor goede doelen. En een aardig salaris voor Jan-Erik, die directeur was en zorgde voor de continuïteit. Hij kreeg meer uitnodigingen voor lezingen dan hij aankon, terwijl hij er echt heel veel aannam. Hij reisde graag. Wat een andere manier was om te zeggen dat hij het niet heel belangrijk vond om thuis te zijn.

Hij was gegroeid door zijn werk. Hij was belangrijk geworden.

'Misschien besefte Joseph Schultz dat de dood hem ook zou treffen als hij ervoor koos om tussen zijn kameraden te blijven staan en zijn geweer af te vuren. Misschien besefte hij dat hij, als hij de weg van de minste weerstand koos en het bevel opvolgde, niet alleen de veertien mannen zou executeren, maar ook het laatste restje menselijkheid in zichzelf. Dat laatste greintje dat intact moet blijven, omdat we onszelf anders niet meer recht in de ogen kunnen kijken wanneer we 's ochtends voor de spiegel staan. Misschien besefte hij dat hij geen leven meer overhield als hij dat verbruikte, dat het dan alleen nog een kwestie was van overleven totdat de dood hem definitief zou inhalen.'

Haar blik was een en al uitnodiging. Hij klikte op de computer en het beeld van de heldendaad van Joseph Schultz vervaagde en verdween. In plaats daarvan verscheen een close-up van zijn vader, een van de weinige foto's die hij de uitgeverij had laten gebruiken.

'Met zijn oorlogshandeling heeft Joseph Schultz geen land veroverd. Hij heeft geen levens gered, er stierven vijftien mensen in plaats van veertien. Voor zijn buitengewone moed en voor het feit dat hij een bevel durfde te weigeren heeft hij nooit een medaille gekregen. De meeste mensen hebben nog nooit van hem gehoord, terwijl Hitler, Göring en Mengele de geschiedenisboeken in zijn gegaan. Maar wat misschien wel het meest verbijsterende is van alles, is dat de keuze van Joseph Schultz vijfenzestig jaar na dato meer verwondering wekt dan die van zijn kameraden. Dat zijn daad zo uniek is, ook al deed hij datgene wat de meesten van ons voor juist houden. Want als we mogen kiezen, wie willen we dan liever zijn, Joseph Schultz of een van de andere mannen uit zijn patrouille?'

Zwijgend de zaal in kijken.

'Ik zou Joseph willen zijn. Wie nog meer?'

Jan-Erik zag een golf door de zee van mensen gaan. Het licht van de schijnwerper was heet in zijn gezicht. Zijn ego groeide. Net als anders liet hij op dit punt van zijn lezing zijn blaadje op het spreekgestoelte liggen en liep langzaam naar het midden van het toneel, bleef staan op het punt dat hij van tevoren had gemarkeerd en hield zijn ogen op de vloer van het toneel gericht. Kwetsbaar buiten de beschutting van het spreekgestoelte voegde hij zich bij het publiek en keek langzaam op.

'Mijn vader en Joseph Schultz beseften dat het met onze daden net zo is als met onze kinderen, ze leiden een eigen leven en buiten ons of onze wil om laten ze hun invloed gelden. Joseph Schultz en mijn vader horen bij de kleine groep mensen die inzien dat een goede daad zijn eigen beloning is. Dat is groot, heel groot. Ze hebben bewezen dat we door het overwinnen van onze eigen angst ook onze machtigste vijand overwinnen. Ik ben oneindig dankbaar dat ik een vader als Axel Ragnerfeldt heb, en dat ik de kans krijg om zijn boodschap uit te dragen.'

Het applaus was spontaan als altijd. Hij had zich kwetsbaar opgesteld en was persoonlijk geworden. Hij had hun het idee gegeven dat ze in wezen gelijk waren en eigenlijk net één grote familie. Maar hij was nog niet klaar.

'Ik ben hier vanavond omdat ik de boodschap wil doorgeven. Laten we in de voetsporen treden van mijn vader en een voorbeeld nemen aan Joseph Schultz.'

Hij keek haar vorsend aan en zag dat het goed zat. Voldaan constateerde hij dat haar applaus zich van dat van de anderen onderscheidde. Het was wat langzamer, er zat een andere gedachte achter, zoiets als: je bent fantastisch, maar denk maar niet dat je in alles je zin kunt krijgen. Een teken dat hij juist alles gedaan zou krijgen. Hij lachte in zichzelf over zijn succes.

Het was tijd voor vragen. Het zaallicht ging aan en nu kon hij zijn publiek zien. De anonieme massa kreeg plotseling een gezicht en hij nam zijn plaats achter het spreekgestoelte weer in. Hij sloot zijn ogen en probeerde te genieten van het moment. Nog even, dan zou zijn vader weer alle aandacht opeisen. Losgelaten uit het verpleeghuis waar hij fysiek verbleef, zou zijn geest hier naar binnen stromen en zijn zojuist geleverde prestatie tenietdoen.

Axel Ragnerfeldt, die het succes had behaald dat de meeste ouders hun kinderen toewensen.

Een oudere man achteraan in de zaal stak zijn hand op en Jan-Erik gebaarde dat hij zijn vraag mocht stellen. Niet door met zijn vinger te wijzen als een oud wijf, maar door zijn hele hand te gebruiken.

'Ik wil u graag iets vragen over het boek *Schaduw*.'

De man sprak met een accent. De roman waarover hij iets

wilde vragen had geresulteerd in de Nobelprijs. Het was de roman waarover Jan-Erik de meeste vragen kreeg. De laatste in een rij van literaire triomfen die de Zweedse Academie ten slotte had overtuigd. In 2000 was de hoofdpersoon uit het boek, Simone, verkozen tot het literaire vrouwenportret van de twintigste eeuw, na een felle concurrentiestrijd met Kristina uit *De emigranten* van Moberg.

'Zoals iedereen weet zijn er kolommen vol geschreven over dat boek, maar wat mij fascineert is dat het zo werkelijkheidsgetrouw is. Ik was veertien toen ik uit Buchenwald werd bevrijd en vanuit mijn kampervaringen vind ik het onbegrijpelijk dat iemand die zelf niet in een concentratiekamp heeft gezeten zo precies kan beschrijven hoe het daar was. Uw vader moet wel veel research gedaan hebben, aangezien er talloze feiten in staan die met de werkelijkheid overeenkomen. Ik zou graag willen weten hoe hij te werk is gegaan.'

Jan-Erik glimlachte. Het antwoord was eigenlijk kort en goed: ik heb geen idee. Maar dat kon hij niet zeggen. Er was iets meer nodig om de literatuurliefhebbers tevreden te stellen.

'Mijn vader was altijd erg gesloten over zijn scheppende werk en kende er nooit iemand in. Hij heeft ook nooit verslag gedaan van zijn research of verteld waar hij zijn ideeën eigenlijk opdeed. Als mijn vader schreef, verkeerde hij in een bepaalde toestand waarin hij "ontvanger" was, zoals hij dat noemde, en de woorden als vanzelf tot hem kwamen.'

Dat was waar, maar het verklaarde weinig. Hij had het zichzelf ook altijd afgevraagd.

Er kwamen meer vragen. Ongeveer dezelfde als altijd. Tijdens het hele vragenuurtje ontweek hij haar blik. Hij wilde dat ze zich even zou afvragen of ze hem kwijt was, dat ze daar even bang voor was. Maar hij was zich aldoor bewust van haar aanwezigheid. Vanuit zijn ooghoek registreerde hij elke beweging.

Tot slot las hij altijd een stukje voor. Hij wist dat de gelijkenis tussen hun stemmen de beste manier was om de mensen in verwarring te brengen. Het licht werd gedempt en hij liet de foto van zijn vader op de achtergrond vervagen. Het kleine leeslampje op het spreekgestoelte gaf genoeg licht. Vaak gebruikte hij hetzelfde fragment. Door goed te luisteren naar zijn vader had hij diens zinsmelodie geleerd. Af en toe keek hij haar over de rand van zijn leesbril heen aan. Hij droeg altijd lenzen, alleen niet wanneer hij lezingen hield; met bril leek hij meer op het origineel.

De laatste zinnen had hij zo vaak gelezen dat hij ze uit zijn hoofd kende en daarom kon hij nu het publiek in kijken.

'Maar toen het gedaan was en de avond viel, was ze niet meer zo zeker van haar zaak. Als een onzalige geest kwam de angst aansluipen en sloeg zijn tent op bij hetzelfde vuur. Of je daden nu goed zijn of slecht, ze verspreiden zich als kringen over het water. Over uitgestrekte vlakten zullen ze voorttrekken en altijd nieuwe wegen vinden. En omdat je invloed oneindig is, zal je schuld ook oneindig zijn.'

De voordracht was afgelopen en hij klapte het boek langzaam dicht. De schijnwerpers gingen weer aan. Toen zijn stem was weggestorven, werd het helemaal stil en in de pauze die ontstond kon de angst naar binnen glippen. Het steeds terugkerende schrikbeeld dat het publiek plotseling als één man op zou staan en met oorverdovend gebrul uiting zou geven aan zijn teleurstelling. Dat hij er niets van kon. Dat hij maar middelmatig was.

Het applaus was een bevrijding. Het gaf hem een kick. Het geluid van alle enthousiaste handen omsloot hem als een liefdevolle omarming.

Hij was geweldig, iedereen bewonderde hem.

En daarna het verlangen naar de ontspanning die alleen de minibar op zijn hotelkamer kon geven.

Hij wierp haar een lange blik toe voordat hij het toneel verliet. *Kom na afloop naar mijn kleedkamer.*

Er stonden drie berichten op zijn voicemail. Het eerste was van zijn dochter Ellen. Hij realiseerde zich dat hij vergeten was te bellen, wat hij wel had beloofd. Het tweede was van zijn vrouw Louise, die chagrijnig klonk omdat hij vergeten was Ellen te bellen. En het derde was van een zekere Marianne Folkesson, die hem wilde spreken over Gerda Persson. De altijd aanwezige huishoudster uit zijn jeugd. Het was jaren geleden dat hij contact met haar had gehad, maar Ragnerfeldt BV betaalde haar nog steeds maandelijks een bedrag, bij wijze van pensioen na jarenlange trouwe dienst, dat gebeurde in uitdrukkelijke opdracht van zijn vader. Hij noteerde het nummer van Marianne Folkesson en wilde net het mobiele nummer van zijn dochter intoetsen, toen er discreet werd aangeklopt.

Hij schakelde zijn mobiel uit en deed open.

Eindelijk waren alle bekroonde woorden overbodig. In deze arena was hij de ster.

Hij zou de nacht niet zielig alleen hoeven door te brengen.

VOORTREFFELIJK.

Het was het eerste woord dat bij haar opkwam toen ze slaapdronken haar ogen opendeed en ze kon met geen mogelijkheid begrijpen waarom. Als het 'stomvervelend' was geweest, of 'verpest' of iets anders met een negatieve klank was ze minder verbaasd geweest, maar het was uitgerekend 'voortreffelijk', en dat was een woord dat ze heel lang niet had kunnen gebruiken.

Louise Ragnerfeldt zat aan de keukentafel te ontbijten en ze luisterde naar het gestommel van haar dochter.

Van dichtbij zag gestage verandering eruit als stilstand. Pas met de scherpte van de afstand zag je het geleidelijke verval. Want dat was het, verval, ze kon haar ogen er niet meer voor sluiten.

Het ging zijn gangetje. Zo was het wel best. Het had slechter gekund. Dat oordeel deugde niet meer. Niet als je bijna drieënveertig was, waarschijnlijk al op de helft van je leven, en besefte hoe snel het was gegaan. Haar twaalfjarige dochter was het levende bewijs en ze zag nu al aankomen hoe snel de rest zou gaan. Dan had je af en toe het woord 'voortreffelijk' nodig, maar dat hielp alleen als het uit het hart kwam.

Ze zuchtte toen ze nogmaals begroet werd door de opgenomen stem op zijn voicemail, ze drukte het gesprek weg zonder een bericht achter te laten. Soms kon ze zichzelf wijsmaken dat het de stem van haar schoonvader was die ze aan de andere kant hoorde, zo waren hun stemmen op elkaar gaan lijken. Ze schrok er elke keer weer van. Het confronteerde haar met het feit dat haar man net zozeer een vreemde voor haar was als haar schoonvader en dat ook altijd zou blijven. Misschien was het gedeeltelijk haar eigen schuld geweest dat ze hem nooit had leren kennen voor het herseninfarct, maar dat was geen opzet geweest. Terwijl ze normaal gesproken met iedereen kon praten, was ze in gezelschap van Axel Ragnerfeldt in elkaar gekrompen en stil en saai geworden en ze had haar woorden zo gewogen dat er uiteindelijk niet één goed genoeg was om uitgesproken te worden. Als ze zichzelf al een keer overwon, zei ze vaak 'als het ware' en 'misschien', haar zinnen klonken meer als vragen dan als beweringen en ten slotte had ze er onder zijn kritische blik maar het zwijgen toe gedaan. Ze was zelf verbaasd over haar reactie. Misschien dacht ze dat ze iets was opgeschoten met haar puur fysieke vertrek uit haar ouderlijk huis in Hudiksvall. Ze was de eerste in de familie die had gestudeerd. Haar ouders steunden haar, ook al voelde ze dat ze het er moeilijk mee hadden wanneer ze zich moesten verdedigen tegenover de mensen die vonden dat zij het hoog in de bol had. Bij haar ouders thuis waren woorden een praktisch hulpmiddel, en je gebruikte ze alleen als het nodig was. Wat je dacht hield je voor je en de algemene instelling was dat je beter nergens over kon praten, daar werd het toch niet beter van. Boeken waren voor geleerde mensen, die tot een hogere stand hoorden, die deftiger was dan die van jezelf. Zoals onderwijzers, artsen en directeuren. Trouw aan het gezag werd al heel lang van generatie op generatie doorgegeven en was een vanzelfsprekend deel van het bestaan. Uit gewoonte bleef je bij je eigen soort en zo hoefde je je blik zelden te verruimen. Er was geen bitterheid, de saamhorigheid met de andere gezinnen in de buurt was groot en ook al hadden ze het soms arm, ze hielpen elkaar waar ze konden. En op zondag namen ze een borreltje om de batterij weer op te laden. Maar ze zaten altijd in een ondergeschikte positie ten opzichte van de mensen die een verbond hadden met de woorden. Het hoofd gebogen en de pet in de hand op ouderavonden en op het spreekuur van de dokter. En degene die een plek zocht buiten de eigen kring en daarmee aangaf dat die niet goed genoeg was, werd als een soort verrader beschouwd. In hun ogen hadden schrijvers iets mysterieus en verhevens, als waren het magiërs die kennis hadden van iets wat anderen onmogelijk konden begrijpen, die het onbereikbare wisten te vangen en in staat waren te beschrijven wat niemand anders zag.

Ze wist nog hoe trots ze in het begin was geweest dat ze de naam Ragnerfeldt mocht dragen. Haar vriendinnen kregen een dromerige blik in hun ogen wanneer Axel ter sprake kwam, ze wilden alles over hem weten. Maar toen ze merkten dat ze niet onverdeeld positief was en niet met juichende verhalen aankwam, bekeken ze haar met argwaan, alsof ze uit jaloezie zo over hem sprak. Niemand wilde iets negatiefs horen over de nationale held Axel Ragnerfeldt. De man die met al zijn kennis van goed en kwaad zulke fantastische verhalen had gebeeldhouwd uit hun Zweedse taal. Ze hield haar mening voortaan voor zich en voegde zich voor het oog van de buitenwereld vol overtuiging bij de schare bewonderaars. Dat was gemakkelijker. Door het huizenhoge ontzag dat ze voor haar schoonvader koesterde, kon ze geen woord uitbrengen en ze had hem nooit leren kennen. Nu kon hij niet meer praten, en ook al zou ze dat nooit hardop toegeven, soms voelde dat als een bevrijding.

'Ik ga weg, hoor!'

Louise stond op van de tafel en trok de ceintuur van haar ochtendjas aan.

'Wacht even!'

'Maar ik moet er over tien minuten zijn.'

Ze liep haastig het appartement door en kwam op tijd in de hal. Ze gaf haar dochter snel een knuffel en trok de rits van haar jack omhoog.

'Nou, tot vanavond dan. Zeven uur was het toch? Heeft papa je nog gebeld?'

'Nee.'

Louise slikte en deed een dappere poging om te glimlachen.

'Hij redt het vast wel, dat zul je zien.'

Ellen zei niets meer. De deur klapte dicht en Louise bleef staan. Ze sloot haar ogen uit woede over de situatie waar ze in verzeild was geraakt. Haar eigen lijden stelde niets voor in vergelijking met wat ze in de ogen van haar dochter zag. De roep om aandacht. Dat hij haar eens zou zien staan.

Er waren dertien jaar verstreken sinds hun eerste ontmoeting. Zij was toen dertig en Jan-Erik zevenendertig, en twee jaar daarvoor was ze na een relatie van acht jaar in de steek gelaten door de man die ze voor de ware had aangezien. Haar biologische klok stond in de sluimerstand en het verdriet en de vernedering die haar was aangedaan, hadden haar achterdochtig gemaakt. Maar toen ontmoette ze Jan-Erik. Door de stormachtige manier waarop hij haar het hof maakte, belichaamde hij de grote, ware liefde die net zo plotseling opdoemt als een bliksemflits. Zijn vastberadenheid was overweldigend. Niets was hem te duur geweest, geen weg te lang, geen telefoontje te veel. Enthousiast, onstuimig bijna, had hij haar opgejaagd. Voorbij alle twijfels en alle bedachtzaamheid, alsof ze aan een sprintwedstrijd meededen. Ze zag zijn haast als een bewijs van echte passie. De dagen waren vol verrassingen, 's nachts sliep hij dicht bij haar. Alsof hij een kind was dat bang was dat zij zou verdwijnen als ze hem niet vasthield. Zijn vurige verering deed haar duizelen, en nadat ze eerst was afgedankt en aan de kant gezet, kreeg ze nu een ereplaatsje in het middelpunt van Jan-Eriks universum.

Ruim een jaar nadat ze elkaar hadden leren kennen, was Ellen geboren.

Achteraf besefte Louise dat zijn hofmakerij veel weg had gehad van de manier waarop een makelaar een aspirant-koper ongeduldig door de kamers van een bouwvallig huis loodst.

Ze ging naar de badkamer, draaide de kraan in de douchecabine open en bleef op de behaaglijk warme vloer staan wachten totdat het water op temperatuur was. De badkamer was onlangs gerenoveerd. Jan-Erik had haar de vrije hand gegeven en ze had uitgezocht wat zij mooi vond. Ze vond het jammer dat ze niet samen iets hadden uitgezocht wat ze allebei mooi vonden, maar daar had Jan-Erik geen tijd voor en zij kende zijn smaak niet goed genoeg. Het was een vicieuze cirkel. Hun uitgaven waren zodanig dat hij veel moest werken, maar hoe meer hij werkte, des te groter leken de onkosten te worden. Ze keek naar de drie speciaal bestelde naamplaatjes van email boven het handdoekenrekje. Ellen, Jan-Erik en Louise. Als je niet beter wist, zou je kunnen denken dat die drie namen in één en hetzelfde gezin thuishoorden.

Ze hing haar ochtendjas aan een haakje en stapte onder de douche.

Misschien had Jan-Erik haar als een begeerlijke buit beschouwd. Toen hij haar leven binnen kwam stormen, had ze net haar vijftien minuten in de spotlights erop zitten. Of liever in de culturele high society. Voor Jan-Erik was het belangrijk om daarbij te horen, dat was later wel gebleken. Na de uitputtende scheiding van haar ex had ze plotseling de behoefte gevoeld om het van zich af te schrijven, terwijl ze eerder nooit een bijzondere band met woorden had gehad. In een moment van zelfvertrouwen had ze haar gedichten naar een uitgeverij gestuurd. De bundel baarde veel opzien en de nu vergeelde knipsels uit culturele bijlagen stonden vol met loftuitingen. 'Een uitzonderlijk debuut', hadden ze geschreven. 'Een belofte voor de toekomst', was ze genoemd. Maar in de afgelopen dertien jaar was zowel haar bestaan als haar schrijftalent in de vergetelheid geraakt. Als ze in haar onnozelheid had gedacht dat haar nieuwe achternaam haar van pas zou komen bij haar literaire ambities, dan was ze bedrogen uitgekomen. Haar eigen creativiteit was opgezogen door het zwarte gat dat Axel Ragnerfeldts eerbiedwaardige naam omringde, elke vorm van concurrentie werd effectief onschadelijk gemaakt.

Ze draaide de kraan dicht en reikte naar de handdoek. Ze droogde zich af en smeerde zich zorgvuldig in met een vochtinbrengende crème.

Achteraf kon je niet goed meer zien welke afslag ze wanneer hadden genomen. Welke kleine stapjes hen onafwendbaar hadden geleid naar waar ze nu waren. Volgens haar was Jan-Eriks aandacht voor haar verflauwd naarmate haar naam minder vaak in de krant stond. Misschien was hij op zoek geweest naar een trofee, die goed zou staan in de woonkamer van de familie Ragnerfeldt, maar die bij nadere beschouwing schril afstak bij het edele hout van de boekenkast. Van het middelpunt van het universum van Jan-Erik Ragnerfeldt was ze overgeplaatst naar de portiersloge van zijn imperium.

Ze bekeek haar borsten in de spiegel. Rond en exact groot genoeg, net wat ze altijd had gewild. De littekens waren niet meer te zien. Ze had korting gekregen, aangezien de man van een vriendin van haar de ingreep had uitgevoerd. Jan-Erik wist er niets van, en waarom zou ze het hem ook vertellen? Haar borsten interesseerden hem niet meer dan de cavia van de buurjongen, misschien wel minder.

Ze wist nog hoe het in het begin was geweest. Ze grepen elke gelegenheid aan voor een vurig liefdesmoment op het kleed in de woonkamer, op de keukentafel, of waar dan ook, als ze de geest kregen. Hij was een fantastische minnaar. Ze was verbaasd dat hij haar zo graag wilde laten genieten, dat hij zichzelf op de tweede plaats stelde, dat hij haar koste wat het kost wilde bevredigen. Wanneer zij hetzelfde voor hem probeerde te doen, trok hij het initiatief snel weer naar zich toe, net alsof hij meer van haar genot genoot dan van het zijne. Hij was net een circusartiest in de piste die vaardig zijn kunsten vertoonde, en ze kreeg het gevoel dat haar orgasmen moesten bewijzen dat ze echt van hem hield. Ze genoot ongeremd, schaamde zich bijna voor haar passie. Maar het begon haar op te vallen dat ze steeds minder met elkaar praatten en ondanks alle seks kreeg ze het gevoel dat de afstand tussen hen groeide. Uiteindelijk leek het wel of alle communicatie via hun erogene zones plaatsvond. Ze probeerde er met hem over te praten, maar dat ging niet. Was het in het algemeen al moeilijk om zaken bespreekbaar te maken, waar het seks betrof gold dat dubbel. Alsof alles waar ze zich ongegeneerd aan overgaven geen naam had. Hij vatte haar aarzelende bezwaren op als kritiek op zijn kunnen, en de enige manier om het tegendeel te bewijzen was het gesprek te laten overgaan in weer een vrijpartij. Toen, op een avond, ze wist nog dat het zo'n avond was dat ze wilde praten, kreeg hij hem niet overeind. Ze verzekerde hem dat het niet erg was, ze wilde hem vasthouden, maar haar woorden haalden niets uit. Ze herinnerde zich vooral de woede in zijn ogen toen hij zich als een geslagen hond terugtrok en zich opsloot in zijn werkkamer. De maanden daarop werd het stil op alle fronten. Eerst dacht ze dat de woorden die hen hadden kunnen helpen verloren waren gegaan, maar algauw werd het haar duidelijk dat ze er nooit waren geweest. Ze had het sterke gevoel van saamhorigheid dat ontstond als ze seks hadden voor liefde aangezien, maar eigenlijk kende ze hem niet. Niet echt. Ademloos had ze gewacht tot hij terug zou komen. Zijn onwil werd duidelijk en hij draaide niet bij, zijn vijandigheid maakte haar wanhopig. Ze probeerde van alles. Romantische etentjes bij kaarslicht, mooie kleren, toneelvoorstellingen. Het had hen niet dichter bij elkaar gebracht, integendeel: haar mislukte pogingen hadden het probleem verergerd en de afstand tussen hen nog verder vergroot. Maar na een diner met haar schoonouders, op een moment dat ze de hoop allang had opgegeven, was hij onverwacht naar haar helft van het bed gekropen. Woordeloos en met het bedlampje uit had hij zich met klunzige dronken vingers een weg gebaand om zichzelf daarna met agressieve stoten aan een zaadlozing te helpen.

Dat was de laatste keer geweest. Elf jaar geleden.

Haar verwachtingen hadden zich aan de nieuwe situatie aangepast, waar lichamelijk contact niet verder ging dan op zijn hoogst een schouderklopje als het niet anders kon.

Ze bekeek zichzelf in de spiegel. Ze inspecteerde haar naakte lichaam. Wat ouder, wat rijper, maar na de borstoperatie en flink trainen zag het er nog goed uit.

Door niemand begeerd.

Haar verlangen werd met de dag moeilijker te hanteren. Ze wilde het vuur van de hartstocht zo graag nog eens ervaren. Balanceren op het randje en voelen dat je leeft.

Ze hield haar handen als een kom om haar borsten en deed haar ogen dicht. Wat zou het fijn zijn om toe te mogen geven. Om te moeten buigen voor de levenskracht van de passie en je over te mogen geven. En daarna te rusten in een omarming die haar verzekerde dat ze goed genoeg was.

Stipt om tien uur opende ze na een snelle wandeling de deur van Boutique Louise aan de Nybrogatan. Het pand werd door Ragnerfeldt BV gehuurd. Jan-Erik had dat zeven jaar geleden met toestemming van Axel voor haar geregeld, toen haar schrijftalent net zo snel weer was verdwenen als het was ontstaan. Exclusieve merkkleding voor koopkrachtige klanten, van wie de meesten in de onmiddellijke omgeving woonden. Ze had haar best gedaan om de levensstijl aan te nemen die van haar werd verwacht, maar het ging steeds meer ten koste van haarzelf. Ze had een technische opleiding gevolgd met computertechniek als specialisatie, maar na haar zwangerschapsverlof was ze niet meer teruggegaan. Door de snelle ontwikkeling binnen de IT-branche had ze snel een achterstand opgelopen. Bovendien zag Jan-Erik haar liever als eigenaar van een boetiek en misschien had dat idee haarzelf toen ook wel aangesproken. In werkelijkheid was de boetiek niet meer dan een luxe liefhebberij. De inkomsten waren gering en droegen niet noemenswaard bij aan de huishoudpot. Maar ze had iets om handen, zodat Jan-Erik zich met een gerust hart aan zijn eigen bezigheden kon wijden. En wanneer ze klaagde dat hij te veel werkte, kreeg ze steevast te horen dat hij niet anders kon, er moest brood op de plank komen. Ze was volledig afhankelijk van Jan-Erik en het familiebedrijf van de Ragnerfeldts.

Ze hing haar jas op in het kleine hokje achter de toonbank en haalde haar mobieltje tevoorschijn. Jan-Erik had nog steeds niet teruggebeld, ook al had ze een bericht achtergelaten op zijn voicemail om hem aan de toneelvoorstelling van hun dochter te herinneren. Ze zuchtte diep en toetste toen het nummer van Alice Ragnerfeldt in. De telefoon ging heel vaak over, maar dat was niet ongebruikelijk. Haar schoonmoeder leed onder andere aan vaatkramp, en beweerde dat de dokter had gezegd dat een dopje whisky 's ochtends daar goed tegen hielp. Hoe groot het dopje van de fles van de dokter was, wist Louise niet, maar dat van haar schoonmoeder moest gigantisch zijn. Na het twaalfde signaal nam ze op.

'Alice Ragnerfeldt.'

'Met Louise. Hoe gaat het vandaag met u?'

Het werd stil in de hoorn. Louise had spijt van haar vraag, omdat ze het antwoord al wist.

'Goed, dank je. Net als anders.'

Voordat ze aan het gebruikelijke gedetailleerde verslag kon beginnen, zei Louise: 'Ik wilde vragen of u vanavond mee gaat naar een toneelvoorstelling bij Ellen op school.'

'Vanavond?'

'Ja. Om zeven uur.'

Er volgde een lange stilte. Louise kon de zware ademhaling van haar schoonmoeder horen. En toen de vraag waarvan ze wist dat die zou komen: 'Gaat Jan-Erik ook mee?'

'Ik weet niet of hij dat redt. Hij had gisteren een lezing in Göteborg, dus hij komt vanmiddag of vanavond met de trein terug.'

Op het moment dat ze dat antwoord gaf, vroeg ze zich af waarom ze niet eerlijk was. Waarom ze hem altijd instinctief verdedigde. Het was net alsof er bij elk contact met haar schoonouders een wissel omklapte in haar hoofd. Ze moest de schijn ophouden om een achterbakse aanval te voorkomen en om te bewijzen dat ze goed genoeg was. Met Axel had ze in feite geen contact, en haar relatie met Alice was gespannen. In het begin was haar schoonmoeder openlijk ontevreden geweest, maar in de loop der jaren was dat veranderd in een berustend aanvaarden van de omstandigheden. Het was geen volmondige acceptatie, maar het was beter dan niets. Louise wilde zo graag bij de familie horen, er echt deel van uitmaken en er niet maar een beetje bij hangen. Of als een afgedankt siervoorwerp stof staan verzamelen op een plank in de kast.

Alice Ragnerfeldt kon haar nu geen uitsluitsel geven en vroeg of Louise 's middags terug wilde bellen.

Hij dook niet op bij de toneeluitvoering, en ze had ook niet anders verwacht. Haar moederhart vulde zich met heilige verontwaardiging toen ze net als ontelbare keren daarvoor haar dochter met een hoopvolle blik de zaal in zag kijken, en haar gezicht zag betrekken bij het zien van de lege plek. Louise werd beroerd bij het idee dat zij straks zijn afwezigheid zou mogen goedpraten om de teleurstelling van haar dochter te verzachten. Haar boosheid en onmacht maakten het haar onmogelijk van de voorstelling te genieten.

Dit was geen leven. Echt niet. Niet als je ooit nog het woord 'voortreffelijk' wilde gebruiken.

Hij kwam pas tegen elven thuis. Ellen sliep al en zelf zat ze met een glas verdovend middel in de leunstoel in de erker.

'Hallóó!' klonk het vrolijk vanuit de hal.

Ze had spijt dat ze niet naar bed was gegaan, dat ze zich niet in het donker had verstopt met haar rug naar hem toe, zodat ze hem niet hoefde te zien. Ze was zo dood- en doodmoe van degene die ze geworden was.

Ze hoorde zijn voetstappen naderen en toen stond hij in de woonkamer. Hij zag er moe uit. Een pafferig gezicht.

'Hoi.'

'Hoi.'

Ze keek weg en veegde snel een onzichtbaar pluisje van de leuning.

'Het spijt me dat ik niet op tijd was voor de toneelvoorstelling van Ellen. De trein had vertraging.'

'Jij hebt ook altijd pech met treinen. Ik dacht dat je die lezing gisteravond had.'

Hij liep naar het vergulde karretje met flessen. Met zijn rug naar haar toe schonk hij een whisky in. Dat deed hij tegenwoordig steeds vaker. Een whisky nemen. 's Nachts, als ze naar de wc was geweest en de slaapkamer weer in kwam, rook ze soms de scherpe geur van zijn adem. Maar gelet op wat ze zelf in haar hand hield, kon ze er moeilijk iets van zeggen.

'Ik had voor vandaag een paar afspraken gemaakt met bedrijven in Göteborg. Over de inzamelingsactie voor de artsenpost in Somalië. Is er hier nog iets bijzonders gebeurd?'

Nee. Behalve dat je het hart van je dochter weer eens hebt gebroken, wilde ze zeggen. Maar het is nu al zo ver dat ze haar teleurstelling niet eens meer laat blijken.

Dat had ze namelijk niet gedaan. Ze had met geen woord gerept van de afwezigheid van haar vader.

'Wat voor huisartsenpost?'

Hij keek haar verbaasd aan.

'Weet je dat niet? De huisartsenpost die we vorig jaar hebben opgezet.'

'Nee, dat wist ik niet. Hoe zou ik dat moeten weten als jij het nooit hebt verteld?'

Haar stem was hard en stekelig. Ze had een hekel aan de bitterheid die bezit van haar nam. Zo langzaam en sluipend dat ze het pas had ontdekt toen die al in haar zat.

'O, sorry. Ik dacht dat ik het had verteld, of misschien dacht ik dat het je niet zo veel kon schelen.'

Ze keek uit het raam. Naar de toren van de Hedvig Eleonorakerk, die boven de boomtoppen uitstak. Het was waar wat hij had gezegd, dat het haar niet zo interesseerde. Ze wist dat ze afhankelijk waren van zijn werk en dat het nuttig was, dat de fondsen en kindertehuizen die hij opzette in naam van Axel daarginds op afgelegen plaatsen mensenlevens redden, maar belangstelling tonen voor zijn inspanningen stond gelijk aan het legitimeren van haar eigen beul. Daarmee accepteerde ze dat ze altijd op de zoveelste plaats kwam. Dat iets anders altijd belangrijker was en voorrang had boven datgene wat zij en Ellen te bieden hadden. Misschien was ze egoïstisch. Als ze een beter mens was, kon ze misschien Ellens wel en haar eigen wee opzijzetten voor een grotere zaak. Maar ze was geen beter mens.

'Ik heb je moeder gevraagd of ze mee wilde naar de toneelvoorstelling.'

'Wat aardig van je.'

'Nou nee, eigenlijk niet. Ik vroeg het niet voor haar, maar voor Ellen. Maar ze kon niet. Ze moest thuisblijven voor haar vaatkramp, haar zere heup en haar oorsuizingen.'

Jan-Erik dronk het glas leeg en schonk zichzelf bij.

'Het is ook niet zo gemakkelijk. Ze wordt immers al tachtig dit jaar. Hopelijk kunnen we er de volgende keer alle drie bij zijn.'

Ze keek weer uit het raam. Ze zou willen dat ze zich achter een van de ramen aan de overkant van de straat bevond.

'Ja, het zou mooi zijn als de familie Ragnerfeldt voor de verandering eens massaal kwam opdraven. Leuk ook voor Ellen om eens niet degene met het minste publiek te zijn.'

Ze gruwde van elke lettergreep die over haar lippen kwam. Ze vond het vreselijk dat ze iemand was geworden die alleen nog genoegdoening kon krijgen door zichzelf toe te staan dat soort opmerkingen te maken. Vaak ging het om kleinigheden die eigenlijk niets voorstelden, die ze aangreep om haar ongenoegen te uiten. Hoe hij zijn schoenen neerzette in de hal, hoe de afwas in de vaatwasser moest worden gezet, dat de kussens verkeerd op de bank lagen. Wat ze het ergst vond was dat Jan-Erik zich niet liet provoceren. Als een van die onkwetsbare personages uit Ellens computerspelletjes stond hij na elke dodelijke klap ongedeerd op, klaar voor een nieuwe aanval. Zijn denigrerende gelijkmoedigheid maakte haar razend. Ze was nog niet eens in staat of belangrijk genoeg om een ruzie uit te kunnen lokken.

Hij zette zijn lege glas op het glazen blad van het karretje.

'Ik ga naar bed. Ik moet morgen bij mijn moeder langs. Gerda Persson is overleden.'

'O? En wie is Gerda Persson?'

Even keek hij verbaasd.

'Onze oude huishoudster.'

Gerda Persson. Die naam had ze nog nooit gehoord.

'Ik werd gebeld door iemand van de gemeente die de begrafenis wilde bespreken. Ik vermoed dat wij de naaste kennissen zijn die ze heeft. Of had, bedoel ik. Mijn hele jeugd woonde ze bij ons in huis en ze is tot 1979, 1980 of daaromtrent gebleven, dus het is niet zo gek dat ze ons vragen of we een handje kunnen helpen. Mijn moeder kende haar beter, dus dat moet ik met haar bespreken.'

Hij verdween uit het zicht en even later hoorde ze de badkamerdeur op slot gaan. Alsof hij anders het risico liep dat ze plotseling binnen zou komen stormen om zich aan hem te vergrijpen.

Ze woonde samen met een vreemdeling. Gedurende zijn hele jeugd had er ene Gerda Persson bij hem in huis gewoond. Hij had haar naam nooit eerder genoemd. Weer een bewijs hoe goed hij erin was geslaagd Louise overal buiten te houden. Ze wist niets van zijn vroegere of tegenwoordige leven. En ze had er geen idee van hoe hij zich de toekomst voorstelde.

Er waren twee gescheiden compartimenten. Aan de ene kant het verlangen om haar eigen dromen opnieuw te mogen veroveren. Aan de andere kant de verbittering over hoe alles was geworden, de totale onverschilligheid van Jan-Erik. Tussen die molenstenen werd alles vermalen tot een fijnkorrelig stof dat zich langzaam over haar leven uitbreidde. Er was een uitweg. Velen waren haar voorgegaan. Het aantal echtscheidingen was zo groot dat je in de winkel in de rij moest staan voor een bananendoos. Maar het was nog een hele stap van 'ik zou wel willen' naar 'nu wil ik'. Ellen was een complicerende factor. Ze kon niet zomaar een beslissing nemen die ook op Ellen grote invloed zou hebben. En dan waren er nog de financiën. Alles van waarde in hun leven zat in de BV Ragnerfeldt en daarvan was Axel Ragnerfeldt nog steeds eigenaar. Het appartement, de auto, de boetiek. Bij een scheiding zou ze berooid zijn. Maar alleen zolang Axel nog leefde. Die gedachte had ze soms, de laatste tijd steeds vaker. Dat er na de verdeling van de erfenis een andere situatie zou ontstaan. Ze was gaan inzien wat er achter haar verbittering schuilging, een gevoel dat haar soms naar de keel vloog. Een enorm verdriet over hun onvergeeflijke mislukking.

Als er geen ingrijpende verbetering optrad, was een scheiding, meteen na Axels overlijden, de enige oplossing.

Het alternatief was blijven en het woord 'voortreffelijk' voorgoed uit haar bewustzijn schrappen.

Hij had geleerd om zo te ademen dat het klonk alsof hij sliep. In zijn pyjama lag hij aan zijn kant van het tweepersoonsbed onder het dekbed te luisteren naar Louises blote voeten die aan kwamen sluipen over het eikenparket met visgraatmotief. Hij hoorde dat ze haar ochtendjas aan de haak hing, op de rand van het bed ging zitten en haar ketting, haar ringen en oorhangers afdeed, en hij hoorde het gerinkel van de sieraden toen ze een voor een in het kristallen schaaltje op het nachtkastje belandden. Hoe ze het laatje uittrok, het deksel van de vochtinbrengende crème schroefde en ten slotte het geluid van hoe ze haar handen zorgvuldig insmeerde. Altijd dezelfde routine. Avond aan avond. Als je het begrip 'sleur' aanschouwelijk wilde maken, was dit een heel goede manier.

Hij had de vorige nacht maar een paar uur geslapen, toch kon hij de slaap niet vatten. Zijn hart bonsde op een onprettige manier en hij wilde dat hij ongemerkt op kon staan om nog een whisky achterover te slaan. En bovendien, ook al achtte Louise hem daar vast niet toe in staat, voelde hij zich schuldig dat hij Ellens toneelvoorstelling had gemist. Alweer. Het was geen opzet geweest. Hij had een trein eerder willen nemen. Maar toen had ze hem gevraagd of hij niet nog een paar uurtjes kon blijven, zij kon vrij nemen, en hij had niet kunnen weigeren. Zoals wel vaker was hij zijn pik weer eens achterna gelopen, en een paar uur lang had hij verrukt het effect van zijn vaardigheden aanschouwd en voldoening gevoeld over zijn eigen kunnen toen hij haar liet kreunen van genot. Meteen daarna walgde hij ervan. Een afschuw zo sterk dat het net was of zij plotseling tentakels had gekregen.

Maar zijn trein had hij gemist.

Hij hoorde dat Louises ademhaling dieper werd en hij vermoedde dat ze in slaap was gevallen. Maar misschien deed ze net alsof, net als hij. Ze zouden aparte slaapkamers moeten nemen, dan konden ze tenminste rustig nog wat lezen 's avonds. Maar om zo ver te komen, moesten ze de problemen op tafel leggen en hij had een hekel aan openlijke conflicten. Die bleven vaak niet binnen de verwachte kaders en gingen opeens over iets heel anders dan aanvankelijk de bedoeling was geweest. Het was een veel te groot risico.

De schuldgevoelens die hij had, waren moeilijk te beschrijven. Hij hield het thuis alleen uit omdat hij zo vaak weg was. Toch was hij elke keer weer opgelucht als hij er was. Tot tranen toe geroerd en met een slecht geweten wilde hij niets liever dan harmonie. Zoals de zandzak van een bokser zwijgend de ene klap na de andere opvangt, was hij bereid haar bitse commentaren aan te horen. Talloze keren had hij beloofd dat alles zou veranderen, hij zou een beter mens worden, minder gaan drinken en zijn driften in toom houden. Maar alle goede voornemens ten spijt maakte de rusteloosheid zich algauw weer van hem meester en kon hij de kriebels in zijn lichaam onmogelijk onderdrukken. Dan begon het weer, hij ging op pad en nam stevig in. Dat alleen kon zijn nood lenigen.

Hij steunde op zijn elleboog en nam een slok water uit het glas op het nachtkastje. Een streepje licht van een straatlantaarn kwam door de houten jaloezieën heen en ging dwars over het tweepersoonsbed liggen. Hij draaide op zijn zij en keek naar Louise, die met haar rug naar hem toe lag en misschien sliep.

Toen, dertien jaar geleden, was hij zeker geweest van zijn zaak. Zekerder dan ooit. Na eindeloos veel kortstondige relaties en avontuurtjes had hij eindelijk de vrouw gevonden die hij zocht. Zij zou het knagende gevoel van leegte wegnemen en hem heel maken. Hij had het eerder geprobeerd, maar die vrouwen hadden het niet waargemaakt. Deze keer zou alles anders worden. Hij was het leven dat hij leidde beu, hij zag de blikken in de ogen van de jongere vrouwen steeds vaker, hij begon zielig te worden. Nu hij zevenendertig was, werd het hoog tijd om zijn verlate puberteit af te sluiten die begonnen was toen hij zestien jaar eerder thuis was gekomen uit de Verenigde Staten. Elke nacht in de kroeg, drugs, geld dat even snel geronnen als gewonnen was. De vreemden die naast hem lagen wanneer hij 's ochtends wakker werd, en die in het ochtendlicht nooit zo aantrekkelijk waren als in de roes van de nacht ervoor. Louise zou het pantser worden dat hij nodig had. Voor haar wilde hij structuur aanbrengen in zijn leven, hij zou eindelijk laten zien dat hij meer in zijn mars had en dat hij uit de schaduw van zijn beroemde naam kon ontsnappen. Ze paste perfect in het plaatje. Een slimme, mooie, gelauwerde dichteres. Zijn vader zou onder de indruk zijn, en zijn moeder was toch nooit tevreden.

Hij tilde het dekbed voorzichtig op, en met een waakzame blik op haar rug stond hij oneindig langzaam op om haar niet wakker te maken. Ze verroerde zich niet. Hij pakte zijn ochtendjas en deed de deur zachtjes achter zich dicht. Geroutineerd sloop hij over de krakende parketvloer. Ellens deur stond op een kier en de rode lavalamp was aan. Even bleef hij naar haar staan kijken, waarom wist hij eigenlijk niet. Het was gewoon zo veel gemakkelijker om de liefde die hij voelde boven te laten komen wanneer ze sliep. Het dekbed was van haar af gegleden en hij stopte haar behoedzaam in voordat hij verder liep.

Hij hield een fles whisky verstopt achter de boeken in zijn werkkamer. Hij liet de deur openstaan om eventuele geluiden beter te kunnen horen en hij nam een paar slokken zo uit de fles, hij keek wat er voor post was voor Ragnerfeldt BV, maar maakte de brieven niet open. Twee ervan leken hem brieven van lezers. Zijn vader kreeg er nog steeds een paar per week. Jan-Erik stuurde altijd een foto van zijn vader met diens voorgedrukte handtekening erop terug.

In de badkamer poetste hij zijn tanden. Hij borstelde de dranklucht zorgvuldig weg. Toen maakte hij een stukje wc-papier nat en veegde de witte spetters van de spiegel. Een kleine moeite die hem gemopper zou besparen.

Hij ging terug naar de slaapkamer en kroop in bed.

Het was allemaal zo mooi begonnen. Hij had maar geen genoeg van haar kunnen krijgen. Voor het eerst dacht hij dat hij de vrouw van zijn leven had gevonden. Als een magneet trok ze zijn blikken naar zich toe, die vroeger altijd afdwaalden naar andere vrouwen. Ze was zijn grote passie. Ze was een mysterie voor hem. Aanvankelijk sloeg ze zijn toenaderingen af en haar weerstand bracht hem aan de rand van de waanzin. Alsof hij in een draaikolk was gesprongen. Hij werd steeds enthousiaster, over elk aspect van haar. Hij wilde continu bij haar zijn, hij wilde weten wat ze dacht als ze zweeg, hij wilde haar geur inademen, haar beminnen, haar stevig vasthouden en nooit meer laten gaan. Ten slotte was ze gecapituleerd voor de kracht van zijn stormachtige aanval.

Het duurde echter niet lang voordat ze veeleisend begon te worden. Telefoontjes wanneer hij die allerminst verwachtte. Intieme dinertjes bij kaarslicht waarbij ze nieuwsgierig naar zijn geheimen viste en ongevraagd de hare prijsgaf. Cadeautjes en verrassingen die dankbaarheid van hem eisten. Voor hem hoefde het zo niet. Er kwamen steeds langere omleidingen via kleine dagelijkse dingen voordat hij de gelegenheid kreeg om in de slaapkamer zijn kunnen te tonen. Zijn argwaan groeide, hij zag duidelijk hoe ze haar best deed om zichzelf onmisbaar te maken en hoe ze zich een steeds vastere plek in zijn leven wilde verwerven. Toen had hij het gehad met haar. Net als altijd veranderde het mysterie in weten en spanning werd sleur. Haar geheime ondergoed, dat zijn fantasie dagenlang had geprikkeld, hing plotseling in het licht van tl-buizen aan de waslijn als hij zich 's ochtends ging scheren. Haar wonderbaarlijke schoonheid kwam uit een bonte verzameling potjes en flesjes, die hij in het badkamerkastje vond. Haar gedachten, die hij zo bijzonder had gevonden, bleken even doodgewoon te zijn als die van ieder ander. Een vrouw was net een verre stad in de nacht. Van een afstand glinsterden de lichten als magische edelstenen, ze lokten en verleidden je met al hun beloften en mogelijkheden. Van dichtbij zag hij er niet anders uit dan andere steden. Vol huizen die opgeknapt moesten worden en rommel op de stoep. Hij was niet op zoek naar vriendschap, die bood geen verlichting. Hij wilde vurige hartstocht en ongeremde seks en hij was kwaad op haar omdat ze hem erin had laten lopen. Zijn verliefdheid was opnieuw op een teleurstelling uitgelopen. Het was net een cocaïneroes. Even was hij high geweest om daarna nog dieper in zijn oude rusteloosheid vervallen.

Hij was van plan geweest om hun relatie zonder uitleg te beeindigen. Om even sigaretten te gaan halen en dan niet meer terug te komen. Die avond had ze hem gevraagd om op de bank te komen zitten, ze had zijn hand vastgepakt en hem met een gelukkige glimlach verteld dat ze in verwachting was.

Hij werd voor de wekker wakker. Stilletjes sloop hij naar Louises nachtkastje en zette haar wekker uit. Daarna ging hij zijn dochter wakker maken. Hij wilde zo graag even alleen zijn met haar, de gelegenheid krijgen om zijn excuus aan te bieden omdat hij haar toneelvoorstelling had gemist. Even bleef hij naar zijn slapende dochter kijken. Zo groot al, maar toch nog maar een kind.

'Ellen.'

Ze bewoog zachtjes.

'Ellen, het is tijd om op te staan.'

Hij legde zijn hand op haar hoofd en aaide haar wat onhandig. Ze deed haar ogen open en zag hem.

'Hoi.'

Ze klonk oprecht blij en rekte zich uit. Hij glimlachte even en wilde iets zeggen.

'Ik maak ontbijt klaar. Wat eet je 's ochtends altijd?'

'Alleen melk en een boterham. Met kaas.'

Hij wilde nu zijn excuus aanbieden, maar kon de woorden niet vinden. Even bleef hij staan zoeken voordat hij het opgaf en haar kamer verliet. Hij realiseerde zich dat hij er niet achter kwam hoe hij zich moest gedragen. Hij hield van zijn dochter, maar hij was ook bang voor haar. Van haar duidelijke afhankelijkheid, haar zoeken naar contact kreeg hij het benauwd. Dan kreeg hij de neiging zich daartegen te verzetten. Hij kon haar niet geven wat ze bij hem zocht. Dat zat gewoon niet in hem. Haar aanwezigheid herinnerde hem voortdurend aan zijn onvolmaaktheid. Als hij heel eerlijk was, werkte ze hem op de zenuwen.

Hij smeerde een boterham voor haar en liep de hal in om het

ochtendblad te halen. Toen hij terugkwam, zat ze aan de keukentafel en hij ging tegenover haar zitten. Nu dan. Nu zou hij zijn excuus aanbieden.

'En, hoe gaat het op school?'

'Goed.'

Ze kauwde verder.

'Hebben jullie veel proefwerken?'

'Gaat wel. Niet zo veel.'

Ze dronk haar glas leeg en stond op om de melk uit de koelkast te halen. Hij besefte dat de tijd begon te dringen en probeerde het nog eens.

'Ik wilde alleen zeggen, dat uh, dat als je nog een boterham wilt, dan kan ik die wel voor je smeren.'

'Nee, dank je wel. Waar is mama?'

'Die slaapt nog.'

'Ik kan mijn groene haarspeld niet vinden.'

In één teug dronk ze de pas ingeschonken melk op en zette het glas vervolgens in de vaatwasser. Voordat hij verder nog iets kon zeggen, verdween ze naar hun slaapkamer en hij hoorde hun mompelende stemmen. Vertrouwelijke gesprekken waar hij altijd buiten stond.

Ellen vormde een van de redenen waarom hij was gebleven. Bij een scheiding zou hij haar kwijtraken. De band die hij met haar had opgebouwd was veel te los om te kunnen wedijveren met de ketting die Louise had weten te smeden. Maar er was nog een andere reden, zo geheim dat alleen zijn vader en hijzelf die kenden. Die had met de schone schijn te maken.

Een Ragnerfeldt scheidde niet.

In de tijd voor Ellens geboorte had zijn vader niet bepaald een hoge pet opgehad van Jan-Eriks aanleg voor het huwelijk, en ook al kon de kritiek tegenwoordig alleen nog maar als bliksems uit zijn ogen schieten, die zou des te concreter worden op de dag waarop hij zou overlijden en de erfenis zou worden verdeeld. Zijn wettige kindsdeel kon hem niet onthouden worden, maar zijn vader was altijd handig geweest in juridische zaken. Met forse pennenstrepen had hij ervoor gezorgd dat Jan-Eriks deel minimaal zou worden als hij geen eerbaar leven leidde op de dag dat het testament werd voorgelezen. Jan-Erik had het document zelf mogen lezen. Het was gedateerd op Ellens eerste verjaardag en zijn vader had er in onberispelijke vaktaal zijn superioriteit in vastgelegd. Met woorden waar de verachting vanaf droop, had hij grote bedragen aan Louise en Ellen vermaakt. Zolang het huwelijk intact bleef, zou niemand er iets van merken, Jan-Erik zou executeur testamentair zijn en verantwoording schuldig zijn aan de accountant. Maar bij een scheiding zou alles aan het licht komen, en Louise zou als de grote winnaar uit de bus komen. 'Ik doe dit voor Ellen', had zijn vader uitgelegd. 'Zij is onze toekomst.' En ze waren weer aan tafel gaan zitten en Jan-Erik had zich laveloos gedronken aan de goede wijn. Hij had halfhartig deelgenomen aan de onschuldige gesprekken die als omtrekkende bewegingen de woede camoufleerden die hij voelde. Omdat de toekomst een generatie had overgeslagen.

Die avond had hij geprobeerd zichzelf te overwinnen en seks te hebben met Louise.

Hij had het gevoel dat hij zijn gevangenbewaarder neukte.

ALICE RAGNERFELDT HAD GEEN WEKKER nodig om voor dag en dauw op te staan. Daar had ze zelf niet voor gekozen. Integendeel, ze was altijd een nachtmens geweest. Ze sprong in het gat dat de slapenden hadden achtergelaten en genoot van de extra bewegingsvrijheid. Maar wakker en slapeloos waren twee heel verschillende dingen. Tegenwoordig wilde ze niets liever dan slapen, maar de slaaptabletten werkten maar een paar uur. In de kleine uurtjes werd ze wakker van de vaatkramp. Een zwaar gevoel in haar hartstreek alsof alle verschrikkingen van de wereld op haar borst drukten. Oud worden was niets anders dan een langgerekte kwelling. Het gezicht van een vreemd oud mens in de spiegel. De verwachting van de jeugd was als bij toverslag veranderd in de verbazing van de ouderdom. Dat alles zo snel was gegaan en dat overal zo weinig van terechtgekomen was. Omstandigheden die tijdelijk leken, maar ongemerkt waren veranderd in onwrikbare situaties. Belangrijke beslissingen waarvan ze zich niet kon herinneren dat zij die willens en wetens had genomen. Mensen die waren gekomen en gegaan, die haar een poosje gezelschap hadden gehouden om vervolgens andere wegen in te slaan.

Alles was vervlogen, maar niets was verloren gegaan. De kern was er nog, als geconserveerd fruit van een voorbij seizoen.

Die ochtend werd ze echter niet wakker van de vaatkramp, maar van pijn in haar rechterkuit. Ze wist het, ze had erop gewacht, en nadat ze haar voet had gestrekt om van de kramp af te komen, deed ze de lamp aan en pakte de krantenknipsels van het nachtkastje. Ze haalde ze uit het plastic mapje en bladerde totdat ze de goede te pakken had. De *Expressen* van 15 september. '900.000 Zweden lijden aan nierziekte – vaak zonder het zelf te weten. Een eenvoudige test brengt nierfalen aan het licht.' Ze nam de test door, hoofdpijn 's ochtends, vermoeidheid als eerste en meest voorkomende symptoom, jeuk, opgezette benen, in een later stadium misselijkheid en overgeven en ja, daar stond het.

Ze wist dat ze het had gezien. 'Ook kramp in de benen komt veelvuldig voor, waarschijnlijk ten gevolge van een verstoorde zoutbalans.' Ze zou Jan-Erik vragen of hij haar naar het Sophiagasthuis wilde brengen. Ze zou bellen voor een afspraak en een nieuw onderzoek eisen. Desnoods betaalde ze het zelf.

Ze stond op en trok het rolgordijn op. Buiten was het nog donker. Ze trok haar pantoffels en haar ochtendjas aan en liep de keuken in. Ze scheurde een blaadje van de kalender en schonk water in het koffiezetapparaat. Vandaag niet maar één kopje, Jan-Erik en ene Marianne Folkesson zouden om tien uur komen en dan kon ze de koffie net zo goed nu vast zetten. Bovendien moest ze kijken of ze iets had wat gestreken was nu er iemand van buiten zou komen om te zien hoe de vrouw van Axel Ragnerfeldt erbij liep.

Gerda Persson.

Ze begreep niet wat ze met haar begrafenis te maken hadden, maar Jan-Erik stond erop. Ze schonk water in een glas en nam haar medicijnen in. Het bodempje whisky liet ze vandaag achterwege, gewoonlijk nam ze een slok tegen de vaatkramp, maar ze wilde niet naar drank ruiken wanneer Jan-Erik kwam. Hij kwam niet zo vaak, hij had het druk. Meestal was het Louise die belde tegenwoordig. Stel je voor, hij was al vijftig. Haar Jan-Erik. Wat gingen de jaren snel voorbij. Annika zou nu vijfenveertig geweest zijn. Ze klemde haar kaken op elkaar. Het gebeurde niet zo vaak meer, maar af en toe kwam de herinnering ongevraagd naar boven. De tirannie van de ouderdom. Het langzame tempo van het heden zette het verleden in beweging.

Toen ze jong was, wist ze alles. Ze was wilskrachtig en kieskeurig en had uitgesproken meningen over hoe het leven moest worden. Beïnvloed door de schrijfster Elin Wägner en de vrouwenbeweging zou ze heus de sporen niet volgen waarin anderen voor haar waren gegaan. De moderne vrouw moest sterk zijn en haar verantwoordelijkheid nemen, ze moest meer van zichzelf eisen, maar ook van de mannen. Mannen en vrouwen zouden samen een betere wereld creëren. Zo had Elin geschreven en Alice was het met elk woord eens.

Als middelste van vijf kinderen hielp ze gehoorzaam mee op de boerderij, ze probeerde uit pure zelfbescherming haar plaats te vinden in de kleine gemeenschap waar een vaste orde heerste en waar de weg die ze te gaan had al voor haar was uitgestippeld. Maar heimelijk koesterde ze een vurig verlangen naar iets groters. Ze was een buitenbeentje in hun gezin. Ze vroeg zich af waarom ze niet tevreden kon zijn zoals haar broers en zussen. Waarom ze haar zinnen niet zette op dingen die binnen haar bereik lagen, maar altijd verlangend naar de horizon keek. Weg van het knerpende grind onder haar fietswiel, het geroep in de verte op het voetbalveld. Weg van de geur van pas gemaaid gras en de bekende gezichten in de straten van het kleine stadje. Weg van de veiligheid van de terugkerende bezigheden van elk seizoen.

De literatuur was haar toevluchtsoord geworden. En ze had de dagen geteld tot ze weg kon naar de grote stad met al zijn mogelijkheden.

Ze schonk een kop koffie in en goot de rest in de thermoskan, ging op de stoel zitten en bekeek haar benen. Ze waren nog wel een beetje dik, vooral haar rechterkuit waar ze kramp in had gehad. Zodra ze opengingen zou ze bellen. Ze wierp een blik op de keukenklok. Over drie uur kwam Jan-Erik. Van tevoren zou ze een paar krulspelden in haar haar zetten, dan liep ze er netjes bij als hij kwam. Zo netjes als ze er tegenwoordig maar bij kon lopen. Haar dikke, kastanjebruine haar was ook iets van vroeger, maar ze kon er altijd nog met plezier aan terugdenken.

Vroeger, in de tweede helft van de jaren veertig, had ze haar lange pony met een speldje vastgezet. Ze was eenentwintig en meerderjarig, en haar ouders konden haar dus niet dwingen om thuis te blijven, maar haar vertrek was tumultueus verlopen en ze was op reis gegaan met enkel onheilsprofetieën in haar bagage. Ze kreeg een kamer bij een kwaaie hospita in de wijk Vasastan en ging op zoek naar werk, het maakte niet uit wat. Ze zou schrijven en alle ontberingen doorstaan, omdat ze wist wat ze wilde en zich door niets zou laten tegenhouden. Ze zou haar ouders eens laten zien dat ze de juiste keus had gemaakt. De tweede dag al kon ze aan de slag als hulp in de dameskapsalon van Wassberg in het Citypaleis aan het Norrmalmstorg. Zij moest het haar van de klanten wassen, koffiezetten en het kappersgereedschap schoonhouden. Onder het werk kon ze luisteren naar de vertrouwelijke gesprekken die klant en kapper met elkaar voerden. Die waren soms bruikbaar als inspiratie voor de verhalen die ze 's nachts schreef en in het beste geval ook voor berichten die ze kon verkopen aan de kassa van een krantenredactie.

Omdat ze nieuw was in de stad, zocht ze snel uit waar haar geestverwanten zaten. De jongens en meisjes met grote dromen en holle portemonnees, wier genialiteit spoedig zou worden ontdekt. De jongeren die een geschenk waren aan de wereld, een klasse apart, en die een heel bijzondere vermelding in de cultuurgeschiedenis zouden krijgen. Jonge mannen en vrouwen, bij een glaasje in de wijk Klara waren ze artistieke gelijken en aspirant-bedgenoten. De oorlog was voorbij en de toekomst een lange, rechte weg vol mogelijkheden. De kroegen heetten Tennstopet, W6, Pilen en Löwet. Daar zaten ze 's avonds Gauloises te roken, het was net Parijs. Het liefst in de buurt van een van de tafeltjes waaraan de journalisten van de krantenredacties in de buurt hun zorgen verdronken. Axel was een in de massa geweest, iemand die haar eerst niet was opgevallen en die ook niet veel aandacht aan haar had geschonken.

Ze stond op en liep naar de koelkast. Ze keek of er melk was en dat was er. Jan-Erik had altijd melk in de koffie. Zelf dronk ze hem zwart. Een gewoonte uit de tijd toen ze scherp moest blijven, ook als ze bijna scheelzag van vermoeidheid. Toen ze overdag in het haar zat en 's nachts zat te hameren op de draagbare Royal schrijfmachine die ze voor zeventien kronen tweedehands had gekocht in een winkel aan de Hantverkargatan. Dat wil zeggen, totdat de kwaaie hospita haar het gebruik van de helse machine verbood en ze genoodzaakt was met de hand te schrijven. De prullenbak zat vol met verfrommelde blaadjes en door uitgeverijen en krantenredacties geretourneerde manuscripten. Avonden in de Klarawijk waar ze hun ellende konden delen en wegspoelen met rode wijn om vervolgens terug te keren naar nog meer geretourneerde manuscripten. Ze kreeg geen antwoord op haar brieven naar huis, ook al schreef ze af en toe een berichtje dat alles goed was. Eén keer kwam er een groet van haar oudere zus. Een voorgedrukte kaart met 'prettige Kerstdagen en een gelukkig Nieuwjaar'. Soms, in moeilijke ogenblikken, verlangde ze ernaar terug om op zere knieën tussen het onkruid en de bieten te zitten of het zweet te voelen kriebelen als ze het hooi op ruiters zette. Het tastbare resultaat van een dag hard werken in plaats van de eindeloze dwaaltochten van haar gedachten. Ze wilde het al bijna opgeven toen het eindelijk gebeurde. Een paar zinnen in een brief die aangaven dat de tijd van wieden en hooien voor haar voorbij was.

Ze moest glimlachen bij de herinnering. Ze wist nog hoe ze als een koningin café Tennstopet binnen was geschreden om te vertellen dat haar novelle was geaccepteerd. Ze had de puur fysieke ervaring dat ze boven de massa uitstak en een beetje meer werd, aangezien uitgerekend haar zorgvuldige keuze van lettercombinaties een betere beoordeling had gekregen dan die van anderen. Voor haar was de deur opengegaan waar de anderen nog op stonden te bonzen. Glimlachjes. Enkele oprecht en aardig, maar de meeste argwanend. Wat was dit voor een wereld die blind was voor hun grootheid, en wel oog had voor haar onbeduidende producten? Van een plaats tegenover haar aan tafel hadden Axels blauwe ogen zich plotseling in de hare gebrand en dat benam haar de adem. Hij was de enige die niet glimlachte. Die niet proostte of feliciteerde. Hij keek haar alleen aan met een blik die schreeuwde dat hij haar wilde. Daar en op dat moment, als ze zich maar niet weer liet afzakken naar het niveau van het gepeupel om hen heen en met hem meeging daarvandaan. Dat was een duizelingwekkende gedachte. Om voor één keer lak te hebben aan alle plichten en zich mee te laten slepen. Eindelijk het leven te leiden waar ze voor bedoeld was. Na die avond hadden ze een pact gesloten. De kunst voor alles. Samen zouden ze hun dromen verwezenlijken en de mensheid datgene geven waarop ze altijd al had zitten wachten, daar mocht niets tussen komen. En met brandende hartstocht waren ze tot actie overgegaan.

Eerst was het allemaal geweldig. Te mooi om waar te zijn.

Ze wist nog dat ze dat toen vaak dacht, dat het te mooi was om waar te zijn. Alsof al haar jeugddromen waren uitgekomen. Ze schreef lange brieven naar huis waarin ze erover vertelde, minder bescheiden nu, maar er werd nog steeds niet op gereageerd.

Ze gingen niet meer uit in de Klarawijk. Afgeschermd van de wereld legden ze zich toe op hun eigen scheppende werk. Ze kreeg een klein voorschot van de uitgeverij en soms slaagden ze erin een gedicht of een artikel te verkopen aan een krantenredactie, wat de schrale huishoudkas een beetje spekte. Via via wist Axel een kleine huurwoning te bemachtigen. Twee kamers en een keuken vlak buiten Stockholm. Voor hen allebei een kamer met een bureau en een bed. Samen konden ze de wereld aan en terwijl ze eerder eenzaam en kwetsbaar waren geweest, vochten ze nu samen tegen de middelmaat. Twee gezworenen die overdag opgesloten zaten in hun eigen wereld, maar 's avonds één waren in het vuur van hun hartstocht.

Ze ging weer aan de keukentafel zitten en inspecteerde haar koffiekopje. Dat had ze ergens in de jaren zeventig van Gerda gekocht. Misschien kon ze dat tegen die vrouw van de gemeente zeggen, dan konden ze dat noemen bij de begrafenis. Beter iets dan niets. Ze had niet veel meegenomen toen ze na Axels herseninfarct in dit appartement kwam wonen. Waarom de koffiekopjes meeverhuisd waren wist ze eigenlijk niet. Ze had heel veel haast gehad om weg te komen en Jan-Erik en Louise hadden het meeste ingepakt. Misschien daarom. Want het waren nogal afzichtelijke dingen, als je ze wat beter bekeek.

Ze frunnikte aan haar trouwring. Trok die van zijn plaats en bekeek de groef die hij had achtergelaten. Vierenvijftig jaar zat die daar al en in die tijd had hij zich steeds dieper in haar vinger ingegraven. Alleen de dominee was aanwezig geweest bij hun huwelijk, ze hadden geen gasten uitgenodigd. Zelfs de ouders van Axel niet. Ze wist dat hij daar achteraf spijt van had, maar aangezien haar ouders er niet bij wilden zijn, mochten zijn ouders ook niet komen. Gelijke monniken, gelijke kappen.

Had hij toen gezegd.

Om hun eenheid kenbaar te maken, gaven ze hun eigen achternaam op en verenigden zich onder de naam Ragnerfeldt, die ze samen hadden bedacht. Onder die naam zouden hun woorden de wereld in gaan. Ze gaven beiden een roman uit, eerst zij en meteen daarna hij, en hun nieuwe naam raakte steeds meer ingeburgerd op de cultuurpagina's. De critici waren gereserveerd met het oog op hun jeugdige leeftijd, maar de recensies werden steeds lovender. Met oprechte belangstelling namen ze kennis van elkaars werk. Ze volgden elkaars gedachtekronkels en gaven hun mening als dat nodig was en bemoedigden elkaar als het tegenzat. Nadat ze ieder ook een tweede roman hadden uitgebracht, was hun reputatie gevestigd, maar nu ze zich met recht schrijver mochten noemen, werden er ook hoge verwachtingen aan hen gesteld. Hun boeken werden niet in grote oplages verkocht en ze waren overgeleverd aan de bereidheid van de uitgeverij om een voorschot te betalen. De toegenomen druk maakte het schrijven moeilijker. Het was veel gemakkelijker geweest om nieuw en verrassend te zijn dan om aan de gestegen eisen te voldoen. Ze kregen allebei last van een writer's block. Ze richtten zich steeds meer op hun eigen werk en werden onverschillig voor dat van de ander. Ze hadden minder geschreven wanneer ze elkaar 's avonds zagen, het weerzien was maar een halve vreugd omdat ze beiden gefrustreerd waren dat ze niets af hadden gekregen. Toch stond het de voortplanting niet in de weg. Een jaar later hadden ze het huis in Nacka gekocht en was Jan-Erik geboren. Het contact met de vrienden uit de Klaratijd verwaterde, aangezien hun nieuwe burgermansbestaan voornamelijk minachting oogstte. Er brak een tijdperk aan van doorwaakte nachten en wazige dagen, die onbegrensd scheppen onmogelijk maakten. Het jongste gezinslid vergde nieuwe routines die moeilijk te combineren waren met de verwachtingen van de uitgeverij. Ze hadden altijd rekening met elkaar gehouden, maar nu moesten ze hun territorium bevechten. De fictieve romanfiguren vielen plotseling de werkelijkheid binnen en concurreerden met het schreeuwende kind dat continu aandacht vroeg. Ze namen geen genoegen met de gelegenheden die zich voordeden wanneer Jan-Erik sliep, of de schrijfuurtjes waarvoor ze een rooster hadden gemaakt om daar geen discussie over te hoeven hebben. En toen kwam Gerda het probleem oplossen. Ze hield de boel schoon, kookte en nam hun andere dagelijkse taken uit handen, zodat er weer ruimte kwam voor creativiteit.

Gerda Persson.

Weer voelde ze ergernis omdat er medewerking van haar werd verwacht. Het was raar dat ze zo'n heisa maakten van haar overlijden. De gemeente had toch wel iets anders om zich druk over te maken, in plaats van hier tijd en geld in te steken? Wat zij van Gerda wist, was niet veel, ook al hadden ze bijna vijfentwintig jaar lang onder één dak gewoond. Vanaf het jaar waarin Jan-Erik geboren was, tot aan de dag waarop Gerda zevenenzestig werd en zelf aan een huishoudster toe was. Die had ze trouwens daarvoor ook wel kunnen gebruiken, ze was nogal slonzig als ze eerlijk moest zijn, maar Axel had haar niet door een onbekende willen vervangen. Hij vond de kritiek van Alice overdreven. Zelf zag ze niet in waarom je de ene onbekende niet zou kunnen inwisselen voor een andere. En hoe Axel überhaupt een mening kon hebben over de huishouding, terwijl hij zich altijd opsloot in zijn werkkamer, was haar eveneens een raadsel. Gerda was er altijd, ze sloop als een kat door het huis, maar ze kenden elkaar niet. De grens tussen werkgever en bediende was glashelder en ze vonden het beiden belangrijk om afstand te bewaren. Maar Gerda had op de eerste rang gezeten. Ze was er getuige van geweest hoe Alice van Axels partner en gelijke was veranderd in een representatieve echtgenote die geacht werd aan zijn zijde te staan en vrolijk toe te kijken wanneer hij zijn onderscheidingen in ontvangst nam. Gerda was overal bij geweest en Alice had er de pest over in dat Gerda wist dat zij wist dat zij dat wist.

Want uiteindelijk was het één grote machtsstrijd geworden. Maar toen was ze al in verwachting van Annika, en toen die geboren was, was het gevecht voorbij. Alice had last van hun verdeeldheid, die haar laatste restje creativiteit had gesmoord en haar voor altijd in Axels schaduw had gesteld. Ze had geprobeerd tegen haar instinct in te gaan. Ze kwam er niet achter of het van binnenuit kwam of dat het van buitenaf werd opgelegd. Terwijl

Axel zich gerechtigd voelde om zijn dromen na te jagen, moest zij de hare opgeven. De kinderen en wat ze in haar opriepen, werden een bedreiging voor haar hele bestemming. Hun geroep dat haar stoorde terwijl ze met iets anders bezig was. Hun tranen die zij geacht werd te drogen. Hun afhankelijkheid die haar verstrikt hield.

Alice Ragnerfeldt slikte en staarde in de verte. Alleen het eeuwige tikken van de keukenklok hield haar in het heden.

Want datgene wat haar toen dreigde te verstikken, de eindeloze sleur, was in werkelijkheid voorbijgevlogen. En nu, vijfenveertig jaar later, zou ze er alles voor overhebben om die tijd nog eens te mogen beleven.

Om de kans te krijgen het beter te doen.

Jan-Erik zat nog met de krant in de keuken toen Louise binnenkwam. Ellen was weg en Louise had in de hal afscheid van haar genomen. Daarna was ze een hele poos in de badkamer bezig geweest, en toen ze opdook had ze een handdoek om haar hoofd gewikkeld en was ze opgemaakt. Hij volgde haar met zijn ogen toen ze zonder hem aan te kijken naar de vriezer liep, er een zak broodjes uit haalde en er twee van in de magnetron stopte. Efficiënte bewegingen en korte, harde tikken van materie tegen materie.

'Hebben jullie die haarspeld nog gevonden?'

Ze humde iets wat klonk als ja en liep naar de koelkast. Ze bleef voor de open deur staan, maar deed die weer dicht toen ze zag dat de kaas op het aanrecht lag.

Hij sloeg een pagina van de krant om zonder hem gelezen te hebben.

'De koffie staat klaar. In het koffiezetapparaat.'

Idioot om dat zo te zeggen. Waar zou die anders staan? Ze zei er niets op. Ze haalde gewoon een beker uit de kast en schonk in, ze pakte de broodjes uit de magnetron toen die een 'pling' liet horen en deed er kaas op, maar geen boter. Ze ging aan tafel zitten, trok het culturele supplement van de krant naar zich toe en nam een hap van haar broodje.

Het was net ijs van één nacht. Een dun laagje op diep water waar je per se overheen moest, maar waar je bij elke stap voorzichtig moest voelen of het hield. Twee mensen, zo intiem dat ze samen ontbeten in hun ochtendjas, maar tussen wie zo'n grote afstand te overbruggen viel dat het levensgevaarlijk was om dat te proberen. Er viel niets te zeggen, nergens over. Al deed hij nog zo zijn best. Hij kon met iedereen een boom opzetten als het nodig was, met iedereen, behalve uitgerekend met de vrouw die in haar ochtendjas tegenover hem aan de keukentafel zat.

De rusteloosheid kriebelde in zijn lichaam. Nog vierentwintig uur tot de volgende reis.

Ze sloeg een pagina om. Dronk wat koffie. Veegde met haar hand de kruimels van het opgegeten broodje bij elkaar en maakte er een bergje van.

De stilte werkte verlammend. Zijn hart bonsde ervan. Hij voelde de dringende behoefte om een opmerking te maken waarmee hij de stemming kon normaliseren. Maar er viel niets te zeggen. Helemaal niets. Toen hij het niet meer uithield en wilde opstaan en vluchten, viel zijn blik toevallig op het bergje kruimels, dat net nog droog en puntig was geweest, maar dat nu vochtig was en plat. Ontdaan bleef hij op zijn stoel zitten met zijn blik strak op de kruimels gericht. Meteen daarna werd zijn vrees bewaarheid toen er nog twee tranen vlak naast landden. Wat hij zojuist nog ondraaglijk had gevonden, stelde niets voor in vergelijking met het dilemma waar hij nu voor stond. Want Louise huilde. Zijn koele echtgenote, die nooit andere gevoelens toonde dan verschillende gradaties van ergernis, zat tegenover hem tranen met tuiten te huilen. Maar wat zijn ontzetting nog groter maakte, was het besef dat hij geacht werd haar te troosten. Maar dat kon hij niet, hij zou niet weten hoe hij hiermee om moest gaan. Haar tranen hadden het dunne ijs van één nacht, dat een minuut geleden zo gevaarlijk had geleken, doen smelten. Maar nu kwam hij tot de ontdekking dat er iets onder het ijs zat wat nog veel erger was en wat aan het licht zou komen zodra hij liet merken dat hij haar had zien huilen.

Even stond hij besluiteloos te overwegen welke ontsnappingsmogelijkheden hij had. Uit haar neergeslagen ogen kwamen nog meer tranen rollen. Nog even en dan kon hij niet meer net doen alsof hij niets in de gaten had en zich snel uit de voeten maken. Hij kreeg niet de tijd om te kiezen. Zonder op te kijken stak ze haar hand uit om haar kopje te pakken en even later stroomde de koffie over het tafelblad. Die stomme pech was genoeg om elke vorm van ontsnapping onmogelijk te maken.

'Gadverdarrie, zeg, wat een ellende!'

Nu huilde ze openlijk.

Hij reageerde instinctief en onberedeneerd: hij lachte erom.

'Niks aan de hand toch? Gewoon een beetje koffie.'

Ze verborg haar gezicht in haar handen en snikte het uit.

Hij bleef doodstil zitten en wachtte af. Hij had haar nog nooit zien huilen, hij had er geen idee van wat het inhield of hoe hij geacht werd zich te gedragen. Er gingen minuten voorbij. Minuten waarin zij huilde en hij wanhopig probeerde de situatie het hoofd te bieden. Hij zou natuurlijk moeten opstaan, de paar stappen om de tafel heen lopen en haar omarmen. Proberen haar pijn te verzachten. Hij kon het niet. Haar smekende blik deed iets in hem verstarren. Hij had het gevoel dat er een lasso over de tafel heen op hem af kwam om hem te vangen.

'Het kan zo niet langer.'

Hij hield zijn adem in. Hij zocht in zijn ervaringen, maar vond er geen bruikbare tussen. Hij wilde zo graag opstaan en weglopen, gewoon net doen alsof hij niets had gehoord en weglopen. Weg van de tranen en het gesprek dat hij niet wilde voeren.

'Ik begrijp niet goed wat je bedoelt.'

Ze keek hem aan en hij deinsde terug voor het plotselinge contact.

'Hoezo begrijp je dat niet? Wat begrijp je er niet aan?'

Ze veegde snel over haar wangen en haalde een hand langs haar neus, alsof ze haast had, alsof ze net een handgranaat had gegooid en wist dat ze nog maar weinig tijd had. Toch zag hij dat ze aarzelde. Dat ze meer wilde zeggen, maar dat het haar tegen de borst stuitte.

'Ik kan hier niet meer tegen.'

Hij slikte. De gemorste koffie werd door het krantenpapier opgezogen en kleurde het nieuws bruin. Hij wilde een doekje halen, maar durfde zich niet te bewegen.

'We doen nooit meer iets samen, we praten niet eens met elkaar. Het is net alsof Ellen en ik hier alleen wonen, jij bent er immers nooit. En als je thuis bent, dan ...'

Ze praatte niet verder. Ze keek naar de tafel en hield haar handen beschermend voor haar gezicht. Ze stond op en scheurde een stuk keukenrol af. Ze snoot haar neus en haalde een vinger langs haar ogen. Ze had het altijd belangrijk gevonden om er goed uit te zien, nu stortte ze in, ze was kwetsbaar, en hij zag dat ze het moeilijk had.

Aan haar boosheid was hij gewend. Plotselinge woede-uitbarstingen die hem een goede reden gaven om uit haar buurt te blijven en die zijn afweer intact lieten. Nu was ze daardoorheen gebroken. Ze had de strijd opgegeven en erkend dat ze zwak was, ze smeekte om troost en eensgezindheid.

Hij gaf de voorkeur aan haar boosheid.

Ze kwam terug naar de tafel. Haar tranen waren opgedroogd, maar haar gezicht was opgezet. Er liepen witte sporen over haar wangen en er zaten vegen mascara onder haar ogen.

'We raken elkaar nooit meer aan.'

Haar stem klonk verlegen en hij zag dat ze bloosde, ze kreeg rode vlekken in haar hals en sloeg haar ogen neer. Ze prikte met een goed gemanicuurde nagel in het natte hoopje kruimels, waarvan hij wilde dat hij het nooit had gezien. Hij voelde zijn hart slaan. Jarenlang was hij erin geslaagd deze dingen onbesproken te laten en nu werd het plotseling een brandende kwestie, een gevaarlijk vuurtje dat tussen hen in op tafel brandde. Hij zocht wanhopig naar een opmerking die hij kon maken, maar hij kon niets verzinnen wat hem uit deze situatie kon redden. In zijn verwarring hief hij zijn arm en hij keek op zijn horloge, en hoewel ze haar ogen op het tafelblad gericht hield, merkte ze dat.

'Heb je haast of zo?'

'Nee, nee, helemaal niet.'

Hij tilde zijn koffiekopje op en zag dat zijn hand trilde.

Aan de andere kant van de tafel haalde ze diep adem alsof ze een aanloopje wilde nemen.

'Omwille van Ellen ben ik bereid ervoor te vechten, maar ik kan het niet alleen.'

Er gingen enkele seconden in stilte voorbij. Hij vond dit zo'n rotsituatie, hij werd er misselijk van.

'Ik heb een voorstel.'

Nu kwam de angst. Dat hij naar de slaapkamer zou moeten om verplicht seks met haar te hebben.

'Ik wil dat je in therapie gaat.'

'Wat?'

Dit was zo'n onverwachte wending dat zijn angst even wat minder werd.

'Therapie? Wat voor therapie? Waar zou dat goed voor zijn?'

Daar gaf ze geen antwoord op. Ze keek hem alleen net iets te lang aan, maar liet zijn blik toen los en keek weer naar het bergje kruimels.

'Ik ben nu een half jaar in therapie en het heeft mij geholpen. Het zou voor jou misschien ook goed zijn.'

De verbazing die hij voelde was oprecht.

'Ben jij in therapie?'

'Ja.'

'Waarom heb je dat niet verteld?'

'Ik dacht waarschijnlijk dat het je niet zo veel zou kunnen schelen, we hebben immers in dit gezin niet de gewoonte elkaar dingen te vertellen. We zitten maar zelden bij elkaar en je mobiel neem je nooit op.'

Door die zure opmerking waren ze opeens weer op bekend terrein, waar hij meteen grond onder zijn voeten voelde. Die eeuwige verwijten. Hij werkte zich uit de naad om de eindjes aan elkaar te knopen en toch was ze nooit tevreden. De ruime vijfkamerflat in Östermalm, die de eigenaar hun voor een heel schappelijk bedrag had verkocht, alleen omdat hun achternaam Ragnerfeldt was. Ze scheen het verschil tussen recht en voorrecht niet meer te kennen. De schoorsteen kon blijven roken door de gedenkwaardige boodschap die hij verspreidde en de wereldverbeterende instanties die hij opzette. Dat was geen geringe prestatie. Hij deed goed werk. Voor de wereld en voor zijn gezin. Het was zijn verdienste dat het fenomenale proza van Axel Ragnerfeldt nu in verband werd gebracht met humanitaire hulpacties. Wat zijn vader had geschreven, was in zijn handen uitgemond in concrete acties, op zijn initiatief hadden ze alle hulpprojecten gestart. Er werd naar hem geluisterd en hij werd met respect bejegend. Hij had bewezen dat hij iemand was om rekening mee te houden. Toch kreeg hij hier thuis alleen verwijten te horen en zure gezichten te zien.

'Een andere mogelijkheid is dat we samen in relatie- of gezinstherapie gaan. Als je dat liever wilt.'

Nee, dat wilde hij niet. Echt niet. Hij wilde helemaal niet in therapie, hij wilde niet zitten navelstaren of in zijn kinderpotje roeren.

'En als ik dat niet wil?'

Ze scheen zijn onderdrukte woede te voelen, want ze schrok van de veranderde klank van zijn stem. De hare was nog steeds rustig en beheerst.

'Ja, dan weet ik het niet. Dan krijg ik het gevoel dat je dit niet de moeite waard vindt om voor te vechten. Dan weet ik het eigenlijk niet.'

Hij zat klem. Hij was aan handen en voeten geketend. Hij voelde alleen nog maar woede jegens haar. Daar zat ze met haar ultimatums terwijl ze niet eens wist wat voor wapen ze in handen had. Dat hij geen keus had, ook al wilde ze hem doen geloven van wel. Zijn woede waste zijn geweten schoon en hij stond op van tafel. Met alle zelfbeheersing die hij in zich had schoof hij de stoel onder de tafel.

'Oké. Ik zal erover nadenken. Maar daarmee zeg ik niet dat ik er iets voor voel, of dat ik het nodig denk te hebben.'

Ze reikte naar haar handtas die aan de rugleuning van een stoel hing. Ze haalde haar portemonnee eruit en gaf hem een visitekaartje.

'Dit heb ik van mijn therapeut gekregen. We kunnen niet allebei bij haar in therapie, maar ze kon wel een collega aanbevelen, iemand die gespecialiseerd is in ...'

Ze onderbrak zichzelf en wendde haar ogen af.

'Gespecialiseerd in wat?'

Ze wierp hem een verlegen blik toe en legde het kaartje op tafel.

'In het soort problemen dat jij misschien hebt, of wij, bedoel ik.'

Hij stokte midden in een beweging en staarde naar het kaartje. Langzaam stak hij zijn hand uit en pakte het op, hij boog zijn hoofd om het te lezen. Robert Rasmusson. Psychotherapeut en seksuoloog. En daaronder in kleinere letters: scheidingen, relatie- en sekstherapie, erectiestoornissen.

Hij klemde zijn kaken op elkaar.

Zonder een woord te zeggen verliet hij de keuken en liep naar de badkamer. Hij deed de deur op slot en bleef midden in het vertrek staan. Zijn gevoelens schommelden heen en weer tussen laaiende woede en iets wat hij niet herkende. De drang om terug te gaan naar de keuken en haar de waarheid voor de voeten te gooien was zo groot dat hij zijn hoofd onder de koude kraan moest houden om af te koelen. Met mijn erectie is niks mis, verdomme! Het probleem, dat ben jij! Ik krijg hem bij iedereen overeind, alleen bij jou niet!

Hij keek naar zichzelf in de spiegel en maakte zijn gezicht nog een keer nat.

Het visitekaartje in zijn portefeuille. En dat gaf ze hem toevallig net op de ochtend dat ze haar tranen niet meer in bedwang kon houden. Hij was erin gestonken. Ze had het oudste vrouwelijke trucje gebruikt om hem te dwingen naar haar te luisteren. Hij las wat er op het kaartje stond en zijn vochtige vingers lieten donkere vlekken achter op de tekst. Hij weerstond de impuls om het kaartje door de wc te spoelen. Wat had hij plotseling veel aan zijn hoofd. Het was vijf over. Hij moest hier later mee aan de slag, een strategie zien te verzinnen.

Over een klein half uur verwachtte zijn moeder hem.

Hij had een rothumeur toen hij besloot om niet de lift te nemen, maar de twee trappen op te lopen naar het appartement van zijn moeder. Marianne Folkesson zou pas over een half uur komen, hij had ervoor gezorgd tijdig aanwezig te zijn omdat hij zich ervan wilde verzekeren dat zijn moeder nuchter was, voordat hij een vreemde binnenliet. Na twee korte belletjes tastte hij naar zijn sleutel, maar voor hij die te pakken had, deed ze open. Dat was een goed teken. Ze was aangekleed, had haar haar gekamd en zo te zien was ze nuchter.

'Dag, mam.'

Hij stapte de hal in en hing zijn jas op. Het zag er allemaal goed uit. Hij wilde haar de zak met kaneelbroodjes geven die hij onderweg had gekocht.

'Kom eens mee, ik moet je iets laten zien.'

Zonder de zak met broodjes aan te pakken verdween ze naar de keuken. Hij bukte, trok zijn schoenen uit en liep achter haar aan. Ze zat op een van de stoelen toen hij over de drempel stapte.

'Moet je zien.'

Ze trok haar broekspijpen op tot de knieën en keek hem gebiedend aan. Hij bekeek haar voeten en onderbenen.

'Zie je het?'

'Wat?'

'Zie je het niet?'

Hij boog naar voren en keek nog wat beter.

'Wat moet ik zien?'

'Hij is opgezet. Mijn rechterkuit. Zie je dat niet?'

Ze wees met haar vinger. Hij keek naar het linoleum en probeerde niet te laten merken hoe schoon genoeg hij hiervan had. Ze liet haar broekspijpen los die over haar kuiten vielen en reikte naar een krantenknipsel op de keukentafel. Triomfantelijk gaf ze het hem aan en hij ging rechtop staan en las het bericht snel door.

'Maar je hebt je nieren immers al laten onderzoeken, daar mankeerde toch niets aan.'

'Dat was vier maanden geleden. Ik voel dat er nu iets mis is. Het klopt allemaal met die test. Kijk zelf maar. 's Ochtends hoofdpijn, vermoeidheid, jeuk, opgezette benen. Ik weet dat er iets niet goed is.'

Hij draaide zich om en legde de zak met broodjes op het aanrecht.

'Ik heb een afspraak gemaakt in het Sophiagasthuis.'

Met de rug naar haar toe sloot hij zijn ogen. Hij wist wat een nieuw bezoek zou inhouden. Het personeel ergerde zich groen en geel dat Alice Ragnerfeldt steeds maar nieuwe onderzoeken eiste, waardoor er minder tijd overbleef voor de echte patiënten, en die ergernis konden ze maar met moeite verbergen.

'Zal ik koffiezetten?'

'Er zit koffie in de thermoskan. Ik heb een afspraak voor de elfde om tien voor negen. Kun jij me dan brengen?'

Hij haalde drie kopjes en schoteltjes uit de kast.

'Dan moet ik mijn agenda erbij pakken.'

Hij had eraan toe willen voegen dat Louise het anders misschien wel kon doen, maar toen moest hij meteen weer aan het gesprek van die ochtend denken en dat bezorgde hem hartkloppingen.

'Anders moeten we het Louise maar vragen. Maar ik heb liever dat jij het doet.'

Hij zei niets. Hij maakte de zak open en haalde de broodjes eruit.

'Waar staat de broodschaal?'

Marianne Folkesson belde stipt op het afgesproken tijdstip aan. In de minuten die verstreken waren tussen de broodschaal en de bel, hadden ze de zure lucht onder de badkuip besproken. Zijn moeder beweerde dat ze die elke keer rook wanneer er water door de afvoer stroomde en dat ze vanwege de pijn in haar heup het bad niet schoon had kunnen maken. Jan-Erik had opnieuw geprobeerd zijn moeder zo ver te krijgen dat hij huishoudelijke hulp voor haar mocht regelen, maar dat vond Alice zoals gewoonlijk niet goed. Ze wilde geen vreemd volk over de vloer. Ze vond dat Jan-Erik en Louise haar wel konden helpen met wat ze zelf niet kon. Ze woonden toch vlakbij.

Alice zat op de bank in de woonkamer toen Jan-Erik Marianne Folkesson binnenliet. Ze was van zijn leeftijd, schatte hij, misschien iets ouder. Ze zag er niet slecht uit, ook al was ze iets te oud naar zijn smaak. Bovendien strekten zijn jachtvelden zich nooit uit tot gebieden waar zich ook familie van hem ophield.

Alice bleef zitten toen ze elkaar een hand gaven en wachtte gereserveerd af. Jan-Erik bood Marianne een plaats aan in een van de fauteuils en serveerde koffie. Zijn moeder hield een hand boven haar kopje toen de thermoskan naderde om aan te geven dat ze geen koffie wilde. Het was moeilijk geweest haar tot deze afspraak te bewegen. Ze vond dat ze geen reden had om zich in het overlijden van Gerda Persson te verdiepen. Zelf had hij gemengde gevoelens. Hij had meteen ja gezegd toen Marianne het vroeg, maar onderhuids voelde hij een zeker onbehagen. Gerda hoorde bij een vervlogen tijd die hij liever ongestoord liet rusten. Het huis dat ze hadden verlaten, was nu onbewoond, maar vergde voortdurend toezicht en onderhoud. Ze stelden het definitieve besluit over de bestemming ervan uit met het excuus dat Axel nog in leven was. Verkopen, er een museum van maken, er zelf in gaan wonen. Er waren zo veel mogelijkheden. Het was een fantastisch huis. Gebouwd in 1906 met negen kamers en twee keukens, op elke verdieping één. Een perceel van drieduizend vierkante meter en op loopafstand van het water. Toen hij terug was gekomen uit de Verenigde Staten bleken zijn ouders ieder op een verdieping te wonen; hij had altijd het idee gehad dat dat met Annika's dood te maken had, maar net als met zo veel andere dingen had hij daar niet naar gevraagd. Na het autoongeluk hadden ze van haar meisjeskamer een keuken voor Alice gemaakt. Hun ouders deden hun best elkaar te ontlopen, en met succes, behalve bij officiële gelegenheden, dan traden ze op als een hecht koppel. Of af en toe bij een familiediner met Jan-Erik en Louise. Maar ze scheidden niet. Dat deed een Ragnerfeldt niet.

Gerda Persson was in zijn jeugd de enige in huis geweest van wie je altijd wist wat je aan haar had. Ze zei niet veel, maar haar zwijgen bood veiligheid. Je wist dat je bij haar niets kon overkomen en dat die veilige haven niet zomaar zou exploderen.

Marianne nam een slokje koffie.

'Allereerst wil ik graag zeggen dat ik natuurlijk alles van Axel Ragnerfeldt heb gelezen. Geweldige boeken, ik heb ervan genoten. Wilt u dat aan hem doorgeven?'

'Dat zullen we doen. Hij zal opgetogen zijn.'

Jan-Erik keek zijn moeder boos aan en kuchte luid toen hij de rode blos op de wangen van Marianne Folkesson zag.

'Mijn vader heeft een ernstig herseninfarct gehad en we weten niet precies hoeveel hij begrijpt van wat we tegen hem zeggen. Dat bedoelde mijn moeder.'

'O, wat erg, ja, dat is heel erg. Dat wist ik niet.'

Jan-Erik hoopte dat de blik die hij zijn moeder toewierp haar zou doen zwijgen. Marianne haalde een zwart notitieboekje en een pen uit haar schoudertas.

'Ik ben hier omdat het mijn taak is als boedelbeschrijver om enerzijds eventuele erfgenamen van Gerda Persson op te sporen, en anderzijds haar begrafenis te regelen als zich niemand anders meldt en dat is tot nog toe niet gebeurd. Weet u of ze nog familie had?'

Jan-Erik liet de beantwoording van die vraag aan zijn moeder over. Zelf wist hij het niet.

'Nee. Ik weet niet zoveel van Gerda Persson. Ik heb sinds begin jaren tachtig geen contact meer met haar gehad. Je zou toch denken dat er iemand anders moet zijn die deze vragen beter kan beantwoorden.'

'Ja, dat zou je denken. Helaas is dat niet altijd het geval en dan moet je het beste van de situatie zien te maken.'

Marianne Folkesson had van zich afgebeten. Jan-Erik voelde zich steeds onbehaaglijker bij de wending die het gesprek nam. Alice streek met haar hand over de wijnrode fluwelen bekleding van de bank. Hij vond het nog altijd raar de meubels in dit appartement te zien staan. Ze hoorden thuis op de bovenverdieping van het huis in Nacka en ook al had hij haar geholpen ze goed neer te zetten, toch maakten ze een verdwaalde indruk. Alsof ze heimwee hadden en zich niet wilden aanpassen.

'Ze kwam oorspronkelijk van Öland, geloof ik, of kwam ze nou uit Kalmar? Ze had in ieder geval een zus, dat weet ik, maar die is overleden. Dat moet eind jaren vijftig zijn geweest. Jij was toen nog klein.'

Jan-Erik knikte.

'Ik weet nog dat ze een week vrij was om de begrafenis te regelen. Haar zus was ook niet getrouwd, als ik me goed herinner.'

'Waren er niet meer broers of zussen dat u weet?'

De punt van Marianne Folkessons pen rustte op een voorgedrukte lijn in het zwarte notitieboekje.

'Nee, daar heb ik in ieder geval nooit iets over gehoord.'

'En geen kinderen?'

'Nee.'

Marianne ging verzitten en bladerde door haar boekje.

'Ik heb één reactie gekregen op het overlijdensbericht in de krant, een meneer Torgny Wennberg heeft aangegeven dat hij op de begrafenis wil komen.'

'Torgny Wennberg?'

De stem van zijn moeder klonk achterdochtig.

'Ja. Kent u die?'

Alice snoof.

'Kennen is een groot woord. Het is een naar mannetje dat continu bij Axel op bezoek kwam om zich te koesteren in diens glans. Hij had zelf een aantal romans weten uit te brengen die geen mens las, maar hij ging graag om met auteurs die meer succes hadden. Al heb ik er geen idee van wat hij met Gerda te maken zou kunnen hebben, ik wist niet eens dat ze elkaar kenden. Natuurlijk zullen ze elkaar weleens tegengekomen zijn bij ons in huis, maar dat is meer dan dertig jaar geleden.'

Jan-Erik wist wie het was. Een man met een roodbruine baard en een bulderende lach die onnatuurlijk klonk. Mompelende stemmen achter de gesloten deur van de werkkamer van zijn vader en dan met regelmatige tussenpozen die lach. En eigenaardig genoeg klonk soms ook de lach van zijn vader, die anders zijn vrolijkheid bijna nooit uitte. Vaker naarmate de avond vorderde.

'Hij wil in ieder geval op de begrafenis komen.'

Alice snoof weer.

'Ja, hij zal wel denken dat Axel er ook is, en dat hij zich weer aan hem vast kan klampen.'

'Moeder.'

Verontschuldigend en smekend. Vroeger maakte hij zich alleen maar zorgen als ze niet nuchter was. Tegenwoordig kon hij er nooit meer gerust op zijn. Gedragingen die vroeger binnen de familie bleven deden zich tegenwoordig ook steeds vaker voor wanneer er vreemden bij waren. Hij was van plan Axel mee te nemen naar de begrafenis. Hem in de rolstoel te zetten en hem erheen te rijden, hoe heftig hij ook met zijn pink zou zwaaien, wat nu nog zijn enige communicatiemogelijkheid was. Maar die discussie wilde hij niet in het bijzijn van boedelbeschrijver Marianne Folkesson voeren.

'Als we u ergens mee kunnen helpen voor de begrafenis, zullen we dat natuurlijk graag doen.'

Jan-Erik glimlachte Marianne welwillend toe.

'Als u na zou willen denken over toepasselijke muziek, zou dat heel fijn zijn. Als u weet wat ze mooi vond. Of als u iets anders te binnen schiet wat de begrafenisplechtigheid een persoonlijk tintje kan geven. Weet u bijvoorbeeld wat haar lievelingsbloemen waren?'

'Rozen.'

Alice keek hem verbaasd aan. Hij had het gezegd om haar de pas af te snijden. Hij had de eerste de beste bloem genoemd die bij hem opkwam. Plotseling herinnerde hij zich weer een ruzie van meer dan veertig jaar geleden, ergens in de namiddag. Zijn moeder op het grasveld, als gewoonlijk gekleed in ochtendjas. Gerda zwijgend en met gebogen hoofd. Zijn moeder schreeuwde iets over paardebloemen en hij was bang dat de buren het konden horen. Ze was kwaad dat Gerda ze niet had weggehaald.

'Rozen?'

Langgerekt en ongelovig.

'Hoe kom je daar in godsnaam bij?'

'Ik weet nog dat ze dat een keer zei.'

Zijn moeder deed er het zwijgen toe, maar trok een gezicht alsof ze nog nooit zoiets stoms had gehoord. Jan-Erik voelde steeds sterker de behoefte om een eind te maken aan de bijeenkomst. Hij had het idee dat zijn moeder toch had gedronken, vlak voordat hij kwam, maar dat de alcohol nu pas begon te werken.

Marianne noteerde het in haar boekje. Vervolgens bladerde ze weer even. Zich niet bewust van wat er in de kamer gebeurde, stelde ze op haar dooie gemak de volgende vraag.

'Kent u ene Kristoffer Sandeblom?'

Alice zuchtte diep en maakte aanstalten om op te staan.

'Nooit van gehoord.'

Ze liep naar de keuken en Jan-Erik keek haar na.

'Ik geloof het niet. Hoezo?'

Hij had wel een idee wat zijn moeder in de keuken wilde gaan doen en kreeg steeds meer haast om Marianne Folkesson de deur uit te krijgen. Ze tilde haar kopje op en nam een slokje koffie.

'Hij staat als begunstigde vermeld in haar testament.'

Hij wierp een blik op de deuropening waardoor zijn moeder zojuist was verdwenen.

'Dat zal toch niet zo'n dikke erfenis zijn, wel?'

Jan-Erik lachte om het commentaar vanuit te keuken af te zwakken en vroeg zich af of Marianne Folkesson het geluid van een metalen dop die van een fles wordt gedraaid ook herkende.

'Ze heeft gestipuleerd dat eerst alle rekeningen betaald moeten worden, maar wat er daarna overblijft en wat een eventuele verkoop opbrengt, heeft ze aan hem vermaakt. Ik dacht dat u misschien zou weten wie het is.'

'Ik heb geen idee. Hoe oud is hij ongeveer?'

Marianne zocht het op in haar boekje.

'Hij is van 1972.'

Alice verscheen in de deuropening en bleef daar met gekruiste armen staan.

'Dan kunt u misschien beter contact opnemen met hem dan met ons, als hij op zo vertrouwelijke voet met haar staat.'

'Dat heb ik geprobeerd, ik heb een boodschap ingesproken op zijn voicemail, maar hij heeft helaas nog niet teruggebeld.'

Jan-Erik tilde zijn arm op en keek op zijn horloge.

'Als dat alles is voor het moment, ik moet er helaas weer snel vandoor.'

Marianne Folkesson keek haar aantekeningen door.

'Ja, dat was het wel zo'n beetje. En wat die muziek betreft, als u zou willen nadenken over iets toepasselijks. O ja, hebt u misschien een foto van Gerda? Ik laat altijd een vergroting maken en die zet ik dan in een lijstje op de kist. We hebben er een in haar appartement gevonden, maar die is niet scherp genoeg om te vergroten. Als u er een hebt, zou ik die graag willen gebruiken.'

Jan-Erik was gaan staan.

'Natuurlijk. Ik zal eens kijken wat ik kan vinden.'

Ze gaven elkaar een hand en Marianne Folkesson bedankte hem. Alice zei gedag toen ze elkaar in de deuropening tegenkwamen en liep door om weer op de bank plaats te nemen. Jan-Erik liep mee naar de deur.

'Dan hebben we een dezer dagen weer even contact. Ik zal kijken of ik een foto kan vinden.'

'Dank u wel, en als u iets anders te binnen schiet waar ik iets aan zou kunnen hebben, belt u dan alstublieft.'

Jan-Erik verzekerde haar dat hij dat zou doen en vervolgens stond ze buiten. Hij bleef nog even in de hal staan en keek verlangend naar zijn schoenen. Gewoon weggaan. Ergens heen ver hiervandaan. Maar de dag was nog niet om. Er stond nog een familiebezoekje op het programma. Het was belangrijk dat zijn vaders revalidatie in nauwe samenwerking met de familie plaatsvond, had de arts gezegd en vandaag was het weer tijd voor een afspraak. Als parels aan een ketting doken de afspraken met regelmatige tussenpozen op in zijn agenda, want de familie, dat was hij. Zijn moeder toonde weinig belangstelling, ook al ging ze wel een enkele keer mee om de schijn op te houden.

Hij hoorde haar roepen uit de woonkamer.

'*Darling*, kom nog even bij je oude moeder op de bank zitten, daar heb je toch nog wel tijd voor? Ik wil graag even gezellig met je praten. Ik zit hier al zo vaak alleen.'

Hij sloot zijn ogen.

Morgen ging hij weer weg.

Hij telde de uren.

KRISTOFFER STOND OP VAN ZIJN bureaustoel en ging voor het raam staan. Het regende gestaag en door de druppels die zich over de ruit vertakten kon hij het Katarinakerkhof maar vaag zien. Hij legde zijn voorhoofd tegen de koele ruit en deed zijn ogen dicht. Hij bleef doodstil staan tot hij de woorden had gevangen waarnaar hij had gezocht, hij liep snel naar zijn computer, schreef ze staande op en ging vervolgens op zijn bureaustoel zitten, haalde diep adem en begon te lezen wat er op het scherm stond.

TWEEDE BEDRIJF

VADER en MOEDER zitten aan een keukentafel waarop het ontbijt klaarstaat. Om de tafel staan vier stoelen. Moeder is gekleed in hoge, rode laklaarzen, minirok en een piepklein glinsterend topje. Vader draagt een krijtstreeppak. Het vertrek is zwart op een heleboel tv-toestellen na, in verschillende afmetingen, die allemaal een ander programma laten zien. Nieuws, reclame, porno, actiefilms, videoclips.

Moeder breit. Vader zit achter een computerscherm.

Een minuut lang zwijgen ze.

VADER: Wat doe je?

MOEDER: Ik brei.

Ze zwijgen weer een minuut.

VADER: Wat brei je?

MOEDER: Wanten.

VADER: Waarom brei je wanten?

MOEDER: Die ga ik meegeven aan de inzameling van Rescue Africa.

VADER: Wat moeten ze daar met wanten?

MOEDER: Dan krijgen ze het niet koud.

ZOON, dertien jaar, komt op. Hij draagt een Guantánamo-oranje overal, een zwarte blinddoek en een breed elastiek tussen zijn enkels waardoor hij alleen maar korte schuifelpasjes kan maken. Van zijn enkels naar zijn handen lopen kettingen met handboeien aan het uiteinde.

ZOON: Maak jij ze even voor me vast?

Moeder maakt de handboeien vast.

MOEDER: Trek je dat echt aan vandaag?
ZOON: Hou op.
MOEDER: Het vriest buiten. Ik wil niet dat je kou vat.
VADER: Als het zaterdag maar weer schoon is als we naar de bruiloft van Svensson gaan.
MOEDER: Weet je wat die outfit heeft gekost? Vierduizend kronen.
ZOON: Dat heb ik toch zelf betaald? Van het geld dat ik met Kerst had gekregen.
MOEDER: Zie je zo wel iets?
ZOON: Er zitten gaten in, dat snap je toch wel? (Hij tilt zijn geboeide handen zo hoog mogelijk op en wijst naar kleine gaatjes in de blinddoek.) Bovendien is hij gemaakt van natuurlijk materiaal. Ecologisch.

Moeder smeert een boterham en voert haar zoon. Ze laat hem uit een glas drinken. Plotseling richt ze zich tot het publiek.

MOEDER: Kan iemand mij helpen?

Moeder breit weer verder alsof er niets is gebeurd.

VADER: Onze aandelen in de African Fishing Trade zijn gestegen.
ZOON: Ik ga ervandoor.
MOEDER: Mocht je niet wat later komen vandaag?

ZOON: Ja, maar ik ga niet zo snel. (Hij wijst naar het elastiek tussen zijn enkels.)
VADER: Goed uitkijken voor auto's en pedofielen.

Zoon schuifelt snel weg en verlaat het toneel.

MOEDER: Welke aandelen?
VADER: Het bedrijf doet het fantastisch. Per dag wordt vijfhonderd ton gefileerde nijlbaars naar Europa geëxporteerd. Ze hebben de prijzen weten te drukken met goedkope Russische piloten en oude vrachtvliegtuigen. En het afval en de vissenkoppen blijven over voor de lokale bevolking, dus de mensen die zeggen dat de nijlbaars alle andere vissen in het Victoriameer heeft verdrongen moeten hun mond houden. Niemand moet beweren dat de African Fishing Trade geen goed werk doet. Bovendien kunnen de kinderen de lijm van de viskratten verwarmen en opsnuiven, dan slapen ze 's nachts lekkerder in hun steegjes. Hun ouders zijn immers aan aids overleden. Het is een win-winsituatie voor alle betrokkenen. We mogen ons gelukkige gesternte prijzen dat we meteen in het begin aandelen hebben gekocht.

Ze blijven zwijgend zitten. Plotseling richt vader zich tot het publiek.

VADER: Kan iemand me helpen?

Kristoffer leunde achterover en vouwde zijn handen in zijn nek. Hij was niet helemaal tevreden. De tekst liep niet echt lekker en hij had nog maar vier weken tot aan de deadline. Hij wendde zijn ogen af van het scherm en keek naar zijn uitgeschakelde mobieltje. Hij pakte het op en liet het op zijn vlakke hand rusten. Hij was nu al een week van de buitenwereld afgesloten, maar toch had hij slechts een onrustbarend klein aantal bladzijden geschreven. Het lukte niet. De stroom kwam niet op gang. Hij wilde zoveel zeggen, maar het leek wel of de woorden zaten vastgeschroefd in een ruimte waar hij niet kon komen. Meestal hielp het als hij zich afzonderde. De vrijheid die zich aandiende als hij zijn telefoons uitschakelde en niet meer naar zijn mail omkeek. Het gevoel van onafhankelijkheid. Een nobele wilde met het recht zijn gal te spuwen over de maatschappelijke constructie waar hij zich willens en wetens buiten had geplaatst. Deze keer had het niet gewerkt. Hij had zich juist geïsoleerd gevoeld, en eenzaam. Een buitenstaander. Niet de buitenstaander die hij altijd al was, wanneer hij aanschouwde wat zich om hem heen afspeelde en daar vanuit de morele onkreukbaarheid die hij sinds drie jaar bezat kritiek op leverde.

Maar een eenzame buitenstaander.

Hij vroeg zich af of dat door het geld kwam. Het wisselende bedrag dat elke maand in de bus viel in de vorm van een anonieme cheque, maar dat deze maand niet was gekomen. Zijn garantie dat hij ooit achter de reden zou komen. Dat hij een acceptabele verklaring zou krijgen die hem in staat zou stellen om te vergeven.

Hij klapte het scherm van zijn laptop dicht en liep naar de keuken. Hij deed de koelkast en het vriesvak open. Het aantal diepvriesmaaltijden was geslonken en hij moest eropuit om boodschappen te doen. Misschien kon hij Jesper bellen. Een kopje koffie drinken in de Skånegatan en even bijpraten. Met Jesper, die scheurbuik riskeerde door de manier waarop hij aan zijn roman werkte, even ingespannen als hij zelf met zijn nieuwe toneelstuk worstelde.

Een jaar geleden had het kleine theater in Kungsholmen zijn eerste stuk op de planken gebracht. 'Provocerend', hadden enkele critici het genoemd. Iemand anders had beweerd dat het dwingend was. Dat vatte hij op als een compliment en de voorstelling was meermalen uitverkocht geweest. Hij had in de donkere zaal gezeten en had zijn lippen meebewogen met de woorden op het toneel. Zachtjes, zodat niemand het kon horen, maar inwendig juichte hij. En wanneer er werd geapplaudisseerd, had hij steeds dezelfde wens: konden mijn ouders me nu maar zien.

Nu wilde het theater een nieuw toneelstuk en hij had beloofd het over vier weken te leveren. Hij moest zich vernieuwen en toch herkenbaar blijven. Aanvallen, maar de slagen zo verpakken dat het even duurde voordat ze een gat maakten, zodat de kritiek bij verrassing naar binnen kon sluipen. De menselijke natuur kwam in het geweer bij een rechtstreekse aanval. Dat zat in de genen. Maar hij voelde zo veel boosheid en frustratie over alles, dat hij zich moeilijk in kon houden.

Hij pakte de draadloze telefoon van het aanrecht en toetste het nummer van Jesper in. Hij was nog niet zover dat hij zijn mobiel weer in wilde schakelen, dan was de betovering definitief verbroken en hij moest eerst nog een paar bladzijden schrijven voordat hij het opgaf.

'Hoi, met mij. Hoe is het?'

'Ik zit in café Neo. Kom je ook?'

Hij weifelde maar heel even, toen zwichtte hij.

'Oké, ik ben er over tien minuten.'

Hij liep naar de hal en trok zijn sportschoenen aan en zijn dikke jas. Na een blik door het raam liet hij de paraplu staan. Het was droog. Hij deed de deur op het dievenslot en nam de trap, hij kon wel wat beweging gebruiken na een week stilzitten. Hij liet zijn hand langs de leuning glijden, die al door zo veel handen was vastgepakt. Het riep bij hem het gevoel op dat hij deel uitmaakte van een groter geheel. Sinds dric jaar werd zijn handelen bepaald door het idee dat alles één geheel vormde, waarbinnen iedereen een eigen verantwoordelijkheid bezat. Hij had begrepen dat het tijd werd dat hij zíjn verantwoordelijkheid op zich nam.

Zijn nieuwe reis was drie jaar geleden begonnen, toen hij als tweeëndertigjarige barkeeper achter de bar stond in Åre en het gevoel kreeg dat hij niet meer vrij kon ademen. Hij had voor zichzelf erkend dat hij op het punt stond eronderdoor te gaan. Hij had naar de dronken mensen om zich heen gekeken en geconstateerd dat het totale IQ van de aanwezigen overeenkwam met dat van de apen in de dierentuin van Kolmården. Met dit verpletterende verschil dat de bewoners van het apenhuis zich waardiger gedroegen. Het was alsof er een troebele lens opzijgeschoven was. Plotseling voelde hij zich net iemand van een verre planeet die kwam onderzoeken hoe intelligente mensen hun leven leidden hier op Tellus. Alles was opeens onverklaarbaar geworden. Hij had alle voorzichtige pogingen gezien. Alle flauwekulpraatjes die nooit ergens toe leidden, behalve misschien dat mensen terug zwalkten naar het huisje dat ze hadden gehuurd of naar een hotelkamer waar ze in hun beschonken toestand met elkaar konden neuken.

De groep meisjes aan de andere kant van de toog, die de vorige avond hadden verteld dat ze allemaal een studie zorg en welzijn hadden gevolgd en dat dit hun jaarlijkse uitje was. Hun knalroze T-shirts met de tekst I'M HERE FOR THE GANGBANG. Het gesprek dat enkelen van hen met een paar gespierde macho's probeerden te voeren, die moeite hadden om rechtop te blijven staan. Al het lapwerk, alle mensen die er nog iets van probeerden te maken, ook al ontbrak er iets. Hijzelf en zijn collega's die deze idiotie mogelijk maakten. Die gekleed in gesponsorde kleding van bekende drankmerken shots, pilsjes en kleurige cocktails bleven schenken aan mensen die al zo dronken waren dat ze het glas nauwelijks meer naar hun mond konden brengen. En die zelf voor die toestand kozen.

Ze amuseerden zich kostelijk.

Hij besefte dat hij absoluut een van hen was.

Hij bleef voor een voetgangerslicht staan en drukte op de knop. Aan de andere kant van de straat was een bestelwagen met bierreclame op de zijkant bezig met het uitladen van grijze vaten voor een restaurant. Twee personeelsleden sjouwden de zware metalen tonnen naar binnen. De komende dagen zou de inhoud de hersenen bedwelmen van een onbekend aantal mensen dat op zoek was naar gemoedsrust.

Dertien jaar lang was dit zijn leven geweest. 's Zomers in Visby en 's winters in Åre. *After beach* en après-ski leken verdraaid veel op elkaar. Op vakantie gingen alle remmen los, de holenmens mocht even uit zijn kooi om te luchten. Na werktijd deed hij zelf ook mee. Het seizoenswerk was een levensstijl die inhield dat je alles deed, als het maar niet burgerlijk was en niets met regelmaat of verplichtingen te maken had. Feesten die tegen sluitingstijd begonnen en tot de ochtend doorgingen, een paar uurtjes slaap om 's avonds weer te kunnen werken totdat het volgende feest begon. Een leven van uitersten waarin hij zich als een veertje op de wind liet meevoeren. Het ging allemaal snel, snel, snel en het draaide om impulsieve acties. Een voortdurend zoeken naar de kick, een mengeling van seks, alcohol en andere drugs. Als hij maar het gevoel kreeg dat hij echt leefde, als het hem maar even weghaalde uit het doorsneebestaan. Als het maar tot zwijgen bracht wat aan zijn ziel knaagde, maar wat hij probeerde te negeren. Hij was overal voor in, en als het een keer uit de hand liep, kon hij altijd de drank de schuld geven. Hij had de moeite genomen om lid te worden van de 'skiclub', een groep mensen die seks hadden gehad in de gondellift. Hij was een gevreesd uitdager geworden bij het biertillen en bij de gevaarlijkste afdalingen buiten de piste. Hij had staan wachten voor hotelkamers van vrouwen bij wie mannen een van hun naam voorzien condoom konden inleveren dat vervolgens in een wijnkoeler op de gang werd bewaard totdat de eigenaar aan de beurt was. Hij had penicilline geslikt tegen chlamydia en één keer was hij na weken stevig feesten met nierproblemen in het ziekenhuis opgenomen. Hij was wakker geworden op plekken waarvan hij niet meer wist hoe hij er was gekomen en waar hij kennelijk had overgegeven. Hij had dingen gedaan waar hij zich achteraf voor schaamde. Maar het had hem er niet toe aangezet zijn gedrag te veranderen. Zijn leven was een gesloten cocon geweest waar de buitenwereld geen invloed op had. Het bestond alleen uit de vlucht 's nachts en de wroeging 's ochtends. En de helse angst die kwam met de kater. Waar alleen een borrel tegen hielp.

Hij had genoten van de saamhorigheid met de andere seizoenswerkers die als thuislozen heen en weer reisden van zomer naar winter.

Het was net familie.

Op de Södermannagatan kwam hij een oudere dame met een hond tegen. Toen ze hem een vluchtige blik toewierp, glimlachte hij breed. Ze sloeg haar ogen neer en liep snel door. Eigenlijk moest Kristoffer erom lachen, maar dat stond hij zichzelf niet toe. De vriendelijke glimlach van een onbekende bracht de mensen altijd in verwarring, het leek wel of ze bang waren dat er een tegenprestatie van hen werd verlangd. Maar zo mocht je niet denken als je een goed mens was. En dat was hij. Tegenwoordig.

Want de jaren verstreken en ten slotte had hij last gekregen van het verontrustende gevoel dat er iets belangrijks aan zijn neus voorbij ging. Steeds wanneer hij drankjes serveerde aan een gezelschap van bobo's met creditcards en kalende hoofden gaf hem dat stof tot nadenken. Het herinnerde hem eraan dat je aan succes moest bouwen. Wilde het tenminste meer worden dan een plaatsje op het schoolbord achter de bar.

En dat gevoel was sterker geworden. Zelfs door zich te bezatten kon hij het niet verjagen. Het was raar, maar als hij dronken was raakte hij in gesprek met zichzelf. Een stem in zijn binnenste die plotseling vroeg waarheen hij onderweg was. Ben ik dit echt? had die stem gevraagd. Ben ik echt zojuist van tafel opgestaan en zo ja, waarom?

Tot dan toe had hij zijn leven beschouwd als een soort voorlopige bezigheid totdat zijn echte leven van start zou gaan. Dat moment moest nog komen en hij had het naïeve idee dat hij daar zelf niets voor hoefde te doen, dat alles vanzelf in orde kwam als hij maar lang genoeg wachtte. Maar toen hij zichzelf vragen begon te stellen, besefte hij dat zijn tijdelijke leven niet zomaar zou veranderen. Misschien hadden de regelmatige overboekingen hem dat waanidee gegeven. Dat zijn echte leven zich eigenlijk ergens anders afspeelde. In de benauwde momenten die hij doormaakte als hij een kater had, kwam het idee bij hem op dat het in het vacuüm in de atomen van zijn lichaam zat.

Het lichaam waarvan niemand wist waar het vandaan kwam, ook hijzelf niet.

De behoefte aan een antwoord op dat raadsel rechtvaardigde

zijn uitspattingen tijdens het wachten. Het geld dat bleef komen bewees dat er ergens iemand was die het wist.

Hij bleef voor Pet Sounds in de Skånegatan staan. Af en toe mocht hij van zichzelf een cd kopen, ook al betekende het wel een grote uitgave in zijn nieuwe fooiloze leven. Gratis downloaden paste niet in zijn ideologie van wereldverbeteraar. De deur ging open en een twintigjarige man kwam naar buiten met een stuk chocola in zijn hand. Net toen hij hem passeerde, gooide hij de kleurige wikkel op de grond.

'Hallo, je laat iets vallen.'

Hij keek Kristoffer even aan.

'Dat is maar rommel.'

'Ja, dat zie ik, maar wie gaat dat voor je oprapen, denk je?'

Hij bleef abrupt staan. Keek om zich heen en glimlachte onzeker naar Kristoffer, om te kijken of hij een loopje met hem nam. Kristoffer stond stil en wachtte af, hij keek hem strak aan, maar ditmaal glimlachte hij niet. Er gingen een paar seconden voorbij voordat de ander bukte en beschaamd zijn rommel opraapte. Pas toen hij doorgelopen was, glimlachte Kristoffer, tevreden over zichzelf en zijn actie.

Tegenwoordig moest hij het van dit soort kicks hebben, aangezien hij die opeens niet meer van seks of alcohol kreeg. Een martelende angst bekroop hem al voordat hij enige verlichting kon ondervinden. Wanhopig besefte hij dat hij een doodlopende weg was ingeslagen. Dat het middel even erg was als de kwaal. Toen pas zag hij in hoe moeilijk het was om zijn gedrag te veranderen. Dat de alcohol en de drugs hun plaats opeisten, ook al wilde hij ze niet meer. Hij had gedacht dat hij ze gebruikte omdat hij dat wilde, maar hij bleek niet zonder te kunnen, zijn gevaarlijkste tegenstander zat in hemzelf. Die tastte zijn hersenen aan en belette hem om over zichzelf te beschikken. De lucht die niet meer in zijn longen kwam, de onrust die maakte dat hij continu moest bewegen, ook al durfde hij niet. Het verlangen naar verlossing, ervan af te zijn, maar tegelijkertijd de angst voor de prijs die hij ervoor zou moeten betalen – de doodsangsten die de kater vergezelden. Wat hij voor een paar uur van genade over moest hebben. Hij had geen verweer meer tegen datgene wat aan zijn ziel knaagde. Hij raakte in paniek omdat hij voelde dat iets langzaam werd afgebroken, waardoor iets vreselijks de kans kreeg naar buiten te komen.

Hij had zijn plaats achter de bar verlaten en was naar huis gegaan, naar het hokje dat hij met een andere seizoenskracht deelde. Hij bleef uren stil op het onopgemaakte bed zitten. Hij vroeg zich af wat zijn ouders van hem zouden denken als ze zagen wat er van hem geworden was.

Hij schaamde zich voor wat hij had gedaan, dat hij zichzelf jarenlang had vernederd. Hij voelde zich schuldig ten opzichte van zichzelf en zijn hele leven. Hij was kwetsbaar, verdwaald en volkomen eenzaam.

Hij had zijn koffers gepakt en had de trein naar Stockholm genomen. Hij had gebruikgemaakt van de vele contacten die hij in zijn kroegjaren had gelegd en zo een appartement weten te vinden. Hij kon voor onbepaalde tijd een flat huren, waarvan de bewoner onderzoek ging doen in het buitenland. Wat hij ging onderzoeken wist Kristoffer niet, alleen dat de boeken in de kast getuigden van iets natuurwetenschappelijks. De eerste maanden sloot hij zich op in het appartement en durfde hij niet naar buiten te gaan. De dagen waarop hij naar de winkel moest waren een nachtmerrie. Hij had in ieder geval genoeg geld op de bank staan, hij had jarenlang alle fooien opzij kunnen leggen, omdat hij gratis eten en drinken had. In zijn hoop op bevrijding had hij het contact met zijn oude leven volledig verbroken en was hij op eigen houtje begonnen aan het gevecht tegen zijn innerlijke demon. Een voor een had hij de boeken in de kast doorgewerkt. Vaak begreep hij er niets van, maar in ieder geval leidde het hem af. 's Nachts zat hij achter de computer. Hij had een chatsite gevonden van de Anonieme Alcoholisten en daar kwam hij de kleine uurtjes mee door. Elke dag werd hij wakker met de vraag of hij toe zou geven aan zijn alles verterende verlangen of dat hij alles op alles zou zetten om het nog een dag vol te houden. Stapje voor stapje kwam hij verder.

Na een half jaar durfde hij naar buiten te gaan, hij begon lange wandelingen door Stockholm te maken. Hij legde eindeloze afstanden af, alsof hij iets achter zich wilde laten.

Hij stond op de Fjällgatan van het uitzicht te genieten toen het gebeurde. Het was voorjaar en het glinsterende groen van Blasieholmen en Djurgården vertoonde oneindig veel nuances. Het witte pontje naar Slussen sneed door het water van de Saltsjön, dat schitterde alsof het met diamanten was bestrooid. Hij verbaasde zich over al dat moois. Het was een wonder. Dit was er vroeger toch niet geweest? Hij had het nooit eerder gezien. Het kwam diep uit zijn hart, het prikkelende gevoel van pas ontwaakte, onweerstaanbare vrolijkheid. Ook al stonden er mensen om hem heen, hij liet zijn lach schallen over de Fjällgatan en door heel Stockholm en hij voelde dat hij eindelijk, eindelijk vrij was. Dat de wereld voor hem openstond. Hij had altijd het gevoel gehad dat hij bestemd was voor iets groots en nu was de tijd rijp. Hij zou een wezenlijke bijdrage leveren. Alles had een betekenis gekregen. Vanaf het moment dat zijn geest was opengegaan, kon hij niet meer terug. Elk wakend moment was een strijd voor verandering, een voortdurend nee tegen aanpassing en acceptatie van de status quo. De wereld was een poel van ellende en iedereen had de verantwoordelijkheid daar wat aan te doen. Hij wilde de mensen laten zien hoe je je daaruit los kon maken, en kon strijden tegen de vervlakking.

Jesper zat achteraan in de hoek, aan het tafeltje waar ze altijd zaten. Hij had zijn *caffè latte* op en aan de binnenkant van het hoge glas was het schuim in een onregelmatig netpatroon opgedroogd. Het viel Kristoffer meteen op dat Jesper zijn verplichte notitieboekje niet bij zich had. Dat nam hij anders altijd overal mee naartoe, zodat hij aantekeningen kon maken die hij later uitwerkte in zijn roman in wording, *Nostalgie, een eigenaardig gevoel van hanteerbaar verdriet.* Jesper was een eenling, net als hijzelf. Misschien konden ze het daarom zo goed vinden samen.

Hij hing zijn jas over de rugleuning van de stoel.

'Hoi. Wil jij nog iets hebben?'

Jesper schudde zijn hoofd en Kristoffer liep naar de bar waar een korte rij stond. Hij ging iets te dicht bij de man voor hem staan. Gewoon om te testen. De man deed een stap naar voren en Kristoffer volgde. Dat vond de man duidelijk niet prettig, maar hij deed zijn best om het niet te laten merken. Hij keek vanuit zijn ooghoeken alsof hij Kristoffer onopvallend in de gaten wilde houden. Waarom was het zo bedreigend als een vreemde te dichtbij kwam? Kristoffer had zich vaak afgevraagd waarom het zo belangrijk was om afstand te houden. Misschien omdat het onderbewuste op zo'n moment tot het inzicht kwam dat alles wat bestaat één geheel is, dat alles afhankelijk is van alles. In de natuurwetenschappelijke boeken in de kast van zijn appartement had hij gelezen dat atomen nooit vergaan, maar alleen van vorm veranderen. Je hoefde maar naar een foto van de aarde te kijken, genomen vanuit de ruimte, dan kreeg je al een idee van de waarheid. Als dat besef echt doordrong, zou het heersende wereldbeeld instorten. Niemand zou meer vrijblijvend toe kunnen kijken, iedereen moest iets doen.

De man voor Kristoffer deed nog een stap om de afstand te vergroten. Kristoffer liet hem zijn gang gaan. Hij bestelde een dubbele espresso en terwijl hij stond te wachten keek hij naar Jesper. Die steunde met zijn hoofd op zijn linkerhand en met zijn rechterhand tekende hij onzichtbare figuren op het tafelblad. Somber, dacht Kristoffer. Niet voor het eerst. Jesper was een open boek. Je kon duidelijk zien wat zijn emotionele gesteldheid was, en somber was niet heel ongewoon. Kristoffer vond die duidelijkheid prettig. Er was niets vaags waar je over zou moeten piekeren, het was allemaal helder. Hij voelde plotseling dat hij moest glimlachen terwijl hij naar hem keek, het drong tot hem door hoeveel waarde hij aan hun vriendschap hechtte. Jesper was geheelonthouder om ideologische redenen en dat maakte hun omgang gemakkelijker. Toen Kristoffer was gestopt met drinken zag hij zich genoodzaakt bepaalde situaties te vermijden. Je kon van hem niet vragen dat hij een hele avond in de kroeg ging zitten, net zomin als je een suikerpatiënt op taart zou trakteren. Hij had nog steeds af en toe dorst, dan moest hij zich schrap zetten om niet te bezwijken voor 'één glaasje maar', dat hem die bijzondere ontspanning zou verschaffen. Dat hem het rustige gevoel zou geven dat alle hobbels glad werden en overkomelijk. Dat gevoel was altijd van korte duur, en hij had zich hele nachten laveloos gedronken om het weer te ervaren.

Jesper was de enige die hij zijn vriend kon noemen. Het eenzame werk achter de computer en het feit dat hij niet naar de kroeg ging, had hem geen grote vriendenkring bezorgd sinds hij met zijn vorige had gebroken.

Maar zelfs aan Jesper had hij zijn geheim niet verteld. Daar schaamde hij zich zo voor dat zelfs de woorden zich ertegen verzetten. Het was eenendertig jaar geleden, maar hij had het aan niemand verteld.

Dat hij op zijn vierde op een trap in de dierentuin was gevonden.

Dat hij een verschoppeling was.

Hij liep terug naar het tafeltje.

'Hoe gaat het verder?'

Kristoffer ging zitten en begon van zijn dubbele espresso te nippen. Jesper zei geen woord. Somber, dacht Kristoffer weer.

'Ik weet het niet, ik zou blij moeten zijn, denk ik. Maar dat ben ik niet.'

'Hoezo dan?'

Kristoffer dronk nog wat koffie. Jesper leunde achterover en rekte zich uit alsof hij een onbehaaglijk gevoel van zich wilde afschudden. En toen sprak hij de woorden waar de muren van begon te schudden: 'Mijn boek is geaccepteerd.'

Kristoffer verstarde midden in een beweging en schrok van zijn eigen reactie. Hij zou blij moeten zijn, dolenthousiast, hij zou van zijn stoel moeten opspringen om taart te gaan halen. Zo zou een goed mens reageren. Zijn beste vriend had na al zijn gezwoeg het doel van zijn dromen bereikt, maar in plaats van te juichen over zijn succes zat hij als verlamd op zijn stoel, terwijl een diepe, zwarte afgunst hem bekroop.

'Maar dat is toch geweldig', wist hij uit te brengen. Zijn jaloezie werd nog groter.

'Vind je?'

Jesper keek helemaal niet blij. Kristoffer raakte in verwarring, een gevoel dat ook ruimte nodig had en dat hij daarom dankbaar verwelkomde.

'Ja, natuurlijk. Niet dan? Daar schreef je toch voor?'

Het was even stil. Jesper was niet iemand die zomaar iets zei. Een eigenschap die Kristoffer zeer waardeerde. De wereld zou er een stuk beter uitzien als de mensen hun woorden zorgvuldiger kozen.

'Ik heb nu vooral een leeg gevoel, bijna alsof ik bestolen ben.'

'Wat nou bestolen? Nu kun je eens een tijdje iets anders eten dan spaghetti.'

Hij hoorde het aan zijn eigen stem. Dat de woorden verhulden wat hij echt voelde.

'Ik heb het niet over geld, dat bedoel ik niet. Ik bedoel, ik weet niet hoe ik het moet uitleggen, alsof mijn leven me ontstolen is. Wat moet ik nu doen? Ik ben zo lang met dit rotboek bezig geweest dat ik niet weet wat ik moet doen nu ik daar niet meer aan hoef te werken.'

'Begin aan een nieuw boek.'

Het idee leek hem niet aan te spreken en er viel weer een stilte.

'En als ik dat nou niet kan?'

'Nou moet je ophouden. Je kunt het toch in ieder geval proberen, je moet het niet bij voorbaat al opgeven. Bovendien moet je er waarschijnlijk op uit om het boek aan de man te brengen, reizen en interviews geven op tv en lezingen houden.'

Hij voelde zijn afgunst groeien. De droom van succes. Dat ze je overal voor vroegen en dat je eindelijk iemand was.

'Maar dat is het hem nou net. Hoe denk je dat ik het ooit voor elkaar krijg rustig in een talkshow te zitten? Zie je mij daar al? Nou? Of interviews geven. Wat moet ik zeggen? Lees het boek, sukkel! Daar staat alles in wat ik te zeggen heb. Denk je dat dat zou werken?'

Kristoffer antwoordde niet. Hij had gezien dat Jesper soms al niet uit zijn woorden kwam wanneer hij koffie wilde bestellen en Kristoffer besefte dat hij wel een beetje gelijk had. Toch ergerde hij zich aan het gezeur.

'Bovendien ben ik te lelijk.'

'Hou toch op.'

'Jij hebt makkelijk praten met je engelachtige uiterlijk.'

'Het maakt toch verdorie niet uit hoe je eruitziet.'

'Ach, man.'

Jesper keek oprecht wanhopig. Hij sloeg zijn handen voor zijn gezicht en zuchtte. Kristoffer dronk zijn koffie op en zette het kopje neer. Stel dat het hem was overkomen. Misschien moest hij ook een roman schrijven? Als Jespers boek werd uitgegeven, moest hij dat ook voor elkaar kunnen krijgen.

'Natuurlijk wil ik dat mijn boek door zo veel mogelijk mensen wordt gelezen, dat spreekt vanzelf, daar heb ik het immers voor geschreven. Maar ik heb me nooit gerealiseerd wat het eigenlijk zou inhouden. Je kent me toch, in het middelpunt staan is niks voor mij, dit was nou juist mijn manier om mijn zegje te doen. Ik ben gewoon niet geschikt als merk. Dat heb ik ook eerlijk tegen de mensen van de uitgeverij gezegd, dat ik niet wist of ik wel een heleboel interviews en zo aankon.'

'Wat zeiden ze daarvan?'

'Ja, ze waren niet wildenthousiast.'

'Er zijn toch ook nog wel andere manieren?'

'Ik zag dat ze teleurgesteld waren toen ze me zagen. Ze waren zo ontzettend positief aan de telefoon over mijn boek, maar toen hadden ze me nog niet gezien.'

Kristoffer ging er niet meer tegen in en het was even stil. Hij probeerde tevergeefs het gevoel van opluchting over de reactie van de uitgeverij weg te moffelen. Wanhopig probeerde hij de afgunst terug te duwen in de beerput waar hij uit tevoorschijn was gekropen, want wat was je voor iemand als je zo reageerde als hij? In een poging zichzelf te overwinnen stak hij zijn hand uit en legde hem op die van Jesper. Dat was zo'n uniek gebaar dat hij van de aanraking schrok.

'Het gaat vast en zeker hartstikke goed.'

Kristoffer trok zijn hand terug en zei glimlachend: 'Jemig, ik ken een echte schrijver.'

Maar de woorden maakten zijn afgunst alleen maar erger. Hij had altijd het meeste succes gehad van hen tweeën, zo waren de rollen verdeeld. Hun hele vriendschap balanceerde op die ongeschreven regel, en nu was het evenwicht plotseling verstoord. Hij wilde naar huis om verder te werken aan zijn toneelstuk, om ervoor te zorgen dat iedere recensent steil achteroversloeg van enthousiasme.

'Je moet maar een andere manier verzinnen om het boek onder de aandacht te brengen. Iets origineels waarbij je zelf niet in beeld hoeft te komen.'

Als je daar nou zo'n probleem mee hebt, wilde hij eraan toevoegen, maar deed dat niet.

'Wat dan?'

'Dat weet ik niet, dat zul je moeten verzinnen.'

Voor het café gingen ze ieder een andere kant op, Kristoffer naar de ICA. Hij werd geplaagd door schuldgevoelens. Hij was een minderwaardig mens omdat hij niet in staat was blij te zijn voor een vriend. De goedheid en de deugdzaamheid die hij steeds had nagestreefd hadden zich bij de minste tegenslag onderworpen aan de egoïstische driften die bij het karakter van de middelmatige hoorden. Hij wist maar al te goed dat de moraal niet uit lust voortkomt, maar uit plicht. Toch had hij gefaald. In een poging het goed te maken begon hij over Jespers dilemma na te denken, hoe zou je de media op het boek kunnen attenderen? In de supermarkt bleef hij bij de kranten en tijdschriften staan en las de koppen: 'Ik heb met 4.000 vrouwen geslapen.' 'Alcohol, seks en pure decadentie – wij waren erbij'. 'Word rijk door *filesharing*'. 'Zonde, spel en strippers. Wow! zeggen we alleen maar wanneer hete Emma in dit blad haar natte topje uittrekt'. 'Win een computer en zet er zelf op wat je lekker vindt'.

Kristoffer zuchtte. Aangezien hij een man was en de bladen zich op mannen richtten, besefte hij hoe vernederend het was dat die koppen geacht werden te verkopen. Dat hij, alleen omdat hij

een man was, voor een idioot werd gehouden. Niet dat hij
tegen naakte vrouwen had. Hij was er niet trots op, maar
had thuis ook een paar beduimelde blaadjes liggen. Hij was
leen en wat moest hij anders? Maar dat er op deze weinig chique manier geappelleerd werd aan zijn laagste driften ervoer hij als beledigend. Hij pakte een van de bladen en keek op pagina één. De redactie bestond uit louter mannen. Hij vroeg zich af wie die mannen waren. Hoe het kwam dat ze niets wilden. En als ze wel iets wilden, wat dan? Hij had een keer een redactie gebeld om het te vragen.

'We hebben de plicht jegens de eigenaren om uit te zoeken wat mensen ertoe brengt het blad te kopen', was het antwoord geweest. 'En een wereldcrisis verkoopt helaas niet.'

Ja, Jesper, dacht hij. Het is niet gemakkelijk. Een kop over Jesper Falk, die een generatieroman heeft geschreven die je aan het denken zet, zou niet tot een stormloop op de kiosk leiden.

Hij deed een stap opzij en kwam voor het schap met damesbladen terecht. 'Mooie ogen – ga voor zwart!' 'Doldwaas winkelen – de 600 beste koopjes'. 'Leer goed lopen op hoge hakken'. 'Is borstvergroting een goede zaak?' Het was allemaal zo verwarrend. Dat al deze bladen verkocht werden. Dat er voldoende vrouwen waren die niet meer informatie nodig dachten te hebben dan hierin stond.

Uiterst rechts zag hij de tijdschriften voor jonge meisjes. 'Alles over beroemde bitches'. 'Kies de liefste hond van Hollywood'. 'Zeven schoonheidsmissen die we dissen'. 'De beste trucs om hem te strikken'. Enkel vrouwen in de redacties, behalve misschien een man op een technische post. Hij vroeg zich af hoe deze vrouwen hun kinderen opvoedden. Of ze privé ook zo hun best deden om alle sekserollen vast te timmeren en ervoor te zorgen dat hun dochters infantiel werden, of dat ze dat alleen deden zolang ze ervoor betaald werden.

Weer vroeg hij zich af waar de intelligentsia was. Hoe kwam het dat sommige mensen zo weinig nadachten en zo kortzichtig waren? Waarom dachten ze zo slecht van zichzelf dat ze ervan overtuigd waren dat hun daden er niet toe deden?

Sinds de mogelijkheid hem was ontnomen om zijn bewustzijn te verdoven, vond hij de werkelijkheid steeds moeilijker te verdragen. Hadden de menselijke hersenen niet gewoon afstomping nodig omdat ze anders alle domheid niet door de vingers konden zien en geen hoop meer konden voelen?

'Staat u in de rij?'

Hij schrok op uit zijn overpeinzingen en begon zijn boodschappen op de band te leggen. Met een nieuwe voorraad kant-en-klaarproducten liep hij naar huis. Hij had een nieuw idee gekregen en hij had weer goede moed, hij kon weer verder met zijn toneelstuk.

Hij was al bijna bij zijn voordeur toen hij besloot om zijn mobieltje toch maar aan te zetten. Er waren drie nieuwe berichten. Eén van het theater dat wilde weten hoe het ging en één van Jesper. Toen hij het derde bericht beluisterde, bleef de tijd opeens stilstaan. Hij liet zijn tas met boodschappen vallen en moest steun zoeken tegen de gevel.

Iets over een testament waarin hij als enige begunstigde stond vermeld.

De geur van een appel. Je arm er
en hem pakken, voor je neus houden en
snuiven. De bliksemsnelle verplaatsing naar
Een toverdeur naar een land dat gewoonlijk verb
decennia van veranderingen, maar dat in een mum
opdook en toegankelijk werd.

Axel Ragnerfeldt keek naar de knalgroene appels in de
schaal. Even onbereikbaar als toen ze zich nog in hun land
herkomst bevonden dat vermeld stond op de kleine etiketjes die
op de appels geplakt zaten. Hij troostte zich met de gedachte dat ze waarschijnlijk geen geur hadden, bespoten en gemanipuleerd als ze waren om de lange reis over de aardbol te kunnen maken. Het waren niet de appels uit zijn jeugd, die met zorg geoogst waren uit de enige appelboom op hun volkstuin, om veranderd te worden in goudgeel appelsap en appelmoes voor de feestdagen. Het minutieus verzorgde stukje grond met aardappels, koolrapen en andere cultuurgewassen, met hier en daar een stiekeme extravagantie als leeuwenbekjes, akeleien en welriekende viooltjes ertussen. Zijn moeder die duizend dingen tegelijk deed en de consequente hamerslagen van zijn vader, trots en precies. Het huisje dat gestaag groeide onder zijn grove handen. Zes vierkante meter groot, maar kostbaarder dan het prachtigste kasteel. Hij herinnerde zich de formulering uit de statuten. 'De volkstuinen zijn in hoofdzaak bedoeld voor de grote scharen arbeiders en werklieden die onder armoedige omstandigheden in de stad leven en karige woonomstandigheden hebben.'

'De Zaligheid' hadden ze hun tuin genoemd, het kleine lapje grond waar ze konden uitrusten, weg uit de benauwde eenkamerwoning met keuken op een steenworp afstand. Het kleine houten stadje met eenvoudige huizen in de punt tussen de Ringvägen en de Blekingegatan, dat gebouwd was als noodoplossing voor de acute woningnood van na de Eerste Wereldoorlog, maar

an de jaren zestig zou blijven

ongen, dat is de enige manier om hier

geklopt. Hij had nooit begrepen waarom en. Sinds hij in het verpleeghuis was terechtge- niemand binnen vragen of wegjagen en hij vond diging dat ze klopten. Alsof ze er nog eens extra de op wilden leggen. Hij hoorde de deur achter zijn rug gaan. Er kwam iemand binnen zonder iets te zeggen. Dus wist pas wie het was toen ze in zijn blikveld opdook. Hij wist niet meer hoe ze heette, details van tegenwoordig ontschoten hem vaak, misschien was het gebrek aan belangstelling. Alleen dingen van langgeleden hadden scherpe contouren. Misschien was dat een beschermende maatregel van zijn hersenen. Zijn lichaam was een gesloten ruimte geworden, waarin zijn wezen opgesloten zat. Zonder deuren of ramen en van ieder menselijk contact gespeend. De dagen waren allemaal eender, ze volgden elkaar op en hij moest ze zien door te komen. Zijn hele bekroonde intellect zat nu in de pink van zijn linkerhand, die hem soms gehoorzaamde, maar de laatste tijd steeds vaker tegensputterde. Gevangen in een lichaam dat hij niet kon bewegen, maar dat nog wel pijngevoelig was. Na een aantal uren in dezelfde houding werd de pijn ondraaglijk. Toch kon hij niet om hulp vragen. Dan was zijn enige redding een vlucht in het verleden.

Alleen bepaalde uithoeken, waar hij niet graag aan dacht, vermeed hij daarbij zorgvuldig.

'Dag, Axel, zit je goed zo of zal ik je een stukje omhoogtrekken?'

Haar hand met een handdoek erin veegde het speeksel weg dat uit zijn mond gelopen was. Hoe moest hij die vraag in vredesnaam beantwoorden? Een beweging met zijn pink betekende ja. Deze vraag ging zijn mogelijkheden te boven. Hij wilde opstaan en gillen, de woedende schreeuw eruit gooien die in hem zat. Dit was geen leven, dit was vegeteren, en zijn gevoel van vernedering was zijn ergste vijand. Hij was altijd selectief geweest wat kennissen betreft en weinigen waren goed genoeg bevonden. Hij had nooit voor verplichte groepjes gekozen en in de loop der jaren was ook de selecte kennissenkring gekrompen. Hij was steeds beroemder geworden en zijn omgeving was veranderd, een enkeling was zichzelf gebleven, maar de meesten praatten hem naar de mond en keken hem naar de ogen. Hij was een buitenstaander geworden die snel was ingelijfd bij het gilde van eenzame schrijvers, en ten slotte was hij bijna mensenschuw geworden. Nu was hij een gemakkelijke prooi voor iedereen. Onbekenden die kwamen en gingen en getuige waren van zijn ontluistering. Vreemde handen aan zijn lijf, die vertrouwd raakten met zijn intiemste lichaamsdelen. Hij was aan anderen overgeleverd en afhankelijk, zelfs doodgaan kon hij niet alleen.

Ze bleef schuin achter zijn rug staan en hij vermoedde dat ze afwachtte.

'Zal ik je een stukje omhoogtrekken?'

Hij concentreerde zich, maar zijn pink gehoorzaamde niet, ook al wilde zijn lichaam dolgraag gaan verzitten. Pas toen ze zich had omgedraaid en was weggegaan zag hij vanuit een ooghoek een minuscule beweging. Hij hoorde de deur dichtslaan en vluchtte weer in zijn herinneringen.

Had hij ze mooier gemaakt? Hij wist het niet. Misschien kon wat het oog had gezien en het oor had gehoord vervormd worden, maar de ervaring zelf niet. Die vergeten was, maar toch sporen had nagelaten. De wijk waar hij als kind had gewoond, bestond allang niet meer, maar hij had hem vereeuwigd in enkele van zijn vroege romans. Ook al hadden ze het arm, het was wel gezellig geweest. Altijd een praatje over koetjes en kalfjes in het trappenhuis en uit het raam. De spelletjes die wisselden met het seizoen, altijd buiten spelen omdat er zo weinig ruimte was in huis. Schaatsen in de winter op eigenhandig aangelegde ijsbanen. De magnifieke sneeuwgrotten die vestingen werden tijdens de sneeuwgevechten. De sleeheuvels waar kinderen met rode wangen en schrale lippen af gleden op stukken karton of op het zitvlak van hun broek. Wanneer de sneeuw gesmolten was, begon de knikkertijd, waarin de ronde schatten voortdurend van eigenaar wisselden. De ene avond was hij rijk en de volgende straatarm. Hij herinnerde zich het slagballen en het spelen met een zelfgemaakte voetbal van papier en touwtjes. 's Zomers zwemmen in het water van de Årstaviken en de sproeiwagens waar ze achteraan renden, die het stof aan de straatstenen lieten kleven. De jaloezie op kinderen die het geluk hadden dat ze naar een vakantiekolonie mochten of familie hadden op het platteland. De herfst, wanneer iedereen weer bij elkaar kwam. De tijd van verstoppertje spelen en griezelverhalen vertellen.

Hij herinnerde zich de geuren. Altijd de geuren. Kookluchtjes en de geur van versgebakken brood, de stank uit de vuilnisbakken op de binnenplaats en de latrine. De lucht van natte jassen die te drogen hingen in de portalen. Paardenpoep op straat en pas gehakt hout. De vluchtige geur van schone lakens op de droogzolder.

De winkels hadden allemaal hun eigen speciale geur. De visboer, de slagerij, de bakkerij, de kelder met hout en petroleum. En alle geluiden. De mengeling van auto's en trams op straat, trekkarren, hoefijzers en ratelende wielen. Het nieuwe en het oude betwistten elkaar de ruimte.

Hij herinnerde zich de stilte van de winter, wanneer de geluiden werden opgezogen door de sneeuw en de grote mensen binnen bleven. De oudjes zaten weggedoken in hun flatjes om tegen het voorjaar weer naar buiten te komen, wanneer alles weer opnieuw begon.

De radio. De toverdoos waar ze met zijn allen omheen gingen zitten en die de muren naar de grote wereld wegtoverde.

Vul je hoofd met kennis, jongen, dat is de enige manier om hier weg te komen.

Toen hij klein was, schrok hij van die woorden, hij wilde helemaal niet weg. Hij wilde bij zijn ouders blijven, bij alles wat hij kende, de vaste routine en de saaie sleur. Hij vroeg zich af waarom ze hem kwijt wilden. Waarom ze hem zo graag weg wilden hebben uit dat bestaan waar ze even later weer met zo veel trots over spraken. Rust, reinheid en regelmaat. Samen sta je sterk. Een hoge moraal en een deugdzaam leven, een borstbeeld van

Hjalmar Branting dat vanaf zijn ereplaats op het dressoir in de kamer aangaf tot welke klasse ze behoorden. Een van de weinige dingen in huis die geen gebruiksvoorwerp waren. In zijn herinnering was hij zo vaak terug geweest in dat huis. In de keuken, waar zijn moeder de scepter zwaaide totdat de avond viel en er voor zijn vader een bed werd opgemaakt op de uitschuifbank. Het kamertje achter de keuken dat overdag niet werd gebruikt, maar 's avonds de slaapkamer werd van zijn moeder, zijn twee jaar oudere zus en van hemzelf. Zijn zus kon goed leren, maar daar schonk niemand ooit aandacht aan. Zelfs niet toen haar onderwijzer de moeite nam op een avond langs te komen om haar ouders over te halen haar na de lagere school verder te laten leren. Ze hadden voet bij stuk gehouden: van dit gezin mocht één kind doorleren, en dat was Axel, dat stond allang vast. Hij moest ingenieur worden, dat was een vak met toekomst. Zijn zus raakte vervuld van een bitterheid die de jaren daarop alleen maar groter werd. Ze had het hem nooit vergeven, ook al was het niet zijn keus geweest.

De zon was boven de vensterbank uit gekomen en een irritante zonnestraal trof hem in zijn gezicht. Zijn ogen, die het eerste jaar na het infarct hadden geknipperd wanneer hij dat wilde en alleen als het nodig was, sloten zich en lieten hem in een paarsrode duisternis achter.

Dat ze uitgerekend voor ingenieur hadden gekozen verbaasde hem. Getallen waren nooit zijn bondgenoten geweest. En hij was ook niet bepaald praktisch aangelegd. Hij deed heus wel zijn best, in zijn drang om indruk te maken op zijn vader probeerde hij hem in alles te evenaren. Zijn vader zag het door de vingers toen tijdens het bouwen van het huisje op De Zaligheid duidelijk bleek dat hij geen aanleg had voor timmeren. Verbeten trok zijn vader de verkeerd ingeslagen spijkers eruit en sloeg ze er gewoon op de juiste plaats in. Nooit een hard woord, alleen de stille boodschap dat oefening kunst baart en dat je de moed nooit mag opgeven. Rust, reinheid, regelmaat. Elke dag behalve op zondag ging om half zes de wekker, want om zeven uur ging zijn vader aan het werk in de Tanto Suikerfabriek. Zijn moeder droeg haar steentje bij door twee keer in de week met de tram helemaal naar de wijk Östermalm te gaan, waar ze een etage aan de Sibyllegatan schoonmaakte. En uit de boekenkast van dat gezin werden de schatten gehaald. Ze werden voorzichtig meegesmokkeld om de week daarop weer te worden teruggezet. Eerst waren het romans van Jules Verne, Alexandre Dumas en Jack London en hij ging helemaal op in de breedvoerige verhalen. Hij liet zich meeslepen door de woorden en als het boek uit was, zette hij de reis met zijn eigen woorden voort. Schriften en losse blaadjes werden gevuld met fantastische verhalen over helden en avonturen. Zijn vader en moeder lazen wat hij had geschreven en ze gaven commentaar op zijn handschrift en op de spelling, maar over de eigenlijke inhoud lieten ze zich niet uit. De dubbele boodschap die hij al vroeg kreeg ingeprent, luidde: van jou verwachten we dat je boven de beperkingen van je afkomst uitstijgt, maar daarom hoef je nog niet te denken dat je iets bent. Toen zijn verhalen uiteindelijk te lichtzinnig werden gevonden, kwamen zijn voorbeelden de deur niet meer in. De boeken die zijn fantasie prikkelden, waarvan de bladzijden overliepen van kleurrijke verbeelding, bleven in de boekenkast in Östermalm staan. In plaats daarvan werden uit voorzorg naslagwerken geleend en gortdroge vakliteratuur. Om hem klaar te stomen voor de dag waarop hij de toets zou afleggen om een van de gratis plaatsen te bemachtigen op het jongensgymnasium van Södermalm.

Achter hem ging de deur open, ditmaal had er niemand aangeklopt. Zijn oogleden weigerden hem te gehoorzamen en bleven dicht ter bescherming tegen de felle zon. Pas toen hij de rolstoel voelde bewegen en hij in de schaduw terechtkwam, gingen ze open en zag hij dat de nieuwkomer Jan-Erik was.

'Dag, vader.'

Weer voelde hij de handdoek over zijn kin gaan. Hij bleef maar kwijlen en werd gek van de jeuk. Jan-Erik deed het voorzichtig, niet zo hardhandig als het personeel hier. Het gaf aan dat zijn zoon zich even ongemakkelijk voelde in deze situatie als hijzelf en dat hij die ook als onnatuurlijk ervoer.

'Wil je even gaan liggen? Ze zeiden dat je de hele ochtend al zit.'

Hij concentreerde zich tot het uiterste en slaagde er eindelijk in zijn pink op te tillen.

'Oké, dan ga ik even iemand vragen om te helpen.'

Vanuit een ooghoek zag hij Jan-Erik weer door de deur verdwijnen. Hij besefte dat hij dankbaar zou moeten zijn, zijn zoon bezocht hem vast en zeker uit plichtsgevoel en niet omdat hij het zo leuk vond. Maar hij was niet dankbaar. Hij had zijn zoon nooit begrepen, om eerlijk te zijn wist hij niet eens zeker of hij hem wel aardig vond. Met dat totale gebrek aan ambitie van hem. Vanaf zijn geboorte had hij alle kansen gehad, maar hij had er niet één gegrepen. Hij had maar wat doelloos rondgezworven zonder ooit het heft in handen te nemen. Hijzelf had van huis uit helemaal geen kansen gehad, maar door het harde werken van zijn ouders en zijn eigen sterke wil was hij er gekomen. Tegen alle verwachtingen in. Hij wist nog hoe hij zich had geschaamd toen hij was gezakt voor de toets voor de gratis plaats op het gymnasium, en hoe teleurgesteld zijn ouders waren. Zijn ouders die zich onder het motto dat je de moed nooit mocht opgeven, toch niet klein hadden laten krijgen. In de volgende acht jaar hadden ze zich voortdurend alles ontzegd om zijn school te bekostigen, alles om de deur te openen naar de Koninklijke Technische Hogeschool, waar hij na het eindexamen naartoe kon. Om ingenieur te worden, want dat was het einddoel. Geen opoffering was hun te veel geweest. Zijn ouders hadden zich allebei een slag in de rondte gewerkt. Ze hadden elke kroon twee keer omgedraaid om het schoolgeld te kunnen betalen. Zelf had hij al zijn tijd besteed aan het verwerkelijken van hun ambities. Hij had geprobeerd zichzelf wijs te maken dat het ook de zijne waren. Maar het Södra Latingymnasium was een vreemde omgeving die hem langzaamaan veranderde. Leerlingen uit zijn sociale klasse had je daar niet veel en als hij zich wilde handhaven in het sociale spel moest hij zich wel aanpassen. Hier werden conflicten niet opgelost door op de vuist te gaan, hier waren geen straatvechters, hier dwong je respect af door je taal. Anders dan in zijn milieu moest je je hier juist wel onderscheiden, je moest serieus denken dat je iemand was. Voor hem werd het moeilijk omdat hij elke middag moest omschakelen om in zijn eigen buurt te kunnen functioneren, waar de oude regels golden.

Zijn verandering voerde hem steeds verder weg van zijn oorsprong, en ook van zijn ouders, die zo hard hun best deden voor hem. Hij ging anders praten, zijn gedachten zochten zich een weg buiten hun denkwereld. Thuis, waar alles om hem draaide, voelde hij zich steeds eenzamer. Een gevoel dat hij niet zozeer werd gewaardeerd om wie hij was, maar meer om wie hij eens zou worden. Hij begon zichzelf als een project te beschouwen en niet als een lid van het gezin. De bittere afgunst van zijn zus en de last van de verwachtingen van zijn ouders drukten soms zo zwaar op hem dat hij bijna niet meer kon ademhalen.

Al na het derde jaar kreeg hij problemen met wiskunde. Woorden kwamen vanzelf op hun plaats terecht, maar in getallen zag hij geen logica, daar was hij niet goed in. Hij kreeg tienen voor alle Zweedse opstellen, voor zijn wiskundeproefwerken krappe voldoendes. In die periode werd zijn vader opgeroepen voor militaire dienst, het was de tijd van de mobilisatie nadat de Duitsers Denemarken en Noorwegen hadden bezet. Doordat zijn extra inkomsten nu wegvielen, moest het gezin op de knieën. Niet alleen was alles op de bon, maar arme gezinnen hadden overal gebrek aan. Hij wist nog hoe het was: de eindeloze rijen voor winkels met lege schappen. De koude nachten. Dat er nooit genoeg hout was en dat het vocht in het linnengoed trok. Hoe hij en zijn zus er 's avonds op uitgingen om iets te zoeken waar je de kachel mee kon stoken. De verduisteringsgordijnen en de angst dat Hitler zou komen. De opgewonden stem uit de radio, die de oorlog dichterbij bracht.

Hij verstopte zijn slechte wiskundecijfers, zorgde ervoor dat zijn verwachtingsvolle ouders ze nooit onder ogen kregen en toen het tijd werd om een richting te kiezen zag hij zich voor het eerst genoodzaakt dat achter hun rug om te doen. De natuurwetenschappelijke richting met wiskunde als belangrijkste vak opende de weg naar de Koninklijke Technische Hogeschool. Maar hij koos de talenkant en daarmee was de deur waarop ze hun hoop hadden gevestigd zonder dat ze het wisten dichtgegaan.

Jan-Erik kwam terug met een verzorger. Samen tilden ze hem in bed. Hij voelde de bevrijding toen zijn lichaam uitgestrekt werd op de zachte ondergrond en de pijn wegtrok. Het hoofdeinde ging omhoog en zijn kussens werden opgeschud, waarna de eeuwige vraag kwam: 'Lig je goed zo?'

'Nee', wilde hij schreeuwen. 'Nee, ik lig niet goed zo. Jullie moeten alle slaapmiddelen halen die hier op de afdeling te vinden zijn en die moeten jullie in mijn bloedsomloop pompen zodat ik voorgoed in kan slapen.' Maar dat kon hij niet. Hij kon in het beste geval zijn pink optillen en hun verzekeren dat alles in orde was.

Jan-Erik ging op de stoel voor het bezoek zitten en de verzorger ging weg. Zijn zoon nam altijd de krant van die dag mee om daar hardop uit voor te lezen. Ook ditmaal. Axel begreep niet waarom hij op de hoogte gehouden moest worden. Hoe iemand kon denken dat het hem iets kon schelen wat er gebeurde in de wereld die hij al vaarwel had gezegd. Ze moesten hem gezelschap houden en dit was de dappere poging van Jan-Erik. Hun relatie was niet zo dat die een verschuiving in de machtsverhoudingen kon verdragen. Hij kon zijn antipathie niet verklaren, wist niet waarom hij zijn zoon nooit in zijn hart had kunnen sluiten. Het had iets te maken met zijn onderdanige blik, met het feit dat hij nooit voor zichzelf opkwam. Hij was nooit ergens zo enthousiast voor dat hij de strijd durfde aan te gaan. En als hij dat wel een keer deed, liep het helemaal mis. Alsof hij niet begreep wat voor hemzelf het beste was.

Jan-Eriks stem ploegde maar voort door de drukinkt en Axel keerde terug naar zijn herinneringen.

In het eindexamenjaar had hij het er verschrikkelijk moeilijk mee. Met de alles verterende angst dat hij zou moeten vertellen dat hun ingenieursdromen altijd dromen zouden blijven. Maar ook met dat andere dat steeds sterker was geworden. Hij wist dat hij een uitblinker was, op school was zijn talent steeds bevestigd. Hij was niet handig en had bepaald geen wiskundeknobbel, maar daardoor was er ruimte overgebleven voor iets anders, en hij werd naar de taal toe getrokken als een mot naar het licht. Die verleiding kon hij niet weerstaan. Hij voelde hoe de verhalen zich in hem verdrongen, ze popelden om tot leven te worden gewekt. Maar schrijven was geen echt vak, dat was een luxe hobby waar je je misschien aan kon wijden als je tijd overhad. Literatuur die niet tot concrete kennis leidde moest je wantrouwen. Hij wist dat zijn ouders het nooit zouden begrijpen en elke dag die hem dichter bij het gesprek bracht dat hij zou moeten voeren, werd zijn angst groter. De herinnering daaraan was verbannen naar de buitengebieden die hij probeerde te vermijden. Het was de dag van zijn examen. Ze zaten in de kamer achter de keuken waar ze ter ere van de dag koffie zouden drinken, daarbij alleen gadegeslagen door Hjalmar Branting. Er waren geen gasten uitgenodigd, je moest niet denken dat je iets was, zelfs niet als je zoon tegen alle verwachtingen in zijn eindexamen had gehaald. Maar ze dronken wel echte koffie, niet het surrogaat waar ze in de karige oorlogsjaren aan gewend waren geraakt. Ze waren allemaal op hun paasbest gekleed, zijn ouders glommen van trots en zijn zus hield zich in een zwijgend protest afzijdig. Pijnlijk duidelijk herinnerde hij zich hoe er iets in hun blik doofde toen hij zijn besluit bekendmaakte. Dat ze nooit een ingenieur in de familie zouden hebben, maar wel een schrijver. Zijn zus barstte keihard in lachen uit. De oorvijg van haar vader legde haar het zwijgen op. De dag waarop hij bij de splitsing kwam en de richting van zijn roeping insloeg.

Drieënzestig jaar later wist hij nog steeds niet of hij juist had gehandeld. Hij had zijn overtuiging gevolgd, maar in de loop der jaren was het perspectief veranderd. Een knagend schuldgevoel was zijn metgezel geworden, die hem steeds verder opzweepte. Hoe veel lof hij ook oogstte, hij werd er niet warm of koud van. Hij keek naar al zijn boeken, al zijn mooie prijzen, maar hij had zich nooit trots gevoeld. Ze gaven alleen maar aan wat hij moest zien te overtreffen.

En hij had zich zijn leven lang ongemakkelijk gevoeld als hij de pech had om een ingenieur tegen het lijf te lopen.

Jonge mensen geloofden dat het leven zin had. Dat had hij zelf ook gedacht, hij had er blind in geloofd, vooral op de dag waarop hij ondanks de verpletterende teleurstelling van zijn ouders op weg was gegaan om zijn boek te schrijven. Als hij eerst maar schrijver was, dan ... Dan was hij er. En hij had zijn boek geschreven. Hij was schrijver geworden. En hij had ingezien dat het leven een eeuwigdurende reis was. Als hij zijn bestemming eenmaal bereikte, bleek dat steeds weer een nieuw startpunt te zijn. Het doel bereikte je nooit, je kwam alleen aan een eindpunt. En als je daar eenmaal was, was het voor een heleboel dingen al definitief te laat.

Hij werd wakker doordat het plotseling stil werd en toen besefte hij pas dat hij even was ingedommeld. De krant ritselde toen Jan-Erik die opvouwde.

'Ik moet weer verder. Ik ga even langs het huis om te kijken of ik een foto van Gerda Persson kan vinden. Ze is vorige week overleden en ze hebben een foto nodig voor de begrafenis.'

Plotseling was hij klaarwakker en hij deed zijn ogen open. Die naam had hem rechtstreeks naar de buitengebieden gebracht.

'Ik wil eens kijken of ik iets kan vinden, jij weet misschien wel of er iets in je werkkamer ligt. Misschien in de kast waar je jarenlang van alles hebt opgespaard?'

Hij had hartkloppingen gekregen. Gerda was overleden en hij zou zich dankbaar moeten voelen. Kennelijk was ze loyaal gebleven tot in de dood. Nu was er nog maar één persoon in leven die zijn levenswerk zou kunnen vernietigen. Als hij tenminste niet ook al was overleden. Zolang Axel nog kon praten, zouden ze beiden door het slijk worden gehaald als de waarheid aan het licht kwam, maar na zijn herseninfarct was er geen dag voorbijgegaan waarop zijn naam en wat hij zou kunnen aanrichten niet door zijn hoofd was geschoten.

En dan de kast in zijn werkkamer, waar dingen lagen die niemand mocht zien. Hij was net begonnen met opruimen toen hij het herseninfarct kreeg, hij had beseft hoe idioot het was om die dingen te bewaren. Misschien had zijn onderbewuste hem gewaarschuwd dat hij moest opschieten, maar hij was te laat.

Hij vroeg zich af of de vuilniszak er nog stond of dat Jan-Erik die inmiddels had weggegooid. Hij hoopte het maar. En nog sterker hoopte hij dat Torgny Wennberg dood was. De duivel in mensengedaante. Als die beide wensen uitkwamen, zou de naam Axel Ragnerfeldt zijn glans voor altijd behouden.

Dan was het allemaal de moeite waard geweest.

Beste sporter van de scholenkring 1967. Hij fluisterde de woorden stil in zichzelf en voelde hoe een grote, heldere warmte zich door zijn lichaam verspreidde. Hij, Jan-Erik Ragnerfeldt, was tot beste sporter verkozen, en dat zou in de aula van de school in het bijzijn van leerlingen, leraren en ouders worden bekendgemaakt. Het koor zou zingen, de rector zou een toespraak houden en in de pauze van het voorjaarsconcert van de school zou hij op het podium worden geroepen om de wisselbeker en een getuigschrift in ontvangst te nemen.

Nu restte alleen het moeilijkste nog, ervoor zorgen dat zijn vader in de zaal zat wanneer de plechtigheid zou plaatsvinden.

Hij zat aan de keukentafel een boterham met spikkeltjesworst te eten.

'Goed eten, hoor, je moet er nog van groeien. Als je meer brood wilt, er zit nog in de trommel.'

Gerda stond bij het aanrecht en maakte de gehaktballen voor de volgende dag klaar. Ze tikte een ei kapot tegen de rand van een roestvrijstalen kom en haar handen begonnen het gehakt te kneden. Zoals zo vaak neuriede ze een melodie die Jan-Erik niet kende. Zelf had hij het druk met het verzinnen van een oplossing voor het dilemma dat hem bezighield.

'Waar is je zus? Zou zij geen avondboterham willen?'

'Ze zal wel op haar kamer zitten.'

'Helemaal niet.'

Er dook een hand op in de hoek achter de houtkachel die niet meer werd gebruikt en even later kwam Annika tevoorschijn.

'Nee maar, zat je daar. Ik had je niet gezien.'

Gerda lachte een hele poos alsof ze het een fantastische grap vond. Terwijl Annika heel vaak in de kleine ruimte achter de kachel zat, die ze als een huisje had ingericht.

'Nou, het is me wat.'

Jan-Erik glimlachte om Gerda. Het was zo raar dat zij zulke

dingen leuk vond, dingen waar verder nooit iemand om hoefde te lachen. Hij en Annika zaten allebei graag in de keuken. Omdat die zo ver van de werkkamer van hun vader af lag dat ze niet zachtjes hoefden te praten, maar ook omdat ze zich veilig voelden bij Gerda. Maar alleen zolang er geen andere volwassenen in de buurt waren. Zodra een van hun ouders erbij was, veranderde ze en lachte ze even weinig als iedereen in huis.

Er werd drie keer kort aangebeld. Het was Gerda's taak om open te doen, maar nu zaten haar handen onder het gehakt.

'Wil jij even opendoen, Annika?'

Annika deed de keukendeur open en verdween naar de hal. Jan-Erik hoorde meteen wie het was en al zijn hoop vervloog. Nu zou het tot laat in de avond duren voordat hij de kans kreeg om het aan zijn vader te vragen.

Annika kwam de keuken weer in stuiven en kroop achter de houtkachel. Vlak daarna dook Torgny Wennberg op in de deuropening met zijn jas aan en zijn hoed in de hand.

'Hallo allemaal. Zo, hier wordt hard gewerkt. Wat voor lekkernij wordt het deze keer?'

'Het zijn maar gehaktballen. Ik zal zeggen dat u er bent.'

Gerda liep naar de gootsteen met haar plakkerige handen.

'Nee, nee, ga lekker verder, ik kan zelf wel aankloppen.'

En weg was hij. Jan-Erik verbaasde zich erover dat een vreemde die niet eens in huis woonde, iets mocht wat niemand anders mocht. Aankloppen bij zijn vader wanneer die aan het werk was. Meteen daarna realiseerde hij zich dat dit zijn kans was, nu zou de deur opengaan, ook al was het niet voor hem. Hij rende er keihard heen. Torgny Wennberg stond nog voor de deur toen hij er aankwam.

'Ja!'

De stem aan de andere kant van de deur.

Torgny opende de deur en ging naar binnen. Jan-Erik sloop naderbij en bleef vlak voor de drempel staan.

'Nee maar, hallo, Torgny. Kom jij me storen?'

'Ja, ja, ik dacht dat je wel wat inspiratie kon gebruiken zo op de dinsdagavond.'

Ze glimlachten naar elkaar en gaven elkaar een hand en toen kreeg zijn vader hem in het oog.

'Is er iets, Jan-Erik?'

'Ja, ik wil iets vragen.'

'Nu niet, ik heb bezoek zoals je ziet, vraag het maar aan je moeder of aan Gerda.'

En de deur ging weer dicht.

Hij zat op de stoel in de woonkamer. Van daaruit had hij uitzicht op de deur van de werkkamer en hij was twee uur lang de kamer niet uit geweest. Drie keer was zijn moeder langsgelopen en elke keer had ze gevraagd wat hij deed. 'Niets bijzonders', had hij geantwoord, en ze had hem aangekeken alsof ze dacht dat hij loog. Nu werd het tijd om naar bed te gaan, en de deur was nog steeds niet opengegaan. Het was allemaal waardeloos als zijn vader er niet bij was. Nu hij eindelijk iets had gepresteerd.

Hij hoorde haar voetstappen op de trap en voor de vierde keer kwam ze de woonkamer binnen. Ditmaal zonder iets te zeggen. Ze liep naar een van de boekenkasten en liet haar vinger over de ruggen van de boeken glijden alsof ze een bepaalde titel zocht. En met de rug naar hem toe zei ze plotseling: 'Heb je Axel gevraagd of hij morgen ook komt?'

'Nee, ik heb hem er een paar weken geleden al over verteld, maar hij heeft nog niet gezegd of hij komt.'

'En hoelang ben je van plan hier te blijven zitten?'

'Ik zit gewoon een beetje na te denken. Ik heb vrijdag een proefwerk aardrijkskunde en ik ben me aan het voorbereiden.'

Ze draaide zich om en keek hem aan.

'Waar is je aardrijkskundeboek dan?'

Hij voelde dat hij een kleur kreeg.

'Nee, maar ik ken het bijna allemaal uit mijn hoofd. Ik repeteer de hoofdsteden van Europa.'

Ze vroeg niet verder. En het viel hem op dat ze zonder boek weer wegliep en naar boven verdween.

Er ging nog een uur voorbij. De tikkende wandklok hield de minuten nauwgezet bij en hij dutte in bij het slaapverwekkende geluid. Hij werd wakker doordat iemand aan zijn arm trok. Annika had haar nachtpon aan en hij zag dat ze huilde.

'Je moet komen, er is iets raars aan de hand met mama.'

Hij keek naar de deur die nog steeds dicht was.

'Schiet op!'

Ondanks haar angst fluisterde ze en hij ging op een holletje achter haar aan de hal door en de trap op.

Hun moeder lag op de vloer van haar slaapkamer, gekleed in een ochtendjas en met haar gezicht naar beneden. Hij werd zo bang als hij van zijn leven nog nooit was geweest. Annika begon te snikken en liet haar tranen de vrije loop, Jan-Erik ging snel op zijn knieën naast zijn moeder zitten. Hij rukte aan haar arm en streek het haar uit haar gezicht.

'Mama, mama, wakker worden, mama! Wat er is gebeurd? Zeg iets, mama, zeg iets, wat is er met je?'

Ze bewoog niet. Haar arm hing slap in zijn handen en hij voelde tranen opwellen. Hij hield zijn neus bij haar mond, maar ze rook niet zo zuur als andere keren, wanneer ze wijn had gedronken. Dit was iets anders.

'Mama, toe nou, wakker worden.'

Hij liet haar arm los en sloeg zijn handen voor zijn gezicht.

'We moeten papa halen.'

Hij wilde net opstaan en wegrennen toen ze haar ogen opendeed. Ze draaide zich om en keek eerst hem en toen Annika aan.

'Annika, kun je een glas water halen?'

Annika rende weg. Zijn moeder ging rechtop zitten. Opeens zag ze er weer volkomen normaal uit, alsof ze niet net nog voor dood op de grond had gelegen.

'Dus het kan je toch wel iets schelen.'

Jan-Erik verstijfde helemaal. Eerst begreep hij niet wat ze bedoelde en hij bleef zitten waar hij zat. Een traan rolde ongehinderd over zijn wang.

Zijn moeder ging staan, maar hij bleef zitten, hij volgde haar

met zijn blik toen ze naar het bed liep en ging zitten.
'Wat bedoel je?' wist hij ten slotte uit te brengen.
'Je maakt je er zo druk om of Axel morgen wel komt. Mij heb je nauwelijks iets gevraagd.'
'Maar jij moet ook komen. Je hebt toch gezegd dat je zou komen. Dat had ik je toch gevraagd?'
'Weet je wel zeker dat je mij erbij wilt hebben?'
Weer voelde hij de tranen.
'Natuurlijk wil ik jou erbij hebben.'
Plotseling sloeg ze haar handen voor haar gezicht en haar schouders begonnen te schokken net als wanneer ze huilde. Jan-Eriks tranen waren op slag verdwenen. Hij liep snel naar haar toe en aaide over haar arm.
'Sorry, mama, sorry. Ik wil graag dat je erbij bent, veel liever nog dan dat papa komt, echt waar. Sorry.'
Annika kwam terug met het glas water en hun moeder droogde haar tranen en zette het op het nachtkastje.
'Goed dan. Ik ga met Axel praten en dan zal ik ervoor zorgen dat hij ook komt.'

'We zien geen enkele verbetering, integendeel. Eigenlijk is Axel veel te slecht om hier te verblijven, onze plaatsen zijn immers bedoeld voor patiënten die kunnen revalideren, maar omdat het Axel is, hebben we besloten dat hij mag blijven. Het is niet zeker of hij ergens anders een eigen kamer zou kunnen krijgen, en die heeft hij als bekende Zweed wel nodig. Anders zou er misschien te veel inbreuk worden gemaakt op zijn privacy. Daarom hebben we besloten voor hem een uitzondering te maken.'

Dat had de arts tijdens hun gesprek gezegd en daar had Jan-Erik hem voor bedankt. Daarna had hij een uur bij zijn vader gezeten en geconstateerd dat de arts gelijk had. Het werd steeds moeilijker om contact te krijgen. Jan-Erik had geprobeerd hem op de hoogte te houden door hem de krant en het culturele supplement voor te lezen, maar het was de vraag hoeveel hij daar eigenlijk nog van begreep.

Hij ging niet graag bij zijn vader op bezoek. Hij had er vaak van gedroomd om de sterkste te zijn, maar nu het zover was, schonk hem dat geen voldoening. In plaats daarvan zat het hem dwars dat bepaalde dingen nu nooit meer zouden gebeuren. Hij vroeg zich af hoe het zou zijn als Axel echt overleed, wat voor verdriet hij dan zou voelen. Want hoe kun je loslaten wat je nooit hebt gehad?

Jan-Erik liet de motor draaien toen hij uitstapte om de hekken te openen, hij constateerde dat het tijd werd om de tuinman te bellen. De perken waren bruin van de verwelkte vaste planten, en alles was met een laag bladeren bedekt. Een van de palen van het terras dat ze hadden aangelegd in de tijd dat hij in de VS was, en dat nooit werd gebruikt, was omgewaaid en lag in het gras. Het grindpad, een voortdurende bron van ellende in zijn jeugd, was geïnfiltreerd door gras en hij was blij dat zijn moeder het niet zag. Ze had gewaakt over het grind en de grens met het grasveld, alsof haar leven van deze scheidslijn afhing, en het was zijn taak geweest en die van Gerda en Annika om die in stand te houden.

Hij liep terug naar de auto, reed naar binnen en parkeerde voor het huis. Daar bleef hij even zitten. Hij had geen haast om naar binnen te gaan.

Het was een lange reis geweest. Misschien niet in geografische zin, maar het voelde alsof het leven oneindig veel bochten had gemaakt sinds hij meer dan dertig jaar geleden hiervandaan was vertrokken. Toch was het net alsof alles hierheen terugvoerde, ook al probeerde hij ervan los te komen. Af en toe had hij zelfs heimwee, waarnaar wist hij niet. Maar dat gevoel had hij alleen zolang hij ergens anders was. Eenmaal hier aangekomen wilde hij meteen weer weg.

Hij stapte uit en haalde zijn huissleutels tevoorschijn. De trap voor de voordeur lag vol bladeren, die hij wegveegde met de takkenbezem die sinds mensenheugenis op wacht stond bij de ingang. De borstelkant was na jaren gebruik afgesleten en deed denken aan een schuin afgeschaafde kaas. Weer kwam Louise voorbij, scheve kazen konden haar mateloos ergeren en hij had zich aangeleerd om heel precies te schaven. Hij zuchtte. Het visitekaartje dat hij had gekregen zat in zijn portefeuille, maar natuurlijk had hij niet gebeld. Hij wist dat ze ernaar zou vragen zodra hij binnenkwam.

Hij deed de deur van het slot, schakelde het alarm uit en veegde zijn voeten zorgvuldig op de deurmat. Hij hield zijn schoenen aan, in de onbewoonde kamers was de vloer koud. De verwarming stond zo laag mogelijk en werd in de winter maar een heel klein beetje hoger gezet om bevriezing van de waterleiding te voorkomen.

Hij liep de keuken in en legde de huissleutels op de houtkachel. Hij keek om zich heen en controleerde of alles in orde was. Het zag er allemaal nog net zo uit als altijd. Alleen een lamp voor het raam klopte niet met zijn herinnering, die had hij daar zelf neergezet en hij ging aan en uit met een timer. Een theedoek zorgde ervoor dat de koelkast op een kier bleef staan en alle werkvlakken waren leeg en schoon. De dingen hielden een winterslaap.

Hij kende het huis als zijn broekzak, hij was met elke centimeter vertrouwd. Alleen de werkkamer van zijn vader was een witte vlek, een onbekende wereld te midden van het bekende. Hij verliet de keuken en liep door het stille huis waar elke plaats bewoond werd door herinneringen. Elke deurkruk, elke krakende vloerplank, elk voorwerp. Het waren allemaal vanzelfsprekende dingen. Met uitzondering van de lichtknopjes voor de lampen aan het plafond die in de jaren tachtig waren vervangen, toen de elektriciteit werd vernieuwd. Steeds wanneer zijn hand langs de wand ging en de onbekende vorm tegenkwam, was hij verbaasd, omdat hij een andere vorm had verwacht.

De meeste spullen waren blijven staan na het herseninfarct, toen zijn moeder zichzelf eindelijk toestond het huis te verlaten en in de stad ging wonen. Enkele kunstvoorwerpen en de meeste van Axels literaire prijzen uit binnen- en buitenland, die op vensterbanken en boekenplanken hadden gestaan, waren veilig opgeslagen totdat ze zouden beslissen wat er met het huis moest gebeuren. Waar iets was weggehaald, waren lege oppervlakken achtergebleven, die het huis een verlaten aanzien gaven. Lege spijkers en rouwranden op de muren waar schilderijen hadden gehangen.

Hij bleef staan in wat ze de bibliotheek hadden genoemd. Donkerbruine boekenkasten propvol met literatuur. Toch was het nog niet genoeg geweest, de boeken waren de kamer uit gestroomd, hadden zich als een pest door het huis verspreid en voortdurend meer plankruimte opgeëist. Hij had er nog geen fractie van gelezen, om eerlijk te zijn had hij zich er niet bijster voor geïnteresseerd. Misschien was zijn onverschilligheid een voorzichtig protest geweest, dat wist hij zelf niet. Wel vertegenwoordigde elk boek voor hem de opoffering die van de omgeving was gevergd, omdat het anders niet geschreven kon worden. Daar had alles voor moeten wijken.

Er stond een ingelijste foto van Annika in de kast, ingeklemd tussen de boeken naast een figuurtje van wit porselein, een jongetje dat met zijn hoofd tegen een hond aan lag. Jan-Erik liep erheen en pakte het lijstje. Hij veegde met zijn mouw over het stoffige glas. Ze was tien op deze foto, ze had nog vijf jaar te leven. Haar haar zat in twee staartjes boven op haar hoofd en ze lachte naar de camera. Hij miste haar, hij vroeg zich vaak af hoe alles zou zijn geweest als zij was blijven leven. Ze was nog steeds een vanzelfsprekend deel van hem, alleen zag niemand haar. Ze zou altijd twaalf blijven, zo oud was ze toen hij haar voor het laatst had gezien. Maar in zijn gedachten was ze samen met hem ouder geworden. Of misschien zat hij zelf in zijn innerlijke gesprekken met haar nog in de tijd toen zij er nog was. Wat je had gedeeld met een broer of zus, had je met niemand anders. Die band was gebaseerd op gemeenschappelijke ervaringen, die je had opgedaan in een periode van het leven waarin je het zelf nog niet voor het kiezen had. Op het feit dat je door dezelfde omgeving was gevormd. Soms googelde hij haar naam, dan wilde hij zien of er behalve hij nog iemand was die zich haar bestaan herinnerde. Het leverde nooit een treffer op.

Ze was vijftien toen ze werd overreden. De automobilist had zich nooit gemeld. Hij kende de details niet, het was gebeurd tijdens zijn laatste jaar in de VS.

Met de foto in zijn hand ging hij in een van de leesstoelen zitten. Hij streek met zijn vinger over haar gezicht. Hij had haar niet alleen moeten laten.

Aanvankelijk was het allemaal net een droom geweest, te mooi om waar te zijn. Hij had een beurs gekregen. Zijn tennistrainer, die zijn talent had onderkend, had hem met de formaliteiten geholpen. Zonder het thuis te vertellen had hij de aanvraag verstuurd en de beurs was hem toegekend. Hij mocht drie jaar studeren aan een college in Florida en deel uitmaken van het succesvolle tennisteam van de school. Het was allemaal in kannen en kruiken toen hij het thuis wilde vertellen. Hij had zich het tafereel voorgesteld, hoe hij tijdens het eten, wanneer ze allemaal om de tafel zaten, de brief tevoorschijn zou halen en rond zou laten gaan. Hoe hij zwijgend de verraste reacties op hun gezicht zou lezen. Hoe zijn vader zich zou schamen dat hij er niets van had begrepen. Dat hij er spijt van zou hebben dat hij nooit bij een wedstrijd was geweest. Dat hij eindelijk in zou zien dat zijn zoon een eigen, bijzonder talent had, ook al zag hij dan geen poëzie in de simpelste dingen. Ook al zag hij in tegenstelling tot zijn vader een vuilnisemmer als een vuilnisemmer en niet als een 'vat vol ongewenste herinneringen'. Er was ook wel een reactie gekomen, maar niet op de manier die hij zich had voorgesteld. Zijn moeder had hem gefeliciteerd en nog een slok wijn genomen, zoals hij had verwacht. Maar de reactie van zijn vader had hij niet kunnen voorzien, die had zich er eerder nooit over uitgelaten. Nu kreeg hij te horen dat sport geen bezigheid was voor intellectuelen, hooguit besteedde je er wat tijd aan om je lichaam in conditie te houden en je bloed van zuurstof te voorzien, waardoor je gemakkelijker kennis kon opnemen. Tennis was een sport voor de hogere stand, voor verwende rijkeluiskindertjes en hij mocht waarachtig hopen dat zijn zoon niet zo werd.

Jan-Erik had niets gezegd, hij was niet in staat zijn mooie fantasiebeeld aan de werkelijkheid aan te passen.

Zijn moeder was van tafel opgestaan en had haar man aangekeken.

'Je bent een idioot en dat weet je.'

Vervolgens had ze haar wijnglas volgeschonken en was naar boven gegaan. Annika was meteen achter haar aan gegaan. Vader en zoon waren alleen blijven zitten en hadden de maaltijd in een verontwaardigd stilzwijgen beëindigd.

Er waren enkele dagen verstreken en voor het eerst had hij de strijd aangedurfd. Hij was al zestien toen hij eindelijk het conflict was aangegaan. Eerst angstig, maar toen hij het een paar keer had aangedurfd, genoot hij ervan om met deuren te slaan, de trap op te stampen en in zijn boosheid te zeggen wat hij vond. Hij wist nog hoe Annika langs de muren sloop in die tijd. Hoe zijn moeder optrad in die periode van strijd wist hij niet meer. Hij herinnerde zich alleen die eeuwige ochtendjas, die ze steeds minder vaak uittrok. En Gerda's nerveuze commentaar: hij heeft toch het beste met je voor, is dit het werkelijk waard? En toen de ontknoping, zijn vader die toegaf. Hij mocht best naar de VS als hij dat wilde, Axel had de moeite genomen om het zelf met behulp van contacten te regelen. De American Field Service had een uitwisselingsprogramma dat als doel had begrip, contact en vriendschappelijke banden tussen studenten uit de VS en Europa te bevorderen. In zo'n programma paste een Ragnerfeldt, en de tickets waren al geboekt. Op dat moment had Jan-Erik zichzelf voor het eerst bekend hoezeer hij zijn vader haatte, en thuisblijven had een onmogelijkheid geleken. Een maand later was hij vertrokken, met de tickets van zijn vader en een gebroken wil. Hij was in een gat in de Amerikaanse Midwest terechtgekomen, bij een conservatief christelijk middenklassegezin. Dat was midden in de Vietnamoorlog en het gezin stond van ganser harte achter zijn president. Zelf zat hij er niet zo goed in. Maar tot Kerst 1972 was het feit dat je Zweed was al voldoende om je in het kamp van de tegenstanders te doen belanden. Olof Palme had kritiek geuit op de VS en de voortdurende bombardementen op Noord-Vietnam vergeleken met de misdaden van Hitler tijdens de Tweede Wereldoorlog. President Nixon was razend en had geweigerd de nieuwe Zweedse ambassadeur te ontvangen. Jan-Erik had zijn best gedaan om toch te worden geaccepteerd. Hij had de Amerikaanse cultuur in zijn hart gesloten en een nieuw persoonlijk record in aanpassing neergezet.

Zijn mobiele telefoon ging en hij schrok van het plotselinge geluid in het verlaten huis. Hij zag op de display dat het Louise was, ze belde vanuit de boetiek. Hij aarzelde, hij zou het gesprek het liefst door willen laten gaan naar de voicemail. Hij wist dat dat geen goede oplossing was, dat trucje had hij al zo vaak gebruikt.

'Jan-Erik.'

'Met mij.'

Hij wilde niets van haar, dus hij zweeg.

'Waar ben je?'

'In het huis. Ik ga een foto van Gerda Persson zoeken.'

'Hoe was het met je vader?'

'Hetzelfde. In ieder geval geen verbetering.'

'Hoe laat ben je thuis?'

Ze klonk anders dan 's ochtends. Je kon je bijna verbeelden dat ze een normaal gesprek voerden, waarin hij zonder te wikken en te wegen kon zeggen wat in zijn hoofd opkwam.

'Ik ga die foto zoeken, ik weet niet hoelang dat duurt, ik ben er net.'

'Kom je daarna naar huis?'

'Ja.'

Het was even stil.

'Zeg, ik wilde alleen even zeggen dat ik blij ben dat we vanochtend gepraat hebben, hoe moeizaam het ook ging. Ik denk dat er iets goeds uit voort kan komen.'

Hij zei niets.

'Dat wilde ik gewoon even zeggen. Tot straks dan.'

'Ja. Hoi.'

Hij drukte het gesprek weg. Haar nieuwe toon baarde hem zorgen. Het klonk bijna als een toenaderingspoging.

Hij stond op en zette de foto van Annika weer in de kast. Hij zette hem in zo'n hoek dat je hem goed kon zien. Hij realiseerde zich dat het langgeleden was dat hij bij haar graf was geweest, maar hij had nooit zo'n band gevoeld met die plek. Dat kon ook niet. Haar naam op de steen bewees dat ze daar lag, maar hij had niet gezien dat ze daar was neergelegd. Zijn vader had geweigerd de vlucht te betalen, aangezien Jan-Erik eerder het al betaalde ticket had laten verlopen. Tegen hun zin was hij na zijn studie in de VS gebleven, twee jaar lang had hij liftend rondgetrokken met geen ander doel dan niet naar huis te hoeven. Het had hem tien maanden gekost om een vliegticket bij elkaar te sparen, en in die tijd had hij zowel Annika's begrafenis gemist als het Nobelfeest waarbij zijn vader zijn mooie prijs had opgehaald. Maar hij was wel op tijd thuis geweest om Björn Borg te zien winnen op Wimbledon. Bij de junioren hadden ze twee keer tegen elkaar gespeeld. Eén keer had Jan-Erik bijna gewonnen.

Het werd al donker buiten en hij opende de deur van zijn vaders werkkamer. Zijn hand vond het moderne lichtknopje, maar verzette zich niet, hij was met het oude ook niet vertrouwd geweest. Hij bleef in de deuropening staan. Een maand na het herseninfarct van zijn vader, toen Jan-Erik gewend geraakt was aan de gedachte dat niemand hem meer kon tegenhouden, was hij naar binnen gegaan en had hij achter het bureau plaatsgenomen. Hij was er een hele poos blijven zitten, gewoon om te voelen hoe het was. Daarna had hij voorzichtig het bovenste laatje uitgetrokken. Gewoon om te voelen hoe dat was, en toen had hij het weer dichtgeschoven.

Een wand was bedekt met boekenplanken, de meeste vol met de boeken van Axel Ragnerfeldt, in verschillende talen vertaald. De tegenovergestelde muur hing vol oorkonden, ingelijste foto's en hier en daar was een lege plek waar een gesigneerd schilderij had gehangen. Hij liep naar de muur. Er hing geen familiefoto bij. Het waren allemaal foto's van prijsuitreikingen of diners met hoogwaardigheidsbekleders. Daar zou hij Gerda niet vinden.

Hij liep naar de kast. Hij was er maar een keer binnen geweest en hij had de sleutel in de bureaula gevonden. Duisternis en gure kou sloegen hem tegemoet en hij besefte dat hij een zaklamp nodig had. Er moest er een op de trap achter de kelderdeur staan, daar stond er vroeger in ieder geval altijd een. Je liet het ook wel uit je hoofd die daar weg te halen, want bij zijn moeder stak het erg nauw. Alles moest op zijn vaste plaats blijven staan en je wist nooit hoe ze zou reageren als er plotseling iets weg was. De zaklamp stond er inderdaad, hoewel er nu niemand meer kwaad zou worden, alsof hij zichzelf uiteindelijk had aangeleerd om te gehoorzamen. Er gebeurde niets toen hij het knopje naar voren schoof. Hij ging naar de keuken en trok het vierde laatje van boven uit: het laatje met batterijen, elastiekjes en plastic folie. Daar lag een ongeopend pakje batterijen. Het drong tot hem door hoe merkwaardig het was dat er in dit verlaten huis opgeladen batterijen te vinden waren. Alsof zij nog het enige leven hier waren. Daar lagen ze, klaar voor gebruik, te wachten op iets waarvan niemand wist of het ooit zou gebeuren. Hij verwisselde de batterijen en liep terug naar de kast.

Er stond een halfvolle vuilniszak achter de deur. In het licht van de zaklamp die hij erop liet schijnen zag hij drukwerk en andere documenten. Die zou hij meenemen als hij wegging – als zelfs zijn vader eindelijk had besloten iets weg te gooien, moest het wel rommel zijn. Axel bewaarde altijd alles, zijn moeder had dat een ziekelijk trekje gevonden.

De kast was groter dan de andere kasten in huis en liep langs een wand van de kamer. Stapels papier, tijdschriften, mappen, klappers, drukwerk, brieven van lezers, krantenknipsels en dozen. Alles door elkaar, zelfs voor degene die alles in de kast had gezet, zat er waarschijnlijk geen systematiek in. Het opruimen, sorteren en schiften zou weken in beslag nemen. De vuilniszak was een teken dat zijn vader al begonnen was, maar aan de geringe inhoud te zien was hij nog niet erg ver gekomen. Het zou prachtig zijn als hij tussen de rommel een onuitgegeven manuscript vond. Zijn vader had na zijn Nobelprijs nog maar een paar boeken uitgegeven, welwillend ontvangen door de critici, maar niet echt met gejuich. Het was iedereen duidelijk dat *Schaduw* het hoogtepunt van zijn schrijverschap was geweest, een niveau dat hij daarna nooit meer had weten te evenaren. Maar een onbekend, postuum uitgegeven manuscript zou zeker behoorlijk wat geld in het laatje brengen, zelfs als het niet eens zo heel veel soeps was.

Hij begon door de stapels te bladeren, hij wist niet waar hij moest beginnen. Aantekenschriften, recensies, brieven van bewonderaars, folders van auteursbezoeken met bijbehorende krantenartikelen. Hij zag veel waar hij zich wel in zou willen verdiepen, maar hij besefte dat het daar nu niet het moment voor was. Het kon uren duren voor hij een foto van Gerda vond. Hij maakte een kartonnen doos vol oude brieven open en tot zijn vreugde vond hij enkele foto's. Hij nam de doos mee naar het bureau en ging zitten. Hij schoof de Facit schrijfmachine opzij en zette de doos op de vrijgekomen plek. De eerste foto was een oude zwart-witfoto van zijn grootouders van vaderskant, de volgende was een kleurenfoto van jongere datum waarop ze er precies zo uitzagen als hij zich hen herinnerde. Ze kwamen af en toe op bezoek, altijd deftig gekleed, zijn opa in pak en met een stropdas en zijn oma in een jurk. Voorzichtig liepen ze door de kamers alsof ze bang waren iets om te gooien. Altijd naar aanleiding van een feestelijke gelegenheid, en hij wist nog dat hem als kind de verandering in zijn vader al was opgevallen. Hoe hij met verbazing had aangezien hoe zijn vader opeens zijn gebruikelijke autoriteit verloor en door het huis stoof om zijn mooie prijzen en ingelijste oorkonden te laten zien. Hoe zijn grootouders met grote ogen hadden gekeken, maar niet veel hadden gezegd, behalve misschien een opmerking over de lijst. Verder leken ze het liefst in de keuken te zitten bij Gerda, die bij dergelijke gelegenheden samen met de familie in de eetzaal mocht eten. En hij herinnerde zich opeens een kerstdiner aan een mooi gedekte tafel waarbij zijn oma een glas had omgegooid op het witte tafelkleed. Ze had ondanks alle geruststellende opmerkingen dat het helemaal niet erg was rode vlekken in haar gezicht gekregen en geen hap meer gegeten. Totdat Gerda 'toevallig' een halfvol bierflesje omstootte.

Ze waren midden jaren tachtig overleden, de een vier dagen na de ander, en ze waren tegelijk begraven. Bij die gelegenheid had Jan-Erik zijn vader voor het eerst en voor het laatst zien huilen.

Hij deed het deksel op de doos en ging terug naar de kast. Hij besloot om aan de andere kant te beginnen. Helemaal achteraan tegen de korte wand stond een doos op de vloer, bedolven onder een grote stapel paperassen. Die tilde hij eraf en hij opende de doos. Het bovenste document, een brief van de uitgever, stamde uit 1976 – hij zat dus in de juiste periode. Hij pakte de doos en nam hem mee naar de verlichte werkkamer.

Hij vond hem ergens halverwege, nadat hij een heleboel enveloppen en poststukken had bekeken met de naam en het adres van zijn vader erop. Dit was helemaal niet wat hij zocht, maar de voorgedrukte tekst boven in de hoek trok zijn aandacht. Een bruine envelop van de politie. Hij haalde er een opgevouwen A4'tje uit en zijn vermeende zekerheden waren plotseling niets meer waard.

Proces-verbaal.

Annika's naam voluit, adres en persoonsnummer. Op de woorden eronder reageerde zijn lichaam alsof hij van een plotseling geluid was geschrokken.

Doodsoorzaak: Ophanging.

Wijze van overlijden: Zelfmoord.

'Als je dit geluid hoort, "plingeliiing", als je dat hoort, dan weet je dat het tijd is om een bladzij om te slaan. Dan gaan we nu beginnen.'

Kristoffer drukte op de stopknop van de oude cassetterecorder. Het was jaren geleden dat hij die cassette had beluisterd. Bij alle verhuizingen was hij ingepakt en altijd had hij een vanzelfsprekend plekje gevonden tussen zijn bezittingen, maar nu kon hij het niet meer horen.

Als je al eenendertig jaar op een telefoontje wacht en dan opeens komt het, hoe word je dan geacht te reageren? Kristoffer wist het niet. Vijf uur lang had hij doodstil op de bank gezeten, niet in staat om ook maar iets te voelen. Het blaadje waar hij het telefoonnummer op had geschreven lag naast hem op het kussen van de bank, af en toe draaide hij zijn hoofd naar opzij en keek ernaar.

Als enige begunstigde vermeld in een testament.

Zolang hij zich kon herinneren was hij al bang in het donker. Hij sliep altijd met het licht aan wanneer hij alleen thuis was. De angst sloeg hem om het hart wanneer de voorwerpen in het donker hun vorm verloren en in zijn verbeelding volledig werden getransformeerd. Nu was de kamer in duisternis gehuld. Het enige licht kwam van het hardnekkig knipperende lampje op zijn dichtgeklapte laptop, dat pulseerde als een visuele hartslag. Hij had niet gegeten, niet gebeld, hij had helemaal niets gedaan. Alleen maar doodstil gezeten en geprobeerd wijs te worden uit wat hij voelde.

Hij wachtte af.

Hij wachtte al zo lang. Toch kon hij zich er niet toe zetten de cijfers van het telefoonnummer in te toetsen. Dan zou hij als bij toverslag terechtkomen op de plaats waarnaar hij had verlangd, waarvan hij altijd had gedroomd, maar waar hij niets van wist.

Wie zou hij worden als hij daar eenmaal was?

Zijn identiteit rustte op twee pijlers. De ene was alles wat zichtbaar en grijpbaar was en waar je iets mee kon. De andere bestond uit datgene wat altijd buiten bereik was geweest. De verborgen wereld waarin hij thuishoorde, maar waar hij nooit binnen had mogen gaan. Wie was hij? Waarom was hij zoals hij was? Had hij bepaalde familietrekjes? Van welke afkomst droeg hij het stempel?

Wie had hem zijn naam gegeven?

En dan de principiële vraag, die hij als een onzichtbaar stigma had meegedragen: waarom was hij afgestaan?

De antwoorden die nooit waren gekomen, maakten deel uit van zijn identiteit. Keer op keer had hij zijn achtergrond opnieuw moeten uitvinden, had hij details moeten veranderen wanneer ze versleten raakten en ze aan nieuwe behoeften moeten aanpassen.

Alle gesprekken die hij had moeten aanhoren over hopeloze ouders en afschuwelijke familiebijeenkomsten. Kerstvieringen die je door moest zien te komen en familieruzies over vakantieweken in zomerhuisjes die tot de gemeenschappelijke erfenis behoorden. Bittere gevechten om de nalatenschap, verbroken familiebanden en zieke ouders die veel hulp nodig hadden. Hij had zich altijd verstopt achter de bewering dat zijn ouders dood waren en iemand had zelfs de slechte smaak gehad om te beweren dat hij jaloers op hem was en op zijn vrijheid om te doen wat hij wilde zonder dat hij zich daar schuldig over hoefde te voelen.

Het was stil om hem heen. Iedereen die hij kende was verankerd in een keten waarvan je de schakels precies kon volgen. Zelf zweefde hij vrij rond zonder iets om in vast te haken. Hij droomde ervan dat hij zijn eigen ketting zou vinden, die pas compleet was als de ontbrekende schakel eindelijk werd teruggevonden.

Hij was een jaar of vier toen hij bij zijn pleegouders kwam. Vermoedelijk hadden ze het beste van de situatie gemaakt. Ze hadden zijn vragen zo goed mogelijk beantwoord, maar wat moesten ze zeggen als er geen antwoorden waren? Het politieonderzoek had niets opgeleverd. Kristoffer had alleen de voornaam van zijn moeder kunnen noemen en ze hadden met alle Elina's contact opgenomen, maar zonder resultaat. Over een vader had hij niets gezegd.

Op zijn tiende hadden zijn pleegouders hem meegenomen naar Stockholm en ze hadden hem de trap in de dierentuin van Skansen gewezen. Hij had de bewaker gesproken die hem had gevonden en die zich de gebeurtenis nog levendig herinnerde, maar op geen van zijn vragen had Kristoffer een acceptabel antwoord gekregen.

Soms schoot er iets door zijn hoofd wat eerder een korte, emotionele flits was dan een herinnering. Altijd los van enige context, tussen andere onbegrijpelijke gedachten in.

Hij had zijn eigen waarheid gecreëerd en was ervan overtuigd dat zijn echte ouders spoedig zouden opduiken. Dolgelukkig dat ze hem eindelijk weergevonden hadden, zouden ze hem meenemen naar zijn echte leven, weg van het bestaan dat alleen maar wachten was. Ze zouden hem vertellen dat ze er kapot van waren, dat een boze heks hen had opgesloten in een toren waar ze niet meer uit mochten. Dat ze ten slotte onder zware ontberingen toch hadden weten te vluchten, tot alles bereid om hem maar terug te zien. In de loop der jaren hadden de fantasieën zich ontwikkeld, de verklaringen waren minder sprookjesachtig geworden, maar het gevoel dat hij een tijdelijk leven leidde had hem nooit verlaten. Hij kon zich nergens in verdiepen, dat loonde de moeite niet, aangezien het tijdstip van vertrek elk moment aan kon breken.

Kwamen ze nu maar eens.

Als hij zijn adem inhield totdat die auto voorbij was, dan zouden ze gauw komen. Als hij de mandarijnenschil heel kon houden, zouden ze gauw komen. Als de volgende passagier die in de bus stapte een man was en geen vrouw, zouden ze gauw komen. Voor elke straathoek had hij hoop, en in elke mensenmenigte zocht hij zijn eigen gelaatstrekken. Hij stond soms urenlang voor de spiegel en hij had zijn eigen gezicht door en door leren kennen. Soms had hij heel even het idee dat hij er iemand anders in zag, een van de twee die als onbekende mallen in zijn lichaam zaten.

De relatie met zijn adoptieouders was afstandelijk. Ze hadden alles gedaan om zijn vertrouwen te winnen, maar daar had hij geen belang bij. Hij voelde zelfs een heimelijke verachting voor hun meegaandheid, voor het feit dat ze hem de ruimte gaven in plaats van zijn bewegingsvrijheid in te perken. Soms zag hij zelfs een zweem van angst in hun ogen wanneer hij vierkant tegen hun wensen inging, ook al wilde hij dat soms zelf niet eens. Ze waren en bleven indringers op een gebied dat voor anderen was bedoeld, en op zijn achttiende was hij uit huis gegaan en hij had alle contact verbroken.

In januari 2005 had hij hun namen in de krant zien staan. Op een lijst van vermisten na de tsunami in Khao Lak. Het had hem niet veel gedaan.

Hij stond op en knipte de bureaulamp aan. Het briefje lag nog op het kussen van de bank en hij was zich met elke vezel van zijn lichaam bewust van het bestaan ervan. De mobiele telefoon lag naast het toetsenbord en hij wilde hem juist oppakken toen de bel ging. Hij schrok van het onverwachte geluid, er kwam nooit iemand onaangekondigd langs. Hij besloot niet te reageren, hij wilde geen bezoek, niet nu zijn leven helemaal overhoop was gehaald. Vlak daarna ging zijn mobiele telefoon en hij zag op de display dat het Jesper was. Nu niet, dacht hij. De ringtone verstomde abrupt en vlak daarna klonk de piep ten teken dat er een bericht was ingesproken. Hij toetste de cijfers in om het af te luisteren.

'Hallo, met mij. Ik sta voor je deur want ik wilde je vragen of je iets voor me kunt doen. Kun je een paar foto's van me maken? Ik heb mijn fototoestel bij me. Ik geloof dat ik het probleem van de PR heb opgelost. Bel me zodra je dit hoort. Doei.'

Kristoffer drukte het bericht weg en wilde terugbellen. Na het derde cijfer stopte hij en legde het mobieltje neer. Niet bepaald een goede daad, maar dit waren buitengewone omstandigheden. Dat begreep Jesper vast wel. Later legde hij het wel uit. Bovendien klonk Jesper alweer wat vrolijker. Niet meer zo somber.

Er was iemand overleden. Misschien was het allemaal al te laat. Hij ging weer op de bank zitten. Stond op, liep naar de keuken, dronk water uit de kraan, keerde om en liep de kamer weer in. Een borrel. Een kleintje maar, gewoon om zich moed in te drinken, zodat hij die cijfers in kon toetsen. Hij wees de gedachte van de hand, verjoeg haar, maar voelde dat ze in de buurt bleef rondhangen voor het geval hij van gedachten veranderde. Hij balde zijn vuist en sloeg ermee tegen zijn voorhoofd, hij probeerde de moed erin te stampen waaraan het hem ontbrak en hij liep weer naar de keuken. Nu moest hij het doen, hij moest doorzetten, nu meteen, voordat hij zich weer bedacht. Resoluut liep hij terug naar de kamer, pakte het mobieltje en ging ermee op de bank zitten. Hij toetste het nummer in, hield de telefoon bij zijn oor en stond weer op. Seconden verstreken. Misschien wel de laatste van zijn huidige leven. Toen klonk er een vreemde stem.

'Marianne Folkesson.'

'Goedendag, u spreekt met Kristoffer Sandeblom, ik hoorde uw bericht op mijn voicemail, maar ik had de telefoon een paar dagen uit staan, dus daarom heb ik niet eerder gebeld, want ik hoorde het nu pas.'

Er volgde een korte stilte na zijn tirade. Van de zenuwen had hij maar doorgekakeld. Hij liet zich weer op de bank ploffen.

'Fijn dat je belt. Ja, ik ben boedelbeschrijver bij de gemeente en ik was naar je op zoek, omdat Gerda Persson helaas is overleden.'

Hij voelde zijn hartslag. In de vingers die de telefoon vasthielden, in zijn dijbeen dat tegen de bank duwde. Een ritmische beat in zijn hoofd.

Gerda Persson.

Een vrouw, een moeder. Niet Elina, maar Gerda Persson. De naam waarnaar hij altijd had gezocht.

'Zoals ik al had ingesproken heeft ze jou als begunstigde aangewezen in haar testament.'

Hij kon geen woord uitbrengen. Alle vragen zaten vast. Tientallen jaren lang had hij ze voor deze gelegenheid bijgevijld, maar nu het zover was, kreeg hij niet een ervan over zijn lippen.

'Hallo?'
'Ja, ik ben er nog.'
'De begrafenis is op de twaalfde, om half drie 's middags. Ik ben al met de voorbereidingen begonnen, omdat ik geen familielid te pakken kon krijgen, maar als je andere ideeën of wensen hebt, kun je dat natuurlijk aangeven.'
Gerda Persson. Die naam nam alle ruimte in.
Gerda. Persson.
'Hallo?'
'Ja, ik ben er nog, ik vind alles best.'
'Er moeten ook de nodige beslissingen worden genomen ten aanzien van haar appartement. Misschien wil je er een kijkje gaan nemen voordat we het leeghalen, wie weet zijn er dingen die je graag wilt hebben?'
Het bleef een hele poos stil. Hij was zelf met stomheid geslagen en de vrouw aan de andere kant van de lijn scheen het moeilijk te vinden om het gesprek voort te zetten als ze geen respons kreeg. Toen ze verder praatte, klonk haar stem anders. Minder formeel en eerlijker.
'Sorry dat ik met de deur in huis viel, het was niet mijn bedoeling om zo bot te zijn. Gecondoleerd. Ik neem aan dat jullie veel voor elkaar betekenden?'
Hij stond op en ging voor het raam staan. Hij keek uit over het Katarinakerkhof. Was hij hier echt klaar voor, wilde hij het echt weten? Natuurlijk wilde hij het weten, hier had hij immers altijd op gewacht. Maar als het wachten nu eens belangrijker was geworden dan het krijgen van de antwoorden? De laatste jaren ging het goed met hem. Wat zou er gebeuren als zijn omstandigheden totaal veranderden?
'Het zit zo, ik ...'
Hij zweeg abrupt. Eenendertig jaar lang had hij gezwegen en om als eerste een vreemde in te wijden, aan de telefoon nog wel, was voor hem uitgesloten.
'Het zit zo, we hebben elkaar nooit gekend.'
Nu deed zij er het zwijgen toe en die stilte kwam hem goed van pas.

Hier in Stockholm. Was ze zo dichtbij geweest?

'Oké … Maar jullie hadden dus wel iets met elkaar te maken?'

'Dat weet ik niet.'

Ze zweeg alsof ze meer verwachtte. Hij besefte dat het passend zou zijn om nog iets te zeggen, maar hij had er niets aan toe te voegen.

'Dat is vreemd, dan begrijp ik je verbazing. Maar ze moet jou echt bedoeld hebben in het testament. Je woont toch in de Katarina Västra Kyrkogata, p.a. Lundgren?'

'Ja.'

'Dat staat hier ook.'

'Maar hoe is ze aan mijn adres gekomen?'

'Dat weet ik niet. Je bent de enige met die naam en als die maar ergens vermeld staat, is het op zich niet zo moeilijk.'

Opeens ging hem een licht op. Het geld dat tot voor kort elke maand was gekomen. Het bescheiden bedrag dat sinds zijn achttiende opdook waar hij ook was en waarvan hij in eerste instantie had aangenomen dat het van zijn pleegouders afkomstig was. Na de breuk had hij één keer contact met hen opgenomen om hen ernaar te vragen en toen hadden ze dat ontkend.

Plotseling had het woord hem te pakken, het schandelijkste woord dat er bestond. Als een scherp stuk glas sneed het overal doorheen, hij ontkwam er niet aan.

Vondeling! Je bent een vondeling!

En wat gevonden werd, had iemand verloren. Maar je voorzag iets wat je per ongeluk kwijtraakte niet van instructies. Die toonden aan dat van het gevondene vrijwillig afstand was gedaan.

Hij voelde iets losschieten, merkte dat tranen plotseling het zicht vertroebelden. Terwijl hij anders nooit huilde. Met zijn hand voor de microfoon probeerde hij zich te vermannen, er vielen nog meer tranen en hij liet zich op zijn bureaustoel zakken. Met alle zelfbeheersing die hij in zich had probeerde hij het gesprek voort te zetten.

'Dus u hebt er geen idee van hoe ze aan mijn naam is gekomen?'

'Nee, helaas niet. Ik begrijp heel goed dat dat misschien merkwaardig overkomt. Ik heb in het bevolkingsregister gezocht en ik heb je in ieder geval niet bij haar familie gevonden. Ze was ongehuwd en kinderloos, en de enige familie die ik heb gevonden is een kinderloze zus, maar die is eind jaren vijftig al overleden.'

Seconden waarin het hem begon te duizelen. Hij rechtte zijn rug.

'Hoe oud was ze, zei u?'

'Haar zus?'

'Nee, Gerda Persson.'

Hij hoorde haar bladeren.

'Ze is geboren in 1914. Tweeënnegentig.'

Hij pakte een pen. Er klopte iets niet. Tweeënnegentig min vierendertig was achtenvijftig.

'Op die leeftijd kan een vrouw toch geen kinderen meer krijgen?'

Het werd doodstil. Kristoffer besefte tot zijn verbijstering dat hij door al die verwarrende informatie hardop was gaan denken.

'Wat?'

'Nee, niets.'

'Op je tweeënnegentigste? Nee, dat lijkt me niet, ook al staat de wetenschap soms voor niets.'

Kristoffer baalde van zijn onhandigheid. Ze mocht het niet weten, niemand mocht het weten! Pas wanneer alles duidelijk was en hij kon vergeven wat ze hadden gedaan.

'Hoe moet het nu verder?'

'Met de erfenis, bedoel je?'

Eigenlijk bedoelde hij iets belangrijkers, namelijk hoe hij meer over Gerda Persson te weten kon komen en hoe het kwam dat zij van zijn bestaan had geweten.

'Ja.'

'Dat is niet zo moeilijk. We kunnen een afspraak maken, dan kan ik je wat meer inzicht geven in de boedel, jij moet immers beslissen wat je met alle spullen wilt doen. Ik kan je wel een aantal mogelijkheden aan de hand doen. Maar eerst moet ik de begrafenis regelen, dus het appartement en de spullen moeten wachten totdat die achter de rug is. Wil je dan een keer mee?'

Vier weken tot aan de deadline. Het toneelstuk leek plotseling heel ver weg.

'Ja, misschien wel.'

'Dan hebben we het daar na de begrafenis over. Ik heb contact gehad met de familie waar ze in haar werkzame jaren huishoudster is geweest en ze hebben beloofd me te helpen met de begrafenis. Dat is de familie Ragnerfeldt. Ik kan je het telefoonnummer van de zoon van de familie wel geven als je wilt. Jan-Erik Ragnerfeldt, dat is mijn contactpersoon. Voor het geval je hem iets wilt vragen, bedoel ik. Ik heb trouwens gevraagd of ze jou kenden, en dat was niet het geval, maar misschien kun je iets meer te weten komen over Gerda Persson.'

Hij ging rechtop op zijn stoel zitten. Alle informatie dwarrelde rond en zocht houvast. Erven van Gerda Persson, eindelijk zijn moeder vinden, maar dan toch weer niet. Erven van Gerda Persson, die hij niet kende, maar die wel van zijn bestaan op de hoogte was. Ze was níét zijn moeder, maar vermoedelijk wel degene die hem geld had gestuurd. En dan was Axel Ragnerfeldt er ook nog zijdelings bij betrokken. De grootste der groten, die bijna niet echt kon bestaan, zo verheven was hij.

Hij noteerde het telefoonnummer van Jan-Erik Ragnerfeldt en ze beëindigden het gesprek. Maar hij was er nog lang niet aan toe om de zoon van de wereldberoemde schrijver te bellen.

Wat zou hij moeten zeggen?

De verwarring was er nog. Hij had er nieuwe vragen bij gekregen. Maar er had zich ook een mogelijkheid voorgedaan. De deur naar zijn verborgen wereld was een heel klein eindje opengegaan en stond nu op een kier. Hij wist alleen niet zeker of hij wel naar binnen durfde te gaan.

Hij wist maar van één ding zeker dat hij het wilde.

Een aanvaardbare verklaring krijgen, die hem in staat zou stellen te vergeven.

'Wat stelt dit in godsnaam voor?'

Alice legde de kruiswoordpuzzel neer waar ze mee bezig was geweest en keek naar het vel papier in Jan-Eriks uitgestrekte hand. Zonder eerst aan te bellen was hij met zijn eigen sleutel binnengekomen. Ze was blij met zijn komst, totdat hij in de deuropening verscheen en ze de uitdrukking op zijn gezicht zag. Met zijn schoenen en jas nog aan stond hij nu aan de andere kant van de eettafel. Hij had iets dreigends, een boosheid die ze niet van hem kende. Zijn ongewone gedrag maakte haar onzeker. Ze reikte naar het blad en hij bleef haar aanstaren, alsof hij wilde zien hoe ze zou reageren. Met onwillige vingers vouwde ze het open en het duurde maar een seconde, toen zag ze wat het was.

Ze sloot haar ogen. Liet haar hand met het verschrikkelijke document zakken en vervloekte Axel dat hij niet het verstand had gehad om het weg te gooien. Het bewaren deed toch alleen maar pijn.

'Waarom hebben jullie me dit in vredesnaam nooit verteld?'

Wat kon ze antwoorden? Niets. Wat gebeurd was, was gebeurd en ze hadden voor de leugen gekozen. Misschien vooral om het überhaupt te kunnen doorstaan. De grendel was erop gegaan, meteen in het begin. Ze hadden er alles aan gedaan om de pijn buiten de deur te houden. Ze konden beslist niet erkennen wat er was gebeurd, want dan werden ze gek.

'Geef dan antwoord!'

'Dat probeer ik.'

Ze had haar uiterste best gedaan om het te vergeten. Wanneer haar herinneringen te dicht bij bepaalde details dreigden te komen, had ze die de andere kant op gestuurd. Ze voelde zich schuldig omdat ze de ernst van de situatie niet had ingezien en ze had eindeloos veel tijd gestoken in pogingen om die schuldgevoelens de kop in te drukken. Maar sommige stemmen zwijgen nooit. Ze blijven maar doormurmelen. Geen enkele ouder die een kind verliest, komt heelhuids uit de strijd, zeker niet als het kind de hand aan zichzelf heeft geslagen. Het had jaren geduurd voor ze ook maar in de buurt kwam van een erkenning van wat er was gebeurd. Ze had niet met haar dochter gesproken en dat zou ook nooit meer gebeuren. Ze dacht aan alle kleine stapjes die gezet waren. Ze wist dat ze zelf alle keuzes had gemaakt, die op zichzelf misschien niet zo verkeerd waren, maar die gezamenlijk hadden geleid tot iets wat nooit meer te veranderen viel.

Ze zette haar leesbril af en legde die op de leuning van de bank.

'We weten niet waarom.'

Jan-Erik veranderde van houding. Hij wachtte ongeduldig op het vervolg.

'Wat was er gebeurd? Heeft ze geen afscheidsbrief achtergelaten?'

Alice schudde haar hoofd, streek met haar hand over haar gezicht. Nee, ze had geen brief achtergelaten. Alleen een boodschap die duidelijker was dan letters ooit hadden kunnen zijn.

'Maar jullie moeten toch iets gemerkt hebben? Was er iets voorgevallen of zo? Ze kan toch niet van de ene dag op de andere zonder enige aanleiding hebben besloten om zichzelf op te hangen?'

'Denk je dat ik me dat niet ook heb afgevraagd? Dat ik mezelf niet heb vervloekt dat ik niet doorhad hoe ze eraan toe was?'

'Hoe was ze er dan aan toe?'

Met een zucht legde ze het blad papier op tafel neer. Ze pakte een van de geborduurde kussens van de bank en legde het op haar schoot. Haar vinger begon het kronkelende patroon onwillekeurig te volgen.

'Daar zijn we nooit helemaal achter gekomen, het kwam uit het niets leek het wel, opeens was ze totaal veranderd. Van de ene dag op de andere wilde ze niet meer uit bed komen.'

Alice probeerde het zich te herinneren. Alle stukjes te verzamelen die ze doelbewust had verspreid. Opeens besefte ze dat alles intact was, dat de details er nog waren, alsof ze alleen maar ingevroren waren geweest.

Het was een mooie ochtend. Ze had een opperbest humeur

en zat in de keuken koffie te drinken. De tuin was getooid met glinsterende pas gevallen sneeuw en de schoof die Gerda had neergezet zat vol vogeltjes. Ze dacht dat Axels gebaar misschien een ommekeer was. Dat ook hij uiteindelijk had ingezien dat het zo niet verder kon, ze had zijn initiatief opgevat als een teken dat hij zijn best deed.

'We waren de avond ervoor in de stad naar de bioscoop geweest, Axel en ik. Hij was zelf met het idee gekomen, terwijl hij zoiets bijna nooit wilde, dat weet je.'

Ze hadden *Van aangezicht tot aangezicht* van Ingmar Bergman gezien. Het kwam zo zelden voor dat ze iets samen deden, dat ze een gemeenschappelijke ervaring opdeden. Als hij het huis uit ging was het voor dingen die hij als schrijver moest doen: lezingen en etentjes waar ze alleen mee naartoe ging als haar afwezigheid opzien zou baren. Ze confronteerden haar alleen maar met haar eigen mislukking. Thuis zag ze Axel nauwelijks, aangezien hij zich altijd in zijn werkkamer opsloot. Maar die avond had hij opeens voorgesteld om naar de film te gaan, ook al begon de voorstelling al over een uur.

'Ik zat in de keuken te ontbijten toen Gerda kwam zeggen dat Annika nog in bed lag, we dachten dat ze al naar school was, ik weet nog dat het al na tienen was.'

Ze had de keuken verlaten en was de kamer van haar dochter binnengegaan. Ze had het rolgordijn met een klap omhoog laten schieten en het dekbed van haar afgetrokken. Ze vond Annika een spelbreker, net nu zij zich eindelijk een beetje goed voelde. Ze kreeg een brok in haar keel als ze eraan terugdacht hoe ze daar had staan schelden zonder dat er een reactie kwam.

'Eerst dacht ik dat het gewoon puberaal gedrag was, dat ze me uitdaagde door te blijven liggen. Het duurde even voor het tot me doordrong dat er iets anders aan de hand was, het was net of ze zich had afgesloten, alsof ze niet hoorde wat ik zei.'

De dagen daarna. De ongerustheid die ze had gevoeld. De frustratie. Axel, die alleen maar zweeg en zich afzijdig hield, alsof hij er niets mee te maken wilde hebben.

'Ik probeerde met haar te praten, echt waar, ik vroeg of er iets was gebeurd, maar ze zei niets. Ze lag daar maar naar de muur te staren.'

De woorden gingen vergezeld van tranen die heel lang opgesloten hadden gezeten. Ze wist nog hoe ze het telkens weer had geprobeerd, maar ten slotte haar geduld had verloren. Gerda stelde voorzichtig voor de dokter te bellen, maar Axel vond dat het een familieaangelegenheid was. Zijzelf werd heen en weer geslingerd tussen de wil om hulp in te roepen en de schaamte dat hun dochter zich als een psychiatrische patiënt gedroeg.

Jan-Erik ging voor het raam staan. Hij keerde haar de rug toe, alsof hij haar tranen niet wilde zien.

'Hoelang bleef ze in bed liggen?'

'Een dag of vier, vijf. Gerda en ik keken 's nachts om de beurt bij haar. En toen op een avond at ze opeens weer, en dat hebben we opgevat als een teken dat ze weer beter was.'

Ze moest iets drinken, maar besefte dat dat niet gepast was. Jan-Erik leek ietwat gekalmeerd en ze wilde niet dat hij weer in woede zou ontsteken. Ze was geschrokken van zijn boosheid.

'Achteraf begreep ik dat ze toen haar besluit had genomen.'

'Hebben jullie nooit met vriendinnen van haar gesproken, hadden die niets gemerkt? En wat zeiden ze er op school van?'

De leugen was al vroeg gevormd. Ze hadden geen vragen gesteld uit angst dat de gebeurtenissen binnen de familie Ragnerfeldt tot een schandaal zouden leiden. Ze hadden op school verteld dat hun dochter bij een auto-ongeluk was omgekomen en daarmee was dat de officiële waarheid geworden.

'Ze hadden niets gemerkt.'

Alice richtte haar blik op het kussen dat ze op schoot hield.

'Waar heeft ze zich opgehangen?'

Ze kon er niet meer tegen. Ze stond op en liep de keuken in. Eerst snoot ze haar neus in een stuk keukenrol om een alibi te hebben, vervolgens pakte ze stiekem de fles uit de kast en schroefde de dop eraf. Toen ze zich omdraaide, stond Jan-Erik in de deuropening. Zonder een woord te zeggen pakte hij een glas van het afdruiprek, nam de fles uit haar handen en schonk in, dronk het glas in één teug leeg en zette het op het aanrecht neer.

'Zeg het dan, waar heeft ze zich opgehangen?'

Misschien hadden ze moeten scheiden. Je laat je hand niet op een gloeiende plaat liggen. Maar je laat je ziel wel langzaam verkommeren zonder er iets aan te doen. Ze had het in haar wanhoop weleens overwogen, om nog enige inbreng te hebben. Maar het was geen concreet plan geworden. Scheiden hoorde niet. Dat deed je gewoon niet. Ze had er alle reden toe, maar de omstandigheden weerhielden haar ervan. Ze had weinig vrienden en het contact met haar ouders, broers en zussen was verbroken, dus waar moest ze heen? Als mevrouw Ragnerfeldt had ze in ieder geval nog een bepaalde status.

Wat ze niet allemaal had opgeofferd om de schijn op te houden.

Had ze maar doorgehad dat Annika ook ongelukkig was. Had ze maar het vermogen gehad om verder te kijken dan haar eigen pijn, had ze maar gezien dat er nog iemand was met wie ze rekening moest houden. Misschien was het dan allemaal anders gelopen.

'Ze heeft zich opgehangen in de werkkamer van Axel.'

Jan-Erik liet zich op een keukenstoel zakken en verborg zijn gezicht in zijn handen. Ze vulde het glas dat hij had neergezet en bracht het dankbaar naar haar lippen. Ze nam een diepe teug en probeerde zich te verzetten tegen de emoties die de herinnering had losgemaakt en die nu amok maakten. Jan-Erik bleef roerloos zitten, alleen zijn schouders bewogen op het ritme van zijn ademhaling.

Axel had haar gevonden. Ze had het armatuur aan het plafond voorzichtig losgemaakt en was op Axels bureaustoel gaan staan. Ze was wakker geworden van zijn geschreeuw. Op de tast had ze haar ochtendjas gepakt en toen ze de trap af liep, ontdekte ze dat de ceintuur weg was. Het beeld van haar dochter die in de werkkamer van Axel aan het plafond hing met de ceintuur van haar ochtendjas als een strop om haar nek stond voor eeuwig op haar netvlies gebrand.

Ze schonk nog eens bij en sloeg het glas achterover. Nee, nu was het genoeg geweest. Ze moest dit niet herkauwen. Het was dertig jaar geleden en je kon het niet ongedaan maken. Je verdrinken in schuldgevoelens zou nergens goed voor zijn. Ze had gedaan wat ze kon onder de omstandigheden.

Ze zette de fles in de kast, liep naar de gootsteen en spoelde het glas om.

'Ja. Zo was dat, nu weet je het. Het is voor ons allemaal beter als dit in de familie blijft, dit is niet iets om rond te bazuinen.'

Opeens stopten de schouders van Jan-Erik met hun op- en neergaande beweging. Langzaam ging hij rechtop zitten en de blik waarmee hij haar aankeek had ze liever niet gezien. Toen stond hij op, hij liep naar de woonkamer en haalde het vel papier op. Hij liep door naar de hal en zonder een woord verdween hij door de voordeur naar buiten.

Alice keek op de klok. Het tv-programma waar ze op had gewacht, begon zo. Waarom graven in herinneringen waar je toch niets aan had? Die konden beter blijven liggen waar ze lagen.

Ze liep terug naar de bank en reikte naar de afstandsbediening.

DOOR DE LIEFDE TE BESCHRIJVEN ONTNEMEN WE DE ANGST ZIJN MACHT

Kristoffer stond voor een grafsteen op het Katarinakerkhof en las de inscriptie. De rusteloosheid had hem uit zijn flat verdreven. Hij had iets nodig om zijn angst te beteugelen. Hij wist waar hij naar verlangde, maar probeerde zijn begeerte de baas te blijven.

Alcohol was een raar goedje, je kon het voor allerlei doeleinden gebruiken. Om te vergeten, om de stemming te verhogen, om te ontspannen. Om te vieren, in slaap te komen, blij te zijn, je te verwarmen, af te koelen, te vluchten of inspiratie te krijgen.

Om je moed in te drinken.

Van alle drugs die hij had gebruikt, vond hij alcohol de meest bedrieglijke. In alle milieus doorgedrongen en geaccepteerd, altijd binnen handbereik, van staatswege en door het establishment enthousiast toegejuicht. Hij was zich ervan bewust hoeveel onbehagen hij verspreidde telkens wanneer hij een drankje afsloeg. Het maakte hem tot een buitenstaander. De mensen wilden geen nuchtere getuigen in de buurt hebben wanneer ze zichzelf toestonden hun remmen los te gooien. Geen pottenkijkers die hun een slecht geweten bezorgden.

In een van de boeken uit de kast had hij iets gelezen wat hem bijgebleven was. Hij herinnerde het zich nog bijna woordelijk, aangezien hij toen dacht dat hij een verklaring had gevonden en misschien een excuus voor zijn eigen vroegere gedrag. 'Aangezien de mens als soort bijzonder kwetsbaar is, moet hij altijd alert zijn en klaar om zich te verdedigen. Het menselijk brein is in de loop van de evolutie in omvang toegenomen. Het bewustzijn is een verfijnd afweersysteem, dat continu de omgeving afspeurt op zoek naar eventuele bedreigingen. Dat we zo ontzettend bang zijn, verklaart veel van onze aard en onze cultuur.'

Hij dacht weleens dat juist die angst misschien de verklaring was dat een drug als alcohol zo verleidelijk was: even het waarschuwingssysteem uitschakelen en ontspannen. Je geniale bewustzijn verdoven. In alle culturen werden verdovende middelen gebruikt, overal een andere soort. Als er een geïsoleerde stam in een afgelegen oerwoud werd ontdekt, bleek men daar bladeren of wortels te kauwen of te roken om in een roes te raken. In de westerse wereld was de keus gevallen op alcohol als gelegaliseerde drug.

Soms dacht hij dat de evolutie een vergissing had begaan door zo'n geavanceerd brein te ontwikkelen. Anders zou de behoefte het te verdoven toch niet zo groot zijn? De mens met zijn superieure intellect, het vermogen tot empathie, een moraal en toekomstbesef, beschouwde zichzelf als de kroon op de schepping. Misschien bevond de mensheid zich wel in een kritieke fase nu ze dankzij haar intelligentie in staat was de hele planeet te vernietigen, terwijl iedereen in wezen nog geregeerd werd door een diepe angst en primitieve driften. In het binnenste van alle mensen speelde zich een gigantisch verborgen conflict af.

Op dit moment miste hij de alcohol, die was heel lang zijn beste maatje en bondgenoot geweest. Hij was op de eerste plaats gekomen en had hem geholpen de angst zijn macht te ontnemen.

Maar op de grafsteen voor hem stond 'liefde'.

Dat soort liefde kende hij niet.

Hij wandelde vaak over het kerkhof, ook al had hij er niets te zoeken. Hij vond het er vredig, zelfs zijn angst voor het donker weerhield hem niet. Waar de dood al woonde, viel niets te vrezen. Daar was alleen rust, aangezien alles in verhouding klein en overkomelijk was. Hij wist eigenlijk niet eens zeker of hij bang was voor de dood. Soms was hij jaloers op de mensen die hun taak erop hadden zitten en nu mochten rusten. Niet dat hij naar de dood verlangde, maar hij vond het ook niet erg belangrijk om te blijven leven. Waar hij de doden om benijdde, was dat ze niet langer de verantwoordelijkheid hadden om verder te ploeteren. Dat ze dat niet meer hoefden te willen.

Rijke, arme, goede, slechte, lelijke, mooie, verstandige en

domme mensen. Iedereen wachtte hetzelfde lot. Hoe hard je ook liep, je ontkwam er niet aan.

Al die namen en jaartallen op de grafstenen. Sommigen lagen er al honderden jaren, maar de herinnering had het van weer en wind gewonnen. Dat waren dan wel bijzondere mensen geweest, want alleen van belangrijke mensen bleef het graf onaangeroerd en mocht de steen blijven staan. Bij gewone mensen werd de steen weggehaald als ze vergeten waren en dan ging hun laatste rustplaats over naar iemand anders. Hij wilde bij de blijvers horen, dat was zijn doel. Iemand wiens naam mocht blijven staan om komende generaties aan zijn bestaan te herinneren. Hij zou een van die bijzondere mensen worden die zich hadden onderscheiden, die iets belangrijks hadden gedaan.

Dan zou de dood hem niets meer kunnen doen.

Hier rust wat aan de aarde toebehoort. Voor altijd in liefde verenigd.

De man was in 1809 overleden, zijn vrouw in 1831. Van degenen die hen hadden gekend was niemand meer in leven. Toch stond hij hier honderdvijfenzeventig jaar later en werd eraan herinnerd dat ze hadden geleefd.

Hij vond het leuk om de teksten op de grafstenen te lezen, hij vond ze troostrijk. Hij liep langs goed onderhouden graven met steeds nieuwe plantjes en langs graven waar niemand meer naar omkeek. Andere tijden, andere prioriteiten. Langs stenen met een naam erin gegrift en een lege plek die wachtte op iemand die nog leefde. Hij vroeg zich weleens af hoe het zou voelen om daar te staan en te weten dat je eigen naam met een datum erbij ooit in die zerk gegrift zou worden, en dat je het resultaat zelf niet meer zou zien. Soms bekroop hem de jaloerse gedachte dat ze in ieder geval wisten waar ze thuishoorden.

Hij liep verder over het verlichte grindpad, aangetrokken door het licht van de lantaarns in de hoek van het kerkhof waar de nieuwere graven lagen. Onderweg passeerde hij verscheidene grote stenen waar 'Familiegraf' op stond. Een van de mooiste woorden die hij kende.

Voor altijd verenigd.

Hij had de kans gehad. Hij zag er goed uit en toen hij nog dronk, had hij genoeg belangstelling ondervonden van vrouwen. Hoe het daar nu mee stond, wist hij niet. Hij bevond zich zelden op plaatsen waar eventuele kandidaten van hun interesse blijk konden geven, aangezien dat vaak gebeurde onder invloed van alcohol. Maar toen hij nog deelnam aan de paringsdans van het nachtleven, was hij zelden alleen naar huis gegaan. Hij had seks gehad, zo vaak dat het hem uiteindelijk begon te vervelen, maar liefde had hij nauwelijks gekend. De keren dat er iets had kunnen opbloeien, had hij ervan afgezien en was teruggekeerd naar zijn leven van wachten.

Op het verlossende bericht.

Dat het leven op gang zou brengen.

Er begon een melodietje te spelen in zijn zak en hij haalde zijn mobiel tevoorschijn. Hij herkende het nummer meteen. De magische formule stond in zijn hersenen gebrand.

'Met Kristoffer.'

'Hallo, weer met Marianne. Het schoot me net te binnen dat ene Torgny Wennberg zich heeft gemeld voor de begrafenis. Als hij Gerda Persson kent, dan weet hij misschien meer en ik dacht dat je misschien contact met hem zou willen opnemen. Ik heb zijn nummer niet en ik kan op dit moment niet op het net komen, maar misschien kun je het zelf opzoeken. Er zijn vast niet zo veel mensen met die naam.'

'Torgny Wennberg?'

'Ja.'

'Met een w?'

'Ja, ik kan het nu niet nakijken, maar ik weet het bijna zeker.'

'Oké. En hij komt dus op de begrafenis?'

'Ja. Dat was hij in ieder geval wel van plan, zei hij.'

'Dan zoek ik het wel op. Bedankt voor uw telefoontje.'

'Graag gedaan. Tot horens.'

'Dag.'

Torgny Wennberg. Hij voerde de naam in op de adreslijst van

zijn mobiel om het niet te vergeten. Nu had hij weer hartkloppingen. Het dubbele gevoel van willen weten, maar toch ook weer niet.

Hij was bij de nieuwe graven aangekomen. Hier lagen vooral veel kinderen. Sommige graven waren versierd met speelgoed, mooie schelpen, beertjes en hartvormige stenen. Daar brandden bijna altijd kaarsjes.

'Oneindig geliefd.'

Terugkerende woorden. Rouwende ouders. De grenzeloze zorg waarmee ze de graven van hun geliefde kinderen onderhielden. De gedachte aan zijn eigen ouders. Hoe diep waren hun pijn en wanhoop geweest toen hun geen andere mogelijkheid restte dan hem achter te laten?

Er blies een koude wind over het kerkhof, die dorre bladeren voort liet wervelen. Hij trok zijn jas dichter om zijn hals en besloot naar huis te gaan. Daar maakte hij een vegetarische lasagne warm in de magnetron en hij ging met zijn bord achter de computer zitten. Hij begon te zoeken. Er was nu geen weg terug, de deur stond op een kier en hij zou het zichzelf nooit vergeven als hij deze kans liet lopen. Hij begon met Torgny Wennberg. Toen hij die naam intikte bij Google, kreeg hij driehonderddertien treffers. Hij klikte de eerste aan en belandde in het archief en de bibliotheek van de Arbeidersbeweging. De kop luidde 'Uit onze collecties, Torgny Wennberg (geb. 1928), vergeten schrijver uit de werkende klasse'. Hij las de tekst snel door:

> Torgny Wennberg werd in Finspång, in de provincie Östergötland geboren. Zijn vader was metaalarbeider, en dat werd Wennberg op zijn veertiende zelf ook. Algauw begon hij verhalen te schrijven. In 1951 debuteerde hij als schrijver met de roman *Het gaat voorbij*. Het jaar daarop verhuisde hij naar Stockholm.
> Het bekendst is Torgny Wennberg om zijn romans over metaalarbeiders in Östergötland, zoals *Houd het vuur brandende*, verschenen in 1961, dat als een van zijn beste wer-

ken wordt beschouwd. Wennberg heeft ook een aantal toneelstukken en hoorspelen geschreven. *In het begin doet het pijn* was zijn laatste arbeidersroman, latere boeken hebben meer het karakter van liefdesromans. Zijn laatste roman, *De wind fluistert je naam*, verscheen in 1975 en daarin wordt beschreven hoe een man ten onder gaat na het mislukken van zijn relatie. Wennberg heeft in totaal twaalf prozawerken en acht toneelstukken op zijn naam staan.

Kristoffer printte de pagina uit. Hij ging naar Eniro en typte de naam in in het zoekvenster en kreeg één treffer. Er woonde een Torgny Wennberg aan de Hantverkargatan en Kristoffer schreef het telefoonnummer op het printje. Hij ging terug naar Google en zocht op Axel Ragnerfeldt. Die naam leverde 1.000.230 treffers op. Hij sprong van de ene pagina naar de andere, las hier en daar wat, veel ervan wist hij al. Hij had al zijn boeken gelezen. Sommige ervan op school en de rest uit eigen beweging. Hij voegde Gerda Persson toe in het zoekvenster, maar dat leverde niets op. Hij haalde Axel Ragnerfeldt weg, zocht alleen op Gerda Persson en kreeg 205 treffers. Welke daarvan eventueel betrekking hadden op de Gerda die hij zocht, viel onmogelijk vast te stellen. Hij selecteerde bepaalde sites over Axel Ragnerfeldt en was een uur bezig met lezen. De meeste treffers voerden hem naar uitgeverijen en boekhandels over de hele wereld, ook waren er opstellen van scholieren en scripties. Hij vond maar heel weinig informatie over zijn privéleven. Zijn vrouw Alice Ragnerfeldt was ook schrijfster en hij las ook iets over haar schrijverschap. Haar laatste boek was in 1958 uitgekomen, maar voor zover hij begreep leefde ze nog. Veel van de links hadden betrekking op de Axel Ragnerfeldt Stichting, hij las over een kindertehuis in Chili en een aantal artsenposten in Afrika.

Het toonbeeld van een terechte blijver.

Het eten op zijn bord was koud geworden en hij stond op om het nog eens op te warmen. Hij liep naar de keuken en zette het in de magnetron. Staande bij het aanrecht werkte hij het laatste restje naar binnen, spoelde het bord af en zette het in het afdruiprek. Hij vroeg zich af of Axel Ragnerfeldt naar de begrafenis zou komen. Of hij de grote man zou ontmoeten. Jesper zou groen zien van jaloezie. Heel even overwoog hij Jesper mee te vragen, maar die gedachte liet hij meteen weer varen. Ook al zou het zijn eerste begrafenis worden en zou het onmiskenbaar een bijzondere gelegenheid zijn, hij wilde die liever alleen doorstaan. Zoals hij gewend was. Het alternatief was om Jesper alles te vertellen, maar daarvoor zat de schaamte hem te veel in de weg. De waarheid zou hem in een hopeloos ondergeschikte positie brengen die hij onverdraaglijk vond, en de afstand die Jesper toch al had opgerekt, zou nog groter worden. Het zou voor eens en voor altijd duidelijk worden dat Jesper zijn meerdere was.

Omdat zijn ouders hem wel hadden willen houden.

Hij keerde terug naar de computer. Jan-Erik Ragnerfeldt leverde 768 treffers op. De meeste gaven informatie over lezingen. 'Jan-Erik Ragnerfeldt vertelt over leven en werken van zijn beroemde vader.' Kristoffer ontdekte dat hij er de volgende dag een zou houden, om zeven uur in het theater van Västerås. Hij leunde achterover in zijn bureaustoel en las de informatie nog eens door. Västerås. Dat was niet al te ver. Het zou gemakkelijker zijn hem persoonlijk te spreken dan de telefoon te pakken en te bellen. Hij keek naar de donkere ramen. Hij wist niet zeker of hij alle vragen kon laten rusten om ze pas bij de begrafenis tevoorschijn te halen. Hij kon zich beter van tevoren een beeld vormen en enigszins voorbereid zijn. Hij had er geen idee van hoe hij zou reageren.

Toen was het besluit genomen en ging hij naar de website van de Zweedse Spoorwegen om een treinkaartje te bestellen.

Nog een afzakkertje, dan ging hij naar huis. Dat had hij al veel eerder moeten doen, toch kon hij zichzelf er niet toe brengen. Hij had ook niet gebeld om te zeggen dat hij laat thuis zou zijn en op de signalen van de mobiel in zijn zak had hij niet gereageerd. In zijn andere zak zat het overlijdensattest van Annika, dat hij een paar keer tevoorschijn had gehaald en gelezen. Hij wilde zich ervan overtuigen dat hij echt niets over het hoofd had gezien, een woord of een aanduiding die hem een verklaring zou kunnen geven.

'Waarom heb je het gedaan? Wat een rotstreek van je om me alleen achter te laten!'

Jij was immers al weg. We wisten niet eens waar je was. Jij hebt mij verlaten.

De vrouw achter de bar gaf hem wat hij had besteld. Hij zag verachting in haar ogen, of verbeeldde hij zich dat maar? Misschien zag hij alleen zijn eigen mening weerspiegeld in haar blik. Hij had al te veel op. Zijn oren suisden en met regelmatige tussenpozen vervaagden de contouren van alle dingen om hem heen, die vervolgens langzaam weer terugkeerden naar hun oorspronkelijke vorm. Hij vroeg om een glas water en hoorde zichzelf lispelen.

Ze hadden nooit ruziegemaakt, wat voorzover hij had begrepen de meeste broers en zussen wel deden. Daar was nooit ruimte voor geweest. Ze hadden samen een front moeten vormen tegen het onvoorspelbare, tegen Axels rug en tegen Alice, die soms boos werd en soms om meer liefde bedelde dan zij konden geven. Hij begreep niet hoe zijn moeder de zelfmoord al die jaren geheim had weten te houden. Dat ze zich nooit had versproken. Zelfs niet toen hij ruim een half jaar na die gebeurtenis was thuisgekomen uit de vs. Toen hij een ouderwets eenkamerflatje had gehuurd in het oude stadscentrum en zichzelf had willen redden en zij voortdurend opgedoken was in zijn toevluchtsoord, altijd even onwelkom. Soms dronken, soms nuchter. Maar altijd smekend om zijn genegenheid. Ze had haar gal gespuwd over Axel in een poging hem aan haar kant te krijgen. Hij had een hekel aan haar tranen, hij wilde met rust gelaten worden, alle banden doorknippen en zijn eigen leven leiden. Om eerlijk te zijn was hij misschien niet helemaal consequent geweest. Hij had geen nee gezegd tegen het geld dat ze hem toestopte, aangezien de nachten die hij doorbracht in populaire uitgaansgelegenheden als Alexandra en Atlantic een paar centen kostten. Maar hij had zich in de juiste kringen bewogen, en dan was er altijd wel iemand die kon betalen. Zijn achternaam deed wonderen als het erom ging contacten te leggen. Deuren gingen open, rijen verdwenen, die lettercombinatie was genoeg om de voortreffelijkheid van Jan-Erik te garanderen. Niet iedereen had een vader die de Nobelprijs voor de Literatuur had gekregen.

'We gaan sluiten.'

Hij kon zijn hoofd niet meer optillen, maar zag een hand en een lichtblauw doekje in draaiende bewegingen over de bar gaan. Hij pakte het whiskyglas vast, bracht het naar zijn mond en dronk het leeg. Hij voelde meteen dat hij moest overgeven. Hij liet zich zijwaarts van de barkruk glijden en probeerde de braakneigingen te bedwingen, maar dat lukte niet. Het moest eruit. Zonder op of om te kijken haastte hij zich naar de deur, hij wist een meter of tien weg te komen voordat de inhoud van zijn maag op het trottoir belandde. Hij bleef voorovergebogen staan met zijn handen op zijn knieën. Hij zag door zijn tranen heen dat hij op zijn schoenen had gekotst. Zo kon hij niet naar huis, hij moest eerst een uurtje rondlopen om nuchter te worden. Het liefst zou hij gewoon naar bed gaan, heel lang slapen en dit allemaal niet meer voelen wanneer hij wakker werd.

De straten lagen er verlaten bij en de stad was zichzelf niet. Dingen die overdag in de drukte niet opvielen, werden 's nachts zichtbaar. Hij liep doelloos door de straten van Östermalm. Af en toe kwam hij een groep jongeren tegen op weg naar een uitgaansgelegenheid aan het Stureplan, jongeren die bezig waren hun eigen leven te vinden. Af en toe een nachtelijke wandelaar van middelbare leeftijd, die op de helft van zijn leven had ontdekt dat wat hij had gevonden niet deugde, en nu zijn zoektocht had hervat. En af en toe iemand die het spoor bijster was geraakt en ronddwaalde met zijn tassen zonder hoop op iets anders dan een wonder of de dood.

Hij liep een heel eind, hij begon het koud te krijgen en hij had dorst. Pas toen de grond niet meer schommelde en zich een lichte hoofdpijn aandiende, durfde hij naar huis. In het trappenhuis sloeg hij rechts af, liep het vuilnishok binnen en gooide zijn schoenen weg. Op sokken liep hij de trap op, het risico dat hij op dit tijdstip iemand tegen zou komen was niet zo groot. Zo zachtjes mogelijk stak hij de sleutel in het slot en draaide hem om. Hij bleef stilstaan en wachtte af. Het was kwart voor drie en als hij geluk had, sliep ze. Voorzichtig duwde hij de klink naar beneden en zette de deur op een kier. Alleen het lampje op het haltafeltje brandde, verder was alles donker. Hij hing zijn jas op en liep direct naar de badkamer, waar hij zijn mond onder de kraan hield om de dorst te lessen die hem overvallen had. Daarna gooide hij al zijn kleren in de wasmand en stapte onder de douche. De misselijkheid was over en had plaats gemaakt voor een sterk gevoel van onbehagen. Hij had meteen naar huis moeten gaan. Niet in die bar moeten gaan zitten. Ze zou vragen waar hij was geweest en waarom hij niet had gebeld en dat wilde hij haar niet vertellen. Ze hoefde niet te weten dat zijn zus zich had opgehangen en dat zijn ouders al die jaren hadden gelogen. Hij wist hoe ze over zijn familie dacht. Het zou koren op haar molen zijn.

Hij stapte onder de douche uit en droogde zich af met de handdoek, hij wreef zo hard dat het niet prettig meer was. Toen dronk hij nog een beetje water in de hoop dat hij daar zijn hoofdpijn mee kon verzachten. Nadat hij zorgvuldig zijn tanden had gepoetst en nog zorgvuldiger alle witte spetters van de spiegel had geveegd bleef hij naar zichzelf staan kijken. Hij vond het moeilijk zichzelf in de ogen te kijken. Hij zou echt minder gaan drinken, hij had zo veel last van de kater die er altijd op volgde. Die kwam nu ook weer langzaam aansluipen en hij zou de angst moeten doorstaan die door de dronkenschap was uitgesteld.

Hij deed de deur van het slot en zette hem voorzichtig op een kier. Alles was stil. Alleen het onprettige geluid van zijn eigen hartslag pulseerde als dreunende bassen in een disco. Hij sloop door de hal voorbij Ellens deur en ging zijn werkkamer in. Hij tastte met zijn hand achter de boeken, maar bedacht zich voordat zijn hand de fles had gevonden. Hij wilde het, maar ook weer niet. Hij liep de keuken in. De deur naar de slaapkamer was dicht en er drong geen licht door de kier aan de onderkant.

Op de keukentafel stond een kandelaar met kaarsen die niet hadden gebrand, en voor de stoel waar hij altijd zat, stonden een wijnglas, een bord en een halve fles wijn. Twee pannen op het fornuis. Hij deed zijn ogen dicht. Hij besefte dat het uiteindelijk zo niet door kon gaan. Het was een kwestie van tijd voordat alles in zou storten. Kon niemand hem vertellen wat hij moest doen? Het gesprek van die ochtend kwam weer boven, maar hij was opeens niet boos meer. Hij wilde alleen dolgraag rust, hij wilde alleen vergeven worden. Hij zou zijn leven beteren, hij zou zorgen dat er iets ging veranderen, echt waar! Stel je voor dat zijn gedrag van vanavond de doorslag zou geven, dat het de laatste druppel zou zijn en dat ze de knoop door zou hakken. Hij kreeg het er opeens benauwd van. Hij duwde zijn hand tegen zijn borstkas ter ondersteuning. Hij zou stoppen met drinken, dat zou hij doen, dit keer meende hij het echt want dit was het niet waard, absoluut niet. Hij liep terug naar de woonkamer en keek naar de dichte slaapkamerdeur. Hij had zo vaak gewenst dat ze daar niet lag te wachten, maar nu zijn wens echt in vervulling zou kunnen gaan, stelde hij zich voor het eerst serieus voor dat de slaapkamer leeg was. Dat ze in een ander bed lag naast een andere man. Dat de kamer van Ellen leeggehaald was en stil, en dat een andere, betere vader zijn plaats had ingenomen. Opeens wilde hij huilen, maar er kwamen geen tranen en hij kreeg kramp in zijn borst. Er schoot iets los in zijn binnenste dat borrelend aan de oppervlakte kwam. Het kwam van heel diep, waar het in het zwartste slijk begraven had gelegen: de angst dat Louise bij hem weg zou gaan en hem helemaal alleen zou achterlaten.

Axel was klaarwakker. Aangezien geen enkel uur van een etmaal nog specifieke eisen aan hem stelde, waren ze allemaal uitwisselbaar. Hij lag 's nachts vaak wakker, uren die hij overdag compenseerde, wanneer hij toch lag. Maar vannacht was er een andere aanleiding voor zijn slapeloosheid. Jan-Eriks bezoek en alles wat hij had gezegd hadden hem weggesleept van waar hij wilde zijn en hem neergezet tussen herinneringen waar hij niets van wilde weten. Nu kwamen ze van alle kanten toestromen, als oude bekenden die blij waren dat ze eindelijk weer iets van hem hoorden. Ze wilden enthousiast meedoen, net alsof hij ze nooit had afgewezen. Schaduwen verdrongen zich rond zijn bed en praatten door elkaar heen om alle lege plekken op te vullen. Het ene stukje na het andere werd erbij gehaald om het plaatje compleet te maken. Zelfs zijn emotionele reacties, die hij altijd had willen vergeten. Want net zomin als water dat ergens uit lekt, kun je ooit terughalen wat je hebt gezegd of gedaan.

Hij was een perfectionist. Er mocht geen enkele smet op zijn alom bewonderde levenswerk komen. Zijn reputatie moest stevig overeind blijven staan.

Hij was weer in de kleine ruimte waar ze zich hadden verzameld en waar de vertegenwoordiger van de boekhandel hun vertelde hoe de avond in het theater van Västerås zou verlopen.

'... en het leek ons een goed idee om Axel de avond te laten besluiten. Daarna signeren in de foyer, waar tafeltjes en boeken klaarstaan, en wanneer dat achter de rug is, wordt er iets warms geserveerd en daarna kunt u nog zo lang doorgaan als u wilt en kunt.'

Axel frunnikte aan zijn boek en voelde dat het zweet in zijn handen stond. Het was de vierde 'dag van het boek' waaraan hij deze herfst meedeed, en als gewoonlijk stond hij als laatste op het programma. Dat betekende dat hij de grote naam van de avond was, wat hem door de andere schrijvers niet altijd in dank werd afgenomen.

'Ik hoop dat er ook iets is om de keel mee te smeren, en niet alleen een warme schotel.'

Verspreid gelach volgde op het commentaar van Torgny Wennberg. Hem viel de eer te beurt om de avond in te leiden.

'Ik denk niet dat iemand teleurgesteld zal hoeven zijn.'

Ze zaten in een kamer achter het toneel. De dag van het boek was een populaire aangelegenheid in de provincie en de avond was uitverkocht. De schrijvers kregen de kans om voor te lezen uit eigen werk en erover te vertellen, en misschien een paar boeken te verkopen. Het was een roerige tijd geweest in het boekenvak toen aan het begin van de jaren zeventig de boekenprijzen stegen, de verkoop daalde en het aantal boekhandels afnam. Nu groeide het optimisme weer, maar er heerste nog steeds een zekere voorzichtigheid in de uitgeverswereld. Ook al zat hij zelf relatief veilig, hij had een ongeruste ondertoon bespeurd toen zijn uitgever zei dat het nieuwe manuscript wel erg lang op zich liet wachten. Ten slotte had zijn uitgever hem overgehaald om in de herfst een paar keer te verschijnen op een 'dag van het boek', ook al had hij niets nieuws om te presenteren. Hij had geaarzeld. Het boek waar hij mee worstelde was nog lang niet klaar en steeds vaker vreesde hij dat hij het nooit af zou krijgen. Hij zat soms hele dagen in zijn werkkamer zonder een woord op papier te krijgen, en hij raakte met de dag gefrustreerder. Hij maakte zich zorgen dat er iets verloren was gegaan. Vroeger ging het schrijven vanzelf, alsof hij zich maar open hoefde te stellen voor het heelal en dan de woorden gedicteerd kreeg. Een samenwerking met een goddelijke bron die door zijn pen vloeide. Het was zijn plicht en zijn roeping om op te schrijven wat tot hem kwam. Hij voelde zich een uitverkorene. Het was een kwetsbaar proces en daarom moest hij zich afschermen voor negatieve invloeden. Nu was die kracht geblokkeerd. Soms vroeg hij zich af of zijn talent hem had verlaten. Of misschien kwam het door Alice' bitterheid die als een stolp over het huis lag en als stoorzender werkte. Sinds Jan-Erik naar de VS was vertrokken, was het nog erger geworden en hij kon haar steeds slechter om zich heen verdragen. Het was net of de lucht verpest werd door haar aanwezigheid, die alle creativiteit smoorde. Dat was ook een reden dat hij besloot om ja te zeggen tegen de herfstactiviteiten. Dan was hij er even uit.

Ondanks zijn falen wilden de organisatoren dus dat hij de avond zou besluiten. Hij voelde geen blijdschap en geen trots. Hij verschool zich achter oude prestaties en dat verschafte hem even weinig voldoening als de herinnering aan een boterham als hij honger had. Hij leefde voor het schrijven en zonder dat talent was hij niemand meer. Hij vond het vervelend om zich op het toneel te koesteren in de bewondering van het publiek, alsof hij stiekem door een sleutelgat werd begluurd.

'Over tien minuten beginnen we.'

De organisator van de avond verliet het vertrek, en de schrijvers bleven alleen achter. Torgny kende hij al heel lang, de andere twee waren vreemden voor hem. De ene was een debutant en de andere een schrijver van misdaadromans. De laatste had kennelijk een heleboel verkocht, ook al was het onbegrijpelijk dat mensen zulke rommel lazen.

Torgny stak zijn hand uit, pakte het boek van Axels schoot en inspecteerde het alsof het hem een geheim zou kunnen verraden.

'Nee, dat is waar ook, er is dit jaar geen nieuwe roman van je verschenen. Deze is van twee jaar terug, toch?'

Hij draaide het boek om.

'Dus hier ga je uit voorlezen? Want je zult zoals gewoonlijk wel niet van plan zijn iets over je werkwijze te vertellen.'

Hij lachte, maar de steek onder water was niemand in het vertrek ontgaan. Er was geen nieuw boek en Axel weigerde categorisch om iets te vertellen over zijn schrijfproces.

'Ja, ik wilde er wat stukjes uit voorlezen.'

'En hoe gaat het met je nieuwe boek? Of kun je me daar niets over vertellen, zonder dat je me daarna moet doodschieten?'

Hij wierp een blik op de twee toehoorders in het vertrek die kennelijk geamuseerd naar het gesprek luisterden. Torgny's respectloze toon tegen de schrijver die als verlegen bekendstond.

Axel kende zijn reputatie, maar hij nam zijn schrijven serieus en dat hadden ze maar te accepteren. Van die piassen als Torgny waren er genoeg, die lieten nooit een gelegenheid schieten om aandacht te krijgen. Hij kwam af en toe bij hem langs, altijd onuitgenodigd en altijd met een fles in zijn zak. Soms vond Axel die bezoekjes wel gezellig en waren ze een aangename onderbreking van de sleur, maar vaak vond hij ze alleen maar storend. Ze hadden dezelfde achtergrond, ze kwamen allebei uit eenvoudige arbeidersgezinnen. Hij vermoedde dat Torgny hem vooral uit nieuwsgierigheid opzocht, en hem in de gaten wilde houden. Ze wedijverden voortdurend met elkaar, en omdat ze vanuit dezelfde positie gestart waren, kon je goed zien wie er op kop lag. Axel wist heel goed dat Torgny's goedmoedige vriendschappelijkheid gespeeld was, aangezien Axel paardenlengtes voor lag. Zijn naam was zelfs in Nobelprijsverband genoemd. Dat ze hem nog niet hadden gevraagd om toe te treden tot de Zweedse Academie was zelfs de kranten opgevallen. Het was niet iets wat hij opblies vanuit het gevoel tekortgedaan te worden.

'Goed, prima, ik wil het alleen niet uit handen geven voordat het klaar is. Ik ben rustig de laatste dingen aan het bijvijlen. Het mag natuurlijk niet slechter worden dan mijn vorige boek.'

Torgny's laatste roman had bar slechte recensies gekregen in zowel *Dagens Nyheter* als *Svenska Dagbladet*. Axel had de sarcastische formuleringen wel vermakelijk gevonden.

Torgny keek op zijn horloge.

'Dan moet ik die kant maar eens op.'

Axel bleef rustig op zijn stoel zitten.

'Ja, juist, jij houdt de inleiding, hè?'

Torgny glimlachte, kneep één oog dicht en hief zijn ene hand. Hij stak zijn wijsvinger uit als de loop van een pistool en richtte die op Axel. Hij had in ieder geval wel gevoel voor humor.

De voorstelling, als dat tenminste de goede benaming was voor de activiteit van die avond, was niet beter of slechter dan hij had verwacht. Torgny's inleiding bevatte veel grappen en grollen en het publiek vermaakte zich uitstekend. Openhartig vertelde hij over de moeilijkheden bij het schrijven en over zijn inspiratiebronnen en tot slot las hij een fragment voor. Axels onbehagen nam toe. Het boek in zijn hand werd met de minuut minder actueel, alsof het door iemand anders was geschreven en hij erop uit was gestuurd om het te verdedigen. Nu was het zijn beurt om het podium te beklimmen en hij luisterde naar de lyrische aankondiging en probeerde in zijn rol van gevierd schrijver te stappen.

'... die ons met zijn unieke vertelkunst en zijn sprankelende taal zo veel magische momenten heeft bezorgd. Met zijn inzicht in de menselijke psyche neemt hij ons mee op zijn zoektocht naar verzoening in een harde, onmenselijke wereld. In het contrast tussen licht en donker krijgen zijn personages messcherpe contouren en hun lotgevallen blijven ons betoveren. Ik heb de eer u vanavond te mogen aankondigen: Axel Ragnerfeldt.'

Dat ging niet over hem. Die man was hij alleen wanneer hij achter zijn bureau zat op het moment van inspiratie. Niet hier en nu, bibberend tussen de coulissen, bereid zich aan de massa te vertonen. Met knikkende knieën liep hij de bühne op. Het boek trilde in zijn handen en hij vroeg zich af of het opviel. Een zee van verwachtingsvolle gezichten. Belezen mensen met een goede opleiding, intellectuelen.

Ingenieurs.

Hij kon elk moment ontmaskerd worden. Hij sloeg snel de eerste bladzij op en begon te lezen. Hij las aan één stuk door tot zijn tijd om was en hij weer mocht gaan. Het daverende applaus van het publiek. Als een muur kwam het op hem af en het hield maar niet op. De presentator bleef naast hem staan, ingenomen met het succes van de avond. Een van de toeschouwers ging staan en trok de anderen mee, en daar stond hij, de vroegere Axel Andersson, te midden van het dwaze eerbetoon en de staande ovaties.

En wat deed het hem?

Niets.

Torgny Wennberg had al een voorproefje genomen toen ze elkaar achter het toneel weer ontmoetten. Axel zag het aan zijn ogen. Nu volgde het signeren en ze liepen samen naar de foyer. Je hoefde niet te vragen welk tafeltje voor Axel was, er stond al een lange rij voor. Er stonden wat kleinere groepje bij de tafeltjes van de andere schrijvers, van wie de misdaadauteur de meeste belangstelling trok, maar het was duidelijk dat Torgny zijn afgunst niet wilde laten blijken. Met een klap op Axels rug liep hij naar zijn eigen tafeltje: 'Zeg het maar als ik moet komen helpen.'

Axel ging zitten en begon te signeren. Er lagen enkele oudere titels van hem op tafel en sommige waren al op voordat de rij was opgelost. 'Wat schrijft u toch prachtige boeken', zeiden de vreemden tegenover hem. Telkens weer 'wat kunt u dat goed'. Het begon hem steeds meer tegen te staan, hoe vaker de woorden werden herhaald. Wat wisten ze ervan wat goed was? Dat wilde hij ze vragen. Wat is er zo goed aan mijn romans, kunt u me dat vertellen? Alleen wie kan aangeven wat er zo fantastisch aan is, heeft het recht die woorden uit te spreken, dacht hij en hij schreef zijn naam in het zoveelste boek dat gelezen zou worden door de zoveelste dilettant. Door iemand die geen idee had van de inspanning die het had gekost. Die de bladzijden haastig door zou lezen en lang niet die tijd en aandacht aan de zinnen zou schenken als hijzelf had gedaan.

De anderen hadden al opgeschept toen hij eindelijk klaar was en het vertrek binnenstapte waar het eten stond opgediend. Ze waren met een man of dertig, mensen van de organisatie en genodigden. Midden in het vertrek stond een lange tafel met gekleurde kaarsjes erop en langs één wand stond een buffet. De stemming zat er al goed in.

Hij zag haar meteen. Als een magneet trok ze zijn blik naar zich toe. Een volmaakt kunstwerk tussen een hoop afgekeurde schetsen.

'Kom hier zitten, Axel, we hebben een plaatsje voor je vrijgehouden.'

Het was Torgny die dat riep, iets harder dan nodig was. Hij

wilde altijd graag laten merken dat ze elkaar kenden, hij wrong zich ertussen om mee te profiteren van de spotlights. De vrouw zat naast hem en de stoel waar hij naar wees stond tegenover haar. Axel liep naar het buffet en haalde een glas rode wijn, zijn nieuwsgierigheid was gewekt op een manier die hij van zichzelf niet kende.

'Axel, neem een fles mee, we staan droog.'

Dat riep hij zo hard dat alle gesprekken verstomden, maar toen er niets belangwekkends gebeurde, werden die weer hervat. Axel nam een fles rood mee en liep naar de plaats die Torgny had aangewezen. Hij probeerde minder gefascineerd te lijken dan hij was. Maar een ware estheet kon haar schoonheid niet ontgaan. Ze keek hem onafgebroken aan en zijn blik kruiste die van haar zonder zich vast te durven haken. Hij zette de wijn en zijn glas neer. Torgny pakte gauw de fles en schonk in.

'Dit is Halina, dit is Axel. Halina is hier met mij maar ze wilde niet meekomen naar achteren om kennis te maken voor we begonnen, daar is ze te verlegen voor.'

Torgny grijnsde.

'Schei uit, ik wilde gewoon niet storen.'

Ze stak hem over de tafel heen haar hand toe.

'Halina.'

Axel pakte haar hand, die koel was en droog en hij kreeg het gevoel dat hij zou kunnen breken als hij er te hard in kneep.

'Axel.'

Ze glimlachte even naar hem en stak een sigaret op. Hij kon er niets aan doen, de aanraking had hem iets gedaan. Verlegen als een schooljongen ging hij op zijn stoel zitten en probeerde zijn aandacht op iets anders te richten. Het verbaasde hem, hij had niet gedacht dat hij op zijn achtenveertigste nog zo zou reageren. Dat was in geen jaren meer voorgekomen.

Torgny kletste maar door. Deze keer was zijn woordenstroom welkom. Axel wisselde een paar woorden met de eigenaar van een boekhandel uit de stad, terwijl hij zich aldoor pijnlijk bewust was van haar aanwezigheid. Wijnglazen werden gevuld en leeggedronken en het volume steeg, stoelpoten schraapten over de marmeren vloer toen er beweging kwam in de mensen en ze van plaats ruilden. Torgny stond op om nog wat eten te halen en werd bij het buffet aan de praat gehouden. Ten slotte nam zij het woord.

'We hebben elkaar eerder ontmoet, weet je dat nog wel?'

Axel was op zijn zachtst gezegd verbaasd.

'Nee, dat weet ik niet meer. En ik kan haast niet geloven dat ik dat zou kunnen vergeten.'

De wijn had hem moedig gemaakt. Haar ogen waren donkerbruin en haar gezicht werd omlijst door krullend donkerbruin haar. Ze droeg een groene geborduurde bloes en het was hem meteen al opgevallen dat ze geen bh droeg. Als ze zich al had opgemaakt, dan heel licht, en om haar linkerpols droeg ze een paar dunne zilveren armbanden die rinkelden als ze bewoog.

'Dat ging toen heel snel, het was niet bepaald de moeite van het onthouden waard, dus het is niet zo gek als je het niet meer weet. Op de schrijversdemonstratie in '69.'

Die gelegenheid stond hem nog helder voor de geest, maar hij kon zich niet herinneren dat zij elkaar hadden ontmoet. Uit protest tegen de lage leenrechtvergoeding waren schrijvers bijeengekomen in de hoofdbibliotheken van Stockholm, Göteborg, Malmö en Umeå, en samen met sympathiserende bibliothecarissen hadden ze de kasten leeggehaald, de boeken in bussen afgevoerd en ze pas een week later weer teruggebracht. Hij had zich ongewoon levend gevoeld, weer terug bij zijn wortels. Samen sta je sterk.

'Dus jij schrijft ook?'

Ze glimlachte en frunnikte aan haar glas.

'Ik doe mijn best, maar er is nog niets van mij uitgegeven. Ik blijf volhouden, ik ben nu met iets bezig waarvan ik het gevoel heb dat het iets kan worden, maar op dit moment zit ik feitelijk vast.'

Haar stem was even plezierig als haar voorkomen. Ondanks haar buitenlands klinkende voornaam had ze geen accent. Haar vingers gleden langs de voet van het wijnglas en zijn ogen moesten die beweging gewoon volgen. Hij wilde zijn hand uitsteken en haar aanraken, nagaan of haar huid even zacht was als die eruitzag. Het was zo lang geleden dat hij de nabijheid van een vrouw had gevoeld. Soms had hij een zaadlozing in zijn slaap, net als een puber. De wanhopige zelfregulering van het lichaam als er niets anders voorhanden was.

'Ik moet je iets vragen, omdat je zo'n meester bent in goed en kwaad.'

'Dat zijn jouw woorden.'

'Maar dat wordt over je gezegd.'

'Dat is iets anders, maar zeg het maar, dan zal ik doen wat ik kan.'

Plotseling werd ze enthousiast. Ze drukte haar sigaret uit en haalde een pen uit haar handtas, ze keek om zich heen of ze iets zag waar ze op kon schrijven en pakte een ongebruikt servet. Dwars over het servet trok ze twee parallelle strepen en tekende er toen golvende boogjes tussen.

'Dit is een rivier vol krokodillen. Zonder boot kun je niet aan de overkant komen.'

Aan de ene kant van de rivier tekende ze een vierkant.

'Hier woont Per, hij houdt van Eva, die aan de overkant van de rivier woont, en Eva houdt van hem. Op een dag wordt Per ernstig ziek, hij belt Eva of ze hem wil komen helpen, hij legt uit hoe ziek hij is en zegt dat ze zich moet haasten. Maar Eva heeft geen boot en daarom rent ze naar Erik die aan haar kant van de rivier woont en een boot heeft. Ze legt de situatie uit en vraagt of ze zijn boot mag lenen, zodat ze Per kan gaan helpen.'

Axel volgde haar woorden met belangstelling en keek toe hoe het kaartje op het servet vorm begon te krijgen.

'Maar Erik wil Eva niet voor niks helpen. Hij zegt dat ze eerst met hem naar bed moet, daarna zal hij haar overzetten.'

Axel sloeg zijn ogen op en keek naar haar gezicht, volgde de beweging van haar lippen toen ze verder vertelde.

'Eva is natuurlijk hevig ontdaan en ze gaat naar Olof, die hier woont ...'

Hij dwong zichzelf naar het servet te kijken waarop ze nog een vierkant tekende tussen het huis van Eva en dat van Erik in.

'... en vertelt hem wat Erik heeft gezegd. Ze vraagt hem mee te gaan naar Erik om hem tot rede te brengen. Maar Olof wil zich er niet mee bemoeien en stuurt haar weg. Dan zit er voor Eva niets anders op dan te doen wat Erik wil en ook al is hij een vieze oude man, ze gaat naar hem toe en vrijt met hem. Daarna zet hij haar over.'

Torgny kwam terug, leunde over de tafel heen en keek naar het servet.

'Ben je weer met dat verhaal bezig.'

'Niet storen, ga maar weg.'

Halina wuifde hem weg en zuchtend vertrok hij, niet meer helemaal vast op zijn benen.

Halina ging door met het invullen van de details op het servet. Axel keek liever naar haar dan naar haar tekening.

'Gaat het boek dat je schrijft hierover?'

'Nee, dit is een moreel dilemma waarover je een standpunt moet innemen, maar nu even stil. Eva komt eindelijk bij haar zieke verloofde en dan vertelt ze waar Erik haar toe heeft gedwongen. Per is razend dat Eva met Erik heeft geslapen en wijst haar de deur. Overmand door verdriet gaat Eva vervolgens naar Sven en ze vertelt hem wat er is gebeurd, dat ze met Erik naar bed moest om Per te kunnen helpen, en dat Per haar er vervolgens uit heeft gegooid. Sven wordt woest en gaat naar Per om hem een pak slaag te geven als straf.'

Halina keek op.

'Kun je het nog volgen?'

'Ja, dat geloof ik wel, het lijkt me een gezellige boel daar in dat dorp.'

Ze legde haar pen neer, stak weer een sigaret op en blies de rook via haar mondhoek naar buiten.

'Mijn vraag is wie van hen het slechtst heeft gehandeld. Geef ze een cijfer van een tot vijf, degene met het slechtste gedrag bovenaan.'

'Moet ik dat bepalen?'

'Niet bepalen, maar zeggen wat je vindt. Dit is toch een onderwerp dat je zou moeten aanspreken?'

'Meestal ben ik meer bezig met het opwerpen van interessante vragen dan met het beantwoorden ervan.'

'Maar je hebt er toch zeker wel een idee over? Nu krijg je een koekje van eigen deeg.'

Hij trok het servet naar zich toe en bekeek haar tekening. Ze had er zelfs een krokodilletje bij getekend. Aan de oever vlak bij de steiger van Erik. Hij keek weer op en kon door de stof van haar bloes heen haar tepels onderscheiden.

'Wat vind je zelf?'

Ze leunde achterover en keek hem vorsend aan. Torgny's karakteristieke lach klonk door het lokaal en ze draaiden beiden hun hoofd in zijn richting. Hij zat op de bank met een glas in zijn ene hand en een fles in de andere.

Halina nam een trekje van haar sigaret.

'Ik weet wel wat ik vind.'

'Wie vind jij dan de slechtste?'

'Olof.'

'Olof?'

Ze knikte.

'Maar hij is de enige die niets heeft gedaan.'

'Daarom juist.'

Even moest hij weer denken aan de eerste jaren met Alice. Aan alle meanderende gesprekken die hun schrijven hadden verrijkt. De dialoog die afgebroken was en verstomd. Hij keek naar Torgny, die met zijn ogen dicht onderuitgezakt op de bank zat. Hij had nooit gedacht dat hij nog eens jaloers zou zijn op iets wat Torgny had. Maar dat was hij nu wel. Hij voelde een pijnlijke afgunst. Omdat hij een vrouw had met wie je kon praten.

'Ik was negen jaar oud toen de oorlog afgelopen was en ik uit Treblinka werd bevrijd.'

Ze trok haar mouw op en liet een rij getatoeëerde cijfers zien.

'Mijn moeder werd doodgeschoten zodra we uit de trein stapten, maar mijn zus en ik hebben drie jaar achter prikkeldraad overleefd. Vlak voor de bevrijding is mijn zus van uitputting overleden.'

Axel zocht naar woorden.

'Ik weet niet wat ik moet zeggen. Behalve natuurlijk hoe verschrikkelijk ik het vind en dat ik je mijn medeleven wil betuigen.'

'Dank je wel.'

Ze zeiden beiden een poosje niets. Halina doofde haar sigaret. Om hen heen gingen de feestelijkheden verder.

'De slechtheid die ik in het kamp heb meegemaakt, valt niet te begrijpen. Het is niet te bevatten dat mensen zich zo gedragen, dat zoiets kan gebeuren. Maar één ding weet ik wel, veel van de mensen die in de kampen werkten waren van mening dat ze goed werk deden, ze vonden zichzelf niet slecht. Ze handelden uit overtuiging en dachten dat degenen die de dienst uitmaakten en de bevelen gaven het bij het rechte eind hadden. Want wie bepaalt wat goed is en wat slecht? Hoe moet je kijken om het juiste beeld te krijgen?'

Axel schonk hun bij.

'Misschien door te proberen alles door de ogen van de ander te bekijken.'

Halina snoof.

'En denk je dat wij mensen daartoe in staat zijn? Als dat zo was, zou de wereld er heel anders uitzien.'

'Dat was de vraag niet. Je vroeg naar wat we zouden moeten doen.'

Halina hief haar glas, maar zette het weer neer zonder te drinken.

'Ik denk dat het voor een samenleving ontzettend gevaarlijk is wanneer mensen de verantwoordelijkheid aan anderen overlaten, zelf geen standpunt meer innemen en passief worden.'

Ze reikte naar het servet en tekende een rondje om Olofs huis. Ze zette er een groot kruis doorheen.

'Er waren zo veel mensen die wisten wat er aan de hand was, die het afkeurden, maar toch niets deden, is dat niet slecht? De Zweden bijvoorbeeld, die uit angst voor hun eigen hachje de Duitse treinen doorlieten en de soldaten onderweg zelfs te eten gaven. De koning die een brief aan Hitler geschreven schijnt te hebben, waarin hij hem feliciteerde met de successen aan het oostfront. Alle Zweedse banken en bedrijven die zaken bleven doen met de nazi's, er een heleboel geld aan verdienden en naderhand geen verantwoording hoefden af te leggen. Is dat niet slecht? Neem bijvoorbeeld de Enskildabank, er wordt gezegd dat ze onder andere waardepapieren kochten die de nazi's van Hollandse Joden hadden gestolen. In 1941 werd de directeur van de bank benoemd tot commandeur in de orde van verdienste van de Duitse Adelaar. Hitler zelf had die onderscheiding in het leven geroepen. Die werd uitgereikt aan mensen die het Derde Rijk bijzonder goede diensten hadden bewezen. En denk je dat nog veel klanten van de bank zich daar vandaag de dag over opwinden? Of neem Hugo Boss. Hij ontwierp en naaide de uniformen van de ss-officieren. Van dat feit maken ze geen gebruik in hun reclamecampagnes.'

Ze tekende rondjes op het servet.

'Ik was nog maar een kind en elke dag zat ik te wachten totdat iemand ons zou komen redden. Ik wist zeker dat dat zou gebeuren zodra ze ontdekten wat er gaande was. Die pijn is bijna nog het ergst, om achteraf te begrijpen dat zo veel mensen het gewoon lieten gebeuren, er zelfs van profiteerden. En naderhand overliepen naar de andere kant en net deden of hun neus bloedde.'

Axel luisterde toen ze verder vertelde, hoe ze alleen, apathisch en ondervoed naar Zweden werd gebracht met het hospitaalschip Prins Carl. Dat ze eerst een poos in een sanatorium had verbleven om te herstellen en vervolgens bij de zus van haar oma was gaan wonen, die naar Zweden had weten te vluchten, slechts een paar dagen voordat haar dierbaren achter de muren van het getto van Warschau werden opgesloten.

'En je moet niet denken dat je welkom was in Zweden met de J van Jood in je paspoort. Ze werd met een vissersboot binnengesmokkeld en durfde zich hier niet in te schrijven, ook na de oorlog niet, hoe hard ik ook mijn best heb gedaan om haar over te halen. Ze stierf eind jaren vijftig aan een longontsteking, omdat ze niet naar de dokter durfde. Toen ik haar eindelijk zo ver wist te krijgen was het al te laat.'

Hij herinnerde zich het besluit dat de regering in het laatste jaar voor de oorlog had genomen, ook al was hij toen te jong geweest om te begrijpen hoe cynisch het was. Een buitenlander kon worden teruggestuurd als het vermoeden bestond dat de persoon in kwestie niet van plan was weer naar het vaderland terug te keren. Tegelijkertijd was het zo dat Joden in Duitsland alleen toestemming kregen voor vertrek als ze zich ertoe verplichtten om niet meer terug te komen. Immigranten kregen alleen een verblijfsvergunning in Zweden als aangetoond kon worden dat ze in hun eigen onderhoud konden voorzien, terwijl het Joodse emigranten uit Duitsland verboden was hun bezittingen mee te nemen. Het was duidelijk hoe er in Zweden werd gedacht. Men wilde het de grote massa Joodse vluchtelingen onmogelijk maken om Zweden binnen te komen. Toen de oorlog eenmaal uitbrak, was de Joodse immigratie bijna helemaal gestopt.

Halina zat zwijgend in haar servet te prikken. Hij had zijn hand op de hare willen leggen, maar dat durfde hij niet.

'Heb je verder nog familie in Zweden?'

Ze schudde haar hoofd en nam een slok wijn. Hij keek gefascineerd naar haar. Ze was een overlevende. En beeldschoon. In de war van alle gebeurtenissen zweeg hij en probeerde een opmerking te verzinnen. Plotseling ging ze verzitten en het leek wel alsof ze alles van zich af wilde schudden wat ze had verteld om het gesprek een andere wending te geven.

'Weet je, ze hebben deze morele test bij een heleboel mensen afgenomen. Bijna niemand zet Eva bovenaan op de lijst.'

'Nee. Zij offert zichzelf toch op? Wat ze doet, doet ze immers niet voor zichzelf.'

'Maar er doet zich nog een interessant feit voor. Als je de vrouw niet Eva noemt, maar haar een buitenlandse naam geeft, levert dat een heel ander resultaat op. Ik weet het percentage niet meer, maar heel veel mensen wijzen haar dan opeens wel aan als degene die het slechtst handelt.'

'Meen je dat nou?'

'Jazeker. Van een buitenlandse naam heb je geen voordeel, dat kan ik je wel vertellen. Ik heb contact gehad met een uitgever die wel iets in me zag, en die zei ronduit dat ik onder een pseudoniem moest schrijven als ik iets wilde uitgeven.'

'Wat vertel je me nou?'

Ze keek hem een hele poos zwijgend aan. Toen glimlachte ze even.

'Je bent behoorlijk naïef voor iemand die als zo wijs en verstandig wordt beschouwd.'

'Die reputatie verdien ik niet, ik ben echt niet verstandiger dan anderen.'

De stilte die daarna viel, was niet ongemakkelijk, eerder vertrouwelijk.

'Ben je gelukkig?'

Hij glimlachte en dacht even na.

'Dat hangt ervan af wat je met gelukkig bedoelt.'

Ze haalde even haar schouders op.

'Gelukkig in de zin van "tevreden met het leven", vermoed ik.'

'Ik weet het niet. Jij?'

Met een efficiënt gebaar sloeg ze haar armen over elkaar.

'Je beantwoordt vragen nooit, weet je dat, je kaatst ze steeds terug.'

'Doe ik dat?'

'Ja, dat doe je. Is het zo vervelend als iemand dicht bij je komt?'

'Dat hangt ervan af.'

Haar armen maakten zich los uit hun greep, ze boog voorover en steunde haar kin op haar hand.

'Waarvan dan?'

Het was zo lang geleden dat iemand Axel had uitgedaagd dat hij niet meer wist hoe hij moest reageren. Hij was zowel geërgerd als geprikkeld. Geërgerd omdat ze zijn privacy schond, wat niemand ooit deed. En geprikkeld omdat ze lef had, omdat ze hem weerwerk leverde waar hij waardig op moest reageren.

'Tegenwoordig wordt geluk vaak als een recht beschouwd, als iets wat het leven aan je verplicht is. En als je te hoge verwachtingen koestert, is de kans groot dat je teleurgesteld raakt.'

'Dus je bent bang voor teleurstellingen?'

Ze bleef glimlachen, plagerig leek het wel, en keek hem recht in de ogen. Ze waren zich beiden bewust van wat er gebeurde.

'Ik weet het niet. Jij?'

'Nou doe je het weer.'

'Wat?'

'De vraag terugkaatsen.'

'Ik had toch al antwoord gegeven?'

Ze dronk een slokje wijn.

'Ik heb ergens gelezen dat iemand die altijd op safe speelt, het leven verstikt dat hij wil redden.'

Plotseling streek ze met haar vinger over zijn hand. Een snelle streling, maar meer was niet nodig.

Niemand in het vertrek had het gemerkt, iedereen ging op in zijn eigen gesprek en belevenissen. Zijn geslacht bonsde en hij moest zijn broek rechttrekken om plaats te maken, maar hij durfde zijn hand niet te laten zakken. Het was zo lang geleden dat iemand hem had aangeraakt, zo lang sinds hij iemand anders had aangeraakt. Datgene waarvan hij had gedacht dat het dood was, was plotseling tot leven gewekt, een glimp van degene die hij vroeger was geweest.

'En jijzelf dan? Ben je gelukkig met Torgny?'

Ze trok haar hand terug.

'Torgny is mijn vriend, maar niet mijn man. We zijn geen stel of zo, als je dat soms dacht.'

Ze keek naar Torgny verderop op de bank. Hij zat met open mond te slapen.

'Hij is iets te ... oppervlakkig, zou je misschien kunnen zeggen.'

Meteen vonden hun blikken elkaar weer en hij voelde haar voet tussen zijn dijen.

'Ik voel me prettiger in dieper water.'

Een witte ruis in zijn oren. Er waren geen andere mensen meer in het vertrek. Alleen haar voet op zijn geslacht en de bh-loze rondingen onder haar bloes. Er waren geen storingen meer, geen writer's block, geen Alice, niets was meer belangrijk. Alleen het voorwerp van zijn verlangen dat binnen bereik was aan de andere kant van de tafel.

Waarom zou hij nee zeggen? Daar zou niemand hem voor bedanken. Alice al helemaal niet, die hoefde hem niet eens meer.

Waarom zou hij in vredesnaam nee zeggen?

'NIEMAND HEEFT ZO'N GROTE INVLOED gehad op mijn vader en op zijn werk als Joseph Schultz. Hij was mijn vaders ideaal en grote voorbeeld. Ik weet nog dat mijn vader over hem vertelde en dat ik toen begreep dat het zeker belangrijk is om goed te dénken, maar dat het nog belangrijker is om goed te hándelen.'

Het parket van het theater van Västerås zat bijna vol. Kristoffer was achter in de zaal gaan zitten, maar daar kreeg hij meteen aan het begin van de lezing al spijt van. Hij besefte dat hij eindelijk ergens was terechtgekomen waar iets belangrijks gezegd zou worden, en dan wilde hij niet een heleboel speknekken en vettige kapsels tussen zichzelf en de spreker hebben. Aandachtig luisterde hij naar het verhaal van Jan-Erik Ragnerfeldt.

'Zeven van de acht patrouilleleden aarzelden niet, ze waren bereid het bevel op te volgen en legden hun wapens aan. Maar Joseph Schultz voelde plotseling dat de maat vol was.'

Kristoffer keek om zich heen. Het publiek leek wel gehypnotiseerd. Ze hadden waarschijnlijk hetzelfde gevoel als hij, alsof ze net wakker waren en nog een beetje in de war omdat ze eindelijk iemand tegen waren gekomen die iets wezenlijks zei, die echt iets te vertellen had. Iemand die zich niet mee liet voeren op de zee van oppervlakkigheid en cynisme die zo kenmerkend was voor de huidige tijd. Iemand die zware onderwerpen niet schuwde en zich niet achter vrijblijvende grapjes verstopte, die durfde te geloven in het vermogen van zijn toehoorders om zelfstandig te denken. In hun wil om geïnformeerd te worden.

Waren dit dezelfde mensen die straks op weg naar huis over de streep getrokken moesten worden met kreten als 'Leer goed te lopen op hoge hakken' of 'Wow! Wow! zeggen we alleen maar wanneer hete Emma in dit blad haar natte topje uittrekt'?

'Hoe was het mogelijk dat Joseph Schultz tot die keuze kwam? Welke eigenschap had hij die hem onderscheidde van de andere patrouilleleden?'

Hij moest denken aan een van de boeken in de kast van zijn

appartement. Hij had het inmiddels een paar keer gelezen. Er stond in dat de mens zich had kunnen ontwikkelen dankzij het feit dat de sterken het gewonnen hadden van de zwakken, de mensen die iets konden van de mensen die niets konden en de slimmen van de dommen. Zo had de mens het dierlijke stadium achter zich kunnen laten en een beschaving kunnen ontwikkelen. Hij vroeg zich af of dat proces nog steeds gaande was. Maar hoe kwam het dan dat tegenwoordig de domme mensen die niets konden vooraan stonden en het hardst schreeuwden?

'Misschien besefte Joseph Schultz dat de dood hem ook zou treffen als hij ervoor koos om tussen zijn kameraden te blijven staan en zijn geweer af te vuren. Misschien besefte hij dat hij, als hij besloot het bevel op te volgen, ook het laatste greintje mens in hemzelf zou executeren.'

Kristoffer glimlachte. Het was de bedoeling geweest dat hij dit zou horen, het lot had zijn hand naar hem uitgestoken en hem naar Västerås gebracht om de woorden van Jan-Erik Ragnerfeldt te horen. Hij had het somber ingezien voor de mensheid, maar nu kreeg hij weer hoop. Dankbaar gestemd liet hij de rest van het verhaal over Joseph Schultz rustig over zich heen komen.

Dat je je leven op het spel zette voor je overtuiging, dat je liever stierf dan je aan te passen.

Een echte blijver en een goed voorbeeld.

Hij had er lang op moeten wachten, maar eindelijk vond hij er nu een. Alles wat hij hoorde overtuigde hem ervan dat hij op de goede weg was. Hij had ook in die richting gedacht, ook al kon hij het nog niet helemaal accepteren. Nu werd dat opeens gemakkelijker. Jan-Erik Ragnerfeldt zei het en iedereen die luisterde, leek het met hem eens te zijn. Misschien werd het hoog tijd dat de natuurlijke leiders zich boven de middelmaat verhieven en de macht overnamen? De creatieve, moedige mensen die weigerden slaaf te worden, die echtheid wilden stimuleren en intelligent genoeg waren om zich niet te laten misleiden. Hij had gelezen over mensen die een milieuvriendelijke auto hadden gekocht, maar die, toen de ethanol een paar centen duurder werd, toch waren overgestapt op benzine. Hij had mensen uitgescholden die bij het winkelen de ecologische melk en groenten voorbij liepen omdat die zogenaamd te duur waren, maar wel hun karretje vol hadden met frisdrank en snoep. Misschien was het genetisch bepaald? Dat sommigen al bij de geboorte beter bedeeld waren. Er waren zo weinig mensen die het belangrijk vonden om het goede voorbeeld te geven en verantwoordelijkheid te dragen. Nu werd het tijd voor de visionairs om hun taak op zich te nemen, een eind te maken aan de verdrukking en de toekomst gestalte te gaan geven. De anderen, de mensen die hun verantwoordelijk hadden laten liggen en genoegen namen met een ondergeschikte positie, hadden een leider nodig. Er moest een revolutie komen, omdat de schaapachtige massa niet begreep wat goed voor hem was.

'Mijn vader en Joseph Schultz beseften dat het met onze daden net zo is als met onze kinderen, ze leiden een eigen leven en buiten ons of onze wil om laten ze hun invloed gelden. Joseph liet zien dat de zwijgende toestemming van goede mensen even afschuwelijk is als de wandaden van slechte mensen. Hij bewees dat we door onze eigen angst te overwinnen ook onze machtigste vijand de baas te zijn.'

Er volgde een spontaan applaus en Kristoffer voelde zich bijna trots. Hij had zoveel gemeen met de man op het podium. Opvattingen waarin hij alleen had menen te staan. Alleen met Jesper kon hij zijn gedachten delen. De mensheid amuseerde zich kapot. Alle pijnlijke informatie, alles wat maar enig denkwerk vergde, werd weggeselecteerd. Hij was ervan overtuigd dat er een samenzwering achter zat. Dat de Macht aan de touwtjes trok en de mensen dom hield, zodat ze meegaand bleven, en ervoor zorgde dat ze stopten met nadenken en zo gemakkelijker onder de duim te houden waren. Eindelijk, eindelijk was hij een medestrijder tegengekomen. Iemand die hij kon respecteren.

Het licht in de zaal werd gedempt en Jan-Erik Ragnerfeldt begon uit een van de boeken van zijn vader voor te lezen. Zijn stem leek verbluffend veel op die van zijn vader. Kristoffer zakte onderuit en genoot van de schitterende kunst die in de ruimte tussen de woorden ontstond.

Hij voelde zich wonderbaarlijk getroost.

Daarna was het tijd voor het vragenuurtje. Het licht in de zaal ging aan en er werd een draadloze microfoon doorgegeven. Jan-Erik Ragnerfeldt gaf het woord aan iemand vooraan in de zaal die Kristoffer niet kon zien. Aan de stem hoorde hij dat het een oudere man was.

'Ik wil u allereerst bedanken voor uw bijzonder interessante, stimulerende voordracht. Jaren geleden viel mij de grote eer te beurt om uw vader hier op dit toneel aan te mogen kondigen. Dat moet begin jaren zeventig zijn geweest, want hij had toen de Nobelprijs nog niet gewonnen, maar ik weet nog dat het publiek toen even enthousiast was als wij vanavond.'

Jan-Erik Ragnerfeldt glimlachte en boog.

'Dank u wel. Ja, als ik me goed herinner nam hij in die periode inderdaad soms deel aan voorleesavonden.'

'Ik wilde u vragen wat uw vader tegenwoordig doet. Schrijft hij nog steeds?'

'Nee, helaas niet.'

Jan-Erik Ragnerfeldt leek even te aarzelen voor hij verderging.

'Hij heeft last van ouderdomskwalen waardoor hij niet meer kan schrijven. Maar ik moet de groeten doen aan iedereen die vanavond hier is, ik spreek hem bijna elke dag. Wil er nog iemand iets vragen?'

Dat herinnerde Kristoffer aan de reden waarom hij vanavond hier was, maar hij kon zijn vraag natuurlijk niet hier en nu stellen. Dat kon na afloop pas. Van zijn ongedurigheid was niets meer over, dat hij hier vanavond zat, was een teken dat hij op de goede weg was. Zijn vragen over Gerda Persson waren in een mogelijkheid veranderd. Een kans om Jan-Erik Ragnerfeldt te leren kennen.

Toen Jan-Erik het toneel had verlaten en de zaal leegstroomde, bleef hij zitten. Hij voelde een lichte aarzeling nu het moment daar was. Hij zou hem in ieder geval een moment rust gunnen voor hij naar hem toe ging, van acteurs wist hij dat ze liever niet meteen na een toneelvoorstelling werden gestoord.

Ten slotte waren hij en een vrouw die op een van de voorste rijen had gezeten nog alleen over. Kristoffer deed net of hij iets zocht wat hij was kwijtgeraakt. Hij gluurde naar het toneel en zag de vrouw de trap aan de zijkant op lopen en achter de coulissen verdwijnen. Hij ging zitten, keek op zijn horloge, zijn trein ging over een uur en een kwartier. Hij had nog tijd genoeg.

Hij bleef een hele poos zitten. Toen drong het tot hem door dat Jan-Erik misschien weg zou zijn als hij niet gauw in actie kwam, maar toch bleef hij wachten en liet de minuten verstrijken. Bedenken wat je zou gaan doen was gemakkelijk, maar om het plan ook echt uit te voeren viel nog niet mee. Hij hield zichzelf voor dat het om een belangrijke kwestie ging. Gerda Persson was de verbindende schakel tussen hen, en het moest Jan-Erik Ragnerfeldt toch ook interesseren hoe het daarmee zat. Net toen hij op wilde staan, kwam er een man het toneel op. Hij liep naar het spreekgestoelte en merkte Kristoffer pas op toen hij daar was.

'Wacht u op iemand?'

Kristoffer stond op.

'Ik zou Jan-Erik graag even willen spreken als dat kan.'

De man keek naar de coulissen en daarna weer naar Kristoffer.

'Weet hij dat u hier bent?'

Na een korte aarzeling nam Kristoffer zijn toevlucht tot een leugen.

'Ik ben een goede vriend van hem en ik wilde hem verrassen.'

De man op het toneel ontspande zich en begon de leeslamp los te schroeven.

'Ja, in dat geval. U kunt die deur daar achter doorgaan en dan naar links. De tweede deur aan uw rechterhand.'

Kristoffer liep snel naar het toneel en volgde de weg die de vrouw had genomen. Hij glimlachte vriendelijk naar de man bij het spreekgestoelte en drong dieper door tussen de zwarte gordijnen. Zo'n leugen mocht best, het was niet echt een laakbare handeling. Soms moest je de grenzen een beetje oprekken om uiteindelijk een hoger doel te bereiken.

Voor de aangegeven deur aarzelde hij. Hij stond in een lege gang, maar hoorde ergens stemmen. Hij hield zijn oor tegen de deur, maar daarachter was het helemaal stil. Hij klopte voorzichtig aan. Er gebeurde niets. Misschien was Jan-Erik al weg. Voorzichtig drukte hij de deurkruk naar beneden en deed de deur een klein stukje open. Er brandde licht binnen en hij zag een jas aan een hangertje bij de ene muur.

'Hallo?'

Er klonk geritsel en meteen daarna dook Jan-Erik Ragnerfeldt op in zijn blikveld. Zijn overhemd hing uit zijn broek en hij had rode vlekken in zijn nek.

'Ja?'

Kristoffer hoorde het ongeduld in zijn stem.

'Neem me niet kwalijk dat ik stoor, ik ben Kristoffer Sandeblom en ik zou u graag even willen spreken.'

Jan-Erik Ragnerfeldt keek achterom naar iets wat voor Kristoffer verborgen bleef. Kristoffer voelde zich niet op zijn gemak en bijna verlegen tegenover de grote spreker.

'Waarover?'

Hij wilde kort en krachtig vertellen waar hij voor kwam.

'Over Gerda Persson.'

Jan-Eriks gelaatsuitdrukking veranderde. Weer keek hij naar iets wat Kristoffer niet kon zien.

'Ik zou u graag een paar vragen willen stellen.'

Jan-Erik leek in tweestrijd te staan, maar vervolgens draaide hij zich om, liep naar de jas aan het hangertje en haalde iets uit de zak.

'Schat, ga jij vast vooruit, dan kom ik zo.'

Toen hij zich omdraaide hield hij een wit, geperforeerd plastic kaartje in zijn hand.

'Kamer 403.'

Even later begreep Kristoffer wat achter de deur verborgen was geweest. De vrouw die hij in de coulissen had zien verdwijnen kwam tevoorschijn en pakte de sleutel van Jan-Erik aan. Haar vinger streek over de rug van zijn hand.

'Maak het niet te laat.'

Kristoffer keek een andere kant op en voelde zich nog slechter op zijn gemak. De vrouw pakte haar jas en glimlachte naar hem toen hij een stap het vertrek in deed om haar te laten passeren. Ze deed de deur achter zich dicht.

'Het was niet mijn bedoeling om te storen.'

'Het is niet erg, mijn vrouw en ik zien elkaar straks wel weer. Ze gaat af en toe mee wanneer ik ergens een lezing moet houden.'

Jan-Erik stopte zijn overhemd in zijn broek en bood hem een stoel aan. Hij maakte twee flesjes mineraalwater open en gaf hem er een van. Kristoffer nam een slok en zette het flesje weer neer.

'Ik wil u eerst graag bedanken voor de fantastische lezing. Echt geweldig, erg goed. Je hoort tegenwoordig maar zo zelden iemand spreken over iets belangrijks, het was echt een verademing.'

Jan-Erik sloeg zijn ogen neer.

'Dank u wel, leuk het te horen, dank u wel.'

Even dacht Kristoffer dat Jan-Erik Ragnerfeldt bloosde, maar dat zou wel door het licht komen.

Kristoffer had plotseling het gevoel dat hij een ondergeschikte positie innam. Iets in hem wilde zich bewijzen, laten merken dat hij niet zomaar een willekeurige toehoorder was, maar iemand wiens compliment zwaarder woog dan dat van een heleboel andere mensen, omdat hij wist waar hij het over had. Hij wilde op zijn beurt indruk maken op Jan-Erik Ragnerfeldt, hij wilde hem ook laten voelen wat hijzelf zojuist had gevoeld.

'Voor mij als toneelschrijver was het bijzonder inspirerend. Op dit moment schrijf ik voor een toneelgezelschap in Kungsholmen. Als u wilt kan ik voor u en uw vrouw wel een uitnodiging regelen voor de première.'

Jan-Erik keek op zijn horloge.

'Ja, ja, dus u bent toneelschrijver?'

'Ja, ik heb het stuk *Alles zoeken en vervangen* geschreven, daar hebt u misschien wel van gehoord?'

Er verschenen denkrimpels op Jan-Eriks voorhoofd.

'Nee, dat kan ik me niet herinneren. Ik ga niet zo vaak naar het toneel, helaas.'

Het was even stil. Jan-Erik nam een slok mineraalwater.

'Schrijft u ook?'

'Nee, nee. Ik heb het al druk genoeg met de boeken van mijn vader. Hoe was uw naam ook weer? Ik heb het niet goed verstaan.'

'Kristoffer Sandeblom.'

'Die naam heb ik geloof ik weleens eerder gehoord.'

'Misschien van Marianne Folkesson. Van haar heb ik uw naam doorgekregen. Ik ben de erfgenaam van Gerda Persson.'

'Ja, dat is het, dat klopt.'

Kristoffer pakte het flesje en dronk wat water om tijd te rekken. Waar moest hij beginnen?

'Nu is het zo dat ik Gerda Persson niet ken, voorzover ik weet hebben we elkaar zelfs nooit ontmoet. Ik heb er geen flauw idee van hoe ze van mijn bestaan wist.'

De rimpels in het voorhoofd van Jan-Erik kwamen terug.

'Dat is eigenaardig.'

'Ja, hè? Bovendien heb ik jarenlang, vanaf mijn achttiende ongeveer, maandelijks geld toegestuurd gekregen en ik ben er nu achter dat zij dat moet hebben overgemaakt. Geen enorme bedragen of zo, maar toch. Dus ik weet eigenlijk niet wat ik u wil vragen. Ja, of u misschien iets van haar weet wat dat kan verklaren.'

Jan-Erik leek na te denken en schudde langzaam zijn hoofd.

'Ik heb geen idee, ik heb geen contact meer met Gerda gehad sinds '79, '80 ongeveer. Ze werkte bij mijn ouders, maar eigenlijk woonde ik al sinds '72 niet meer thuis. Ze bleef daarna nog een paar jaar, maar een groot deel van die periode zat ik in het buitenland.'

Kristoffer luisterde aandachtig. In 1972 woonde hij nog bij zijn pleegouders. De rust die hij net nog had gevoeld, was nu ver te zoeken. Net als altijd wanneer hij dicht bij de waarheid kwam.

Jan-Erik sloeg met zijn handpalmen op zijn dijbenen alsof hij wilde zeggen dat alles van belang gezegd was, en dat het tijd was om op te stappen. Maar Kristoffer bleef zitten. Hij wilde nog iets doen, ook al verbaasde hij zich daar zelf over. Voor het eerst van zijn leven wilde hij vertellen, zijn geheim onthullen aan deze man die zich gedurende de avond waardig had betoond. Hij had eindelijk een schakel gevonden naar datgene waar hij altijd naar had gezocht, het was net of hij een deel van zijn familie had gevonden.

Jan-Erik keek op zijn horloge.

Kristoffer voelde een steek van ergernis over zijn ongeïnteresseerdheid, maar hij bleef bij zijn besluit. Hij had het gevoel dat hij niet meer terug kon. En hij kon nauwelijks verlangen dat Jan-Erik het bijzondere van de situatie in zou zien voordat hij het had uitgelegd.

Zijn hartslagen volgden elkaar snel op.

'Het is zo dat ... Dit is voor mij extra belangrijk omdat ik ...'

Toen zweeg hij, want wat hij wilde zeggen, viel niet uit te spreken. Dat één woord zo'n kwelling kon betekenen.

Jan-Erik keek hem aan. Hij had een eigenaardige uitdrukking op zijn gezicht en Kristoffer verzamelde zijn krachten voor het onvermijdelijke. Hij sloot zijn ogen.

'Ik ben een vondeling.'

Hij sloeg zijn ogen op. Een zwaar gevoel dat hij nooit eerder had gevoeld verspreidde zich door zijn lichaam en zijn bewegingen werden log. Jan-Erik Ragnerfeldt bleef doodstil zitten. Alleen zijn oogleden bewogen, die knipperden aan één stuk door. Alsof dat hem kon helpen de informatie te verwerken. Het duurde een hele poos voordat hij het woord nam.

'En u denkt dus dat Gerda daar iets mee te maken heeft? Bedoelt u dat?'

'Ik weet het niet.'

Hij haalde een paar keer diep adem om de kracht op te heffen van het gewicht dat hem naar beneden trok.

'Ik weet niets van mijn oorsprong, maar die gedachte kwam natuurlijk wel bij me op toen ik hoorde dat ik haar erfgenaam was. Maar zoals gezegd, voorzover ik weet heb ik haar nog nooit ontmoet.'

'Bedoelt u dat Gerda misschien uw moeder is?'

'Nee, dat kan niet. In dat geval zou ze mij rond haar achtenvijftigste hebben gekregen. Maar op de een of andere manier moet ze hebben geweten dat ik een ... een vondeling ben. Ik heb van kleins af aan bij mijn adoptieouders gewoond, en er zijn maar weinig mensen die het weten, het is niet iets wat ik aan de grote klok heb gehangen.'

Hij sloeg zijn ogen neer.

'Ik vertel het nu feitelijk voor het eerst.'

Jan-Erik, die onderuitgezakt op de stoel had gezeten, ging plotseling verzitten.

'In welk jaar bent u geboren?'

Zijn stem klonk opeens heel anders.

'In 1971 geloof ik. Misschien 1972.'

'Hoezo "geloof ik"?'

'Niemand weet hoe oud ik precies was toen ze me vonden.'

'Maar u kunt niet in 1976 geboren zijn?'

'Nee, want ik ben in 1975 bij mijn pleegouders gekomen.'

Om de een of andere reden leek Jan-Erik opgelucht, hij stond op om zijn aktetas te halen, maakte die open en haalde er een fles Glenlivet uit.

'Dit vraagt om een glas. Wilt u er ook een?'

Kristoffer keek naar de fles. Jan-Erik trok een dienblaadje naar zich toe met vier glazen erop en vulde er twee, waarvan hij er een aan Kristoffer overhandigde.

'Ja, dit is een eigenaardige geschiedenis, ik weet niet goed hoe ik u zou kunnen helpen. Ik heb er geen idee van hoe dit allemaal in elkaar zit.'

De geur uit het glas in Kristoffers hand drong zijn neusgaten binnen. Zijn hele lichaam stelde zich erop in datgene tot zich te mogen nemen waarnaar het zo had verlangd. Dat kleine ontbrekende stukje waardoor hij zich weer compleet zou voelen. Een kleintje dan, eentje maar, alleen voor deze keer, nu hij het voor het eerst had verteld.

'Er zijn ook niet zo veel mensen die u ernaar zou kunnen vragen. Voorzover ik weet, had Gerda geen grote vriendenkring. Ze bleef altijd thuis, ook als ze vrij was.'

Kristoffer keek naar het glas en het glanzende, barnsteenkleurige vocht dat erin zat. Wat had hij graag een slok willen nemen. Hij verdiende het als een gelijke te worden beschouwd. Hij kon de waarheid niet vertellen, hij kon niet nog een schandelijk feit onthullen aan Jan-Erik. Dat hij behalve vondeling ook alcoholist was. Een plotselinge woede schoot hem te hulp. Wat verbeeldde hij zich wel, die man tegenover hem met zijn whisky? Nu dacht hij even na over Kristoffers achtergrond, maar straks was hij alles weer vergeten, dan ging hij naar zijn hotel voor een luxe diner met zijn vrouw. Dankzij zijn mooie stamboom kwam hij overal en kon hij zich koesteren in de glans van zijn mooie achternaam. Hij kon zelf niet eens schrijven, alleen herhalen wat zijn vader ooit had gepresteerd. Wel verrekte makkelijk als je zo'n gespreid bedje had.

Het glas in Kristoffers hand was zo verleidelijk dat hij het niet lang meer zou kunnen weerstaan.

'Hoe laat is het?'

'Vijf over half tien.'

Hij zette de whisky neer en stond op.

'Mijn trein vertrekt zo, dus ik moet weg.'

Jan-Erik goot de laatste druppels naar binnen, stond op en gaf hem een hand.

'Veel succes dan maar.'

'Hetzelfde.'

Kristoffer had het gevoel dat hij niet snel genoeg in de frisse lucht kon komen. Tegelijkertijd ervoer hij zo'n hevige vermoeidheid dat zijn benen hem nauwelijks wilden dragen. Hij nam dezelfde weg naar buiten als waarlangs hij gekomen was, over het toneel en door de zaal naar de foyer. Voor de uitgang bleef hij staan en zoog zijn longen vol lucht, hij probeerde zichzelf ervan te overtuigen dat hij er goed aan had gedaan het te vertellen. Want nu had hij er spijt van. Hij had zijn geheim aan iemand anders toevertrouwd, maar in plaats van opgelucht voelde hij zich beschaamd. Hij wilde weer naar binnen gaan en alles terugnemen, zeggen dat er niets van waar was. Hij wilde niet dat Jan-Erik Ragnerfeldt wist dat hij een ongewenst kind was geweest dat bij het afval was gezet.

Hij tastte naar zijn mobieltje. Hij wilde Jesper bellen en zijn stem horen. Iets normaals meemaken, uit de tijd voordat hij had onthuld wat hij was. De telefoon ging vier keer over voordat hij werd doorgeschakeld naar de voicemail. Hij sprak geen bericht in.

Aan de overkant van de straat lag het park waar hij door moest om bij het station te komen. Dreigend, vol schaduwen en verborgen geheimen. Hij was de straat nog maar half over toen zijn angst voor het donker hem te pakken kreeg, maar hij moest naar de trein, hij wilde dolgraag naar huis, naar zijn eigen flat. Hij bleef op het trottoir staan en boog zijn hoofd. Voor zijn voeten zat een donkere ellipsvormige vlek in het asfalt, die hem plotseling aan een oog deed denken. Zonder dat hij wist waarom ging hij op de vlek staan en deed zijn ogen dicht. Tot zijn eigen verbazing hoorde hij zichzelf zingen.

Twinkel, twinkel, kleine ster,
ik zie jou al van heel ver.

Hij sloeg zijn ogen op en keek naar het park.

Het duister joeg hem geen angst meer aan.

Hij was niet bang meer.

TOEN AXEL WAKKER WERD, WAS hij alleen. Ze was zo fijngevoelig geweest 's nachts weg te sluipen om een afscheid te vermijden dat af zou doen aan wat ze hadden beleefd. Er kon toch niets worden gezegd wat niet al gezegd was. Hij voelde zich dankbaar voor het gebeurde, op dit moment leek het allemaal onwerkelijk. Met zijn armen onder zijn hoofd liet hij de gebeurtenissen de revue passeren. Het was zo vreemd dat hij die nacht het voorwerp was geweest van de begeerte van een vrouw, dat zijn aanwezigheid haar lust had kunnen opwekken. Terwijl Alice genoeg had van zijn aanwezigheid in haar leven. Hij had er geen spijt van, integendeel, hij was blij om wat er was gebeurd. Hij had gedacht dat hij dat verlangen niet meer had, dat het na alle armoedige jaren was weggekwijnd. Hij had het niet eens bewust gemist, hij had zijn passie op zijn schrijven gericht en dat was zijn plaatsvervangende maîtresse geworden. Hij wist nu al dat het maar eenmalig was, meer hoefde voor hem ook niet. Ze hadden elkaar toevallig ontmoet en van de gelegenheid gebruikgemaakt, meer was het niet. Nu zou hij naar huis gaan en verder werken aan zijn boek, in de hoop dat deze ervaring hem inspiratie zou opleveren.

Hij stond op en ging naar de badkamer. Hij vulde een glas met water en dronk ervan. Ondanks een lichte hoofdpijn had hij een goed humeur.

Het ontbijt sloeg hij over en hij besloot een kop koffie te nemen op het station. Hij wilde de herinnering aan die nacht puur houden. Onbedorven. Als hij in zijn kindertijd als enige iets bijzonders had meegemaakt, borg hij die schat veilig op in zijn hart. Dat deed hij nu weer.

Het station lag op loopafstand en hij zei tegen niemand iets voor hij vertrok.

Hij liep door het park naar het station. Het was een koude nacht geweest en in de schaduw rustte de grond onder een dun laagje rijp. Wekenlang was het grauw en donker geweest, maar vandaag was de herfstzon uit zijn schuilplek tevoorschijn gekomen. De lucht was zo helder dat hij er tranen van in zijn ogen kreeg. Nu wilde hij naar huis en aan het werk. Hij had zo lang gewacht voordat de vlam weer was ontstoken. Hij had hem gemist en was heel erg blij dat hij nu weer terug was.

De trein stond op het punt van vertrekken. Hij zat alleen in een coupé voor acht personen en had de glazen deur naar de gang dankbaar dichtgetrokken. Hij keek naar de glazen karaf tegen de wand en vroeg zich af wanneer het water voor het laatst was ververst. Op het tafeltje voor hem lagen zijn schrijfblok en zijn pen, maar hij had nog geen woord geschreven toen de deur opzij werd geschoven en Torgny en Halina binnenkwamen.

'Hier zit je dus! Waar was je gebleven?'

Torgny legde de koffers in het rek en Axel en Halina keken elkaar aan. Hij kon geen woord uitbrengen. Torgny liet zich op een van de banken ploffen en deed zijn sjaal af. Zijn ogen waren bloeddoorlopen en hij stonk naar drank.

'Goh, wat heb ik een hoofdpijn, ik snap het niet. Ik moet maar wat minder gaan roken.'

Hij grijnsde en klopte met zijn hand naast zich op de bank.

'Kom hier zitten, meid.'

Halina hing haar jas aan een haak. Torgny kreeg Axels schrijfblok in het oog.

'Nee, nou moet je ophouden, je zit toch niet te schrijven?'

Axel raapte zijn spullen bij elkaar en stopte ze weer in zijn leren aktetas.

'Nee, ik zat gewoon een paar aantekeningen te maken.'

'Verdorie, Ragnerfeldt, je moet leren ontspannen en loslaten. Je moet eens afdalen naar ons, gewone stervelingen, en die stok uit je reet trekken.'

Torgny lachte en zocht bijval in Halina's ogen. Axel besefte dat Torgny nog steeds dronken was. Weliswaar ging hij wel vaker over de schreef met zijn taalgebruik, maar dit was wel erg grof, zelfs voor zijn doen. Halina schoof de deur open.

'Ik ga even naar de wc.'

Ze schoof de deur achter zich dicht en voordat ze verdween, keek ze Axel door de ruit heen aan.

'Nou, wat vind je ervan?'

Torgny glimlachte en knikte in de richting van de glazen deuren.

'Ja, ze lijkt me heel aardig.'

'Verdorie, Ragnerfeldt, toe nou zeg, ik heb je gisteren wel naar haar zien kijken. Ik had niet gedacht dat er zo'n geile bok in je zat.'

Axel zweeg. De taal waarvan Torgny zich bediende had hij achtergelaten in de noodwoningen bij de Ringvägen. De kant die Torgny van zichzelf liet zien was even nieuw als weerzinwekkend. Ook in een andere situatie had hij het moeilijk gevonden een gesprek met hem te voeren.

Torgny leunde naar voren.

'Ze is een tijgerin, onder ons gezegd en gezwegen dus, ik heb vannacht geen oog dichtgedaan, ja, even op de bank tijdens de maaltijd, maar dat telt niet. De enige klacht die ik heb, is dat ik niet veel geschreven heb sinds ze bij me ingetrokken is, dat kan ik je wel vertellen, maar dat zal ik wel op de koop toe moeten nemen.'

Een paar seconden lang zocht Axel naar een draaglijke interpretatie. Hij vond er alleen een waar hij misselijk van werd.

Torgny is mijn vriend, maar niet mijn man. We zijn geen stel of zo, als je dat soms dacht.

Ze had gelogen, ze had hem om de tuin geleid. Ze had hem tot een daad verleid die ver beneden zijn waardigheid was. Alice bedriegen was iets waar hij zelf voor had gekozen, het was misschien niet erg hoogstaand, maar op dat moment wel acceptabel. Maar van de vrouw van een collega bleef je af. Plotseling stond hij in de schuld bij een man die hij verachtte. Die daar naar alcohol zat te stinken en de lucht verontreinigde met zijn afstotelijke vocabulaire. Hij was van zijn superieure positie af gegleden en de mindere geworden van Torgny, aangezien hij van hun beiden de laagste daad had begaan.

Het was een weerzinwekkende gedachte.

Halina kwam terug en Axel keek haar niet aan. Wat zij hadden gehad was opeens onfris en pervers geworden, hij had het tegenovergestelde gedaan van alles wat hij ooit had geleerd. Loyaliteit, moraal en een deugdzaam leven.

Hij stond op en zocht zijn spullen bij elkaar.

'Excuseer me, ik ga in een andere wagon zitten.'

Torgny sputterde tegen, maar Axel luisterde niet. Hij wist niet hoe snel hij de coupé uit moest komen, zodat hij hen niet meer hoefde te zien. Helemaal nooit meer.

'Wacht, je laat iets vallen.'

Hij stond al in de gang en wilde net de deur dichttrekken. Halina raapte iets van de vloer en zonder haar aan te kijken pakte hij aan wat ze in haar hand hield en stopte het in zijn jaszak. Vervolgens liep hij alle wagons door tot hij niet verder kon en bleef daar staan totdat de trein tot stilstand kwam op Stockholm Centraal.

Toen hij thuiskwam liep hij meteen naar zijn werkkamer. Onderweg kwam hij Gerda tegen, die zijn koffer aannam en vertelde dat zijn vrouw lag te rusten en dat zijn dochter op haar kamer zat, ze was met een griepje van school thuisgebleven. Op dat moment wilde hij ze liever geen van beiden onder ogen komen en hij vroeg of Gerda tegen hen wilde zeggen dat hij niet gestoord wilde worden.

Hij kwam de hele middag zijn kamer niet uit. Vlak voor zessen ging hij naar de keuken en zei tegen Gerda dat hij de maaltijd graag op zijn kamer wilde gebruiken. Hij kreeg geen woord op papier, hij dacht alleen maar aan de ervaring van die nacht en hoe hij die zou kunnen verdringen. Om een uur of negen gaf hij het op en hij bracht zijn lege bord naar de keuken. Annika zat aan de keukentafel met een pen en briefpapier. Verbaasd constateerde hij hoe groot ze was geworden. Geen kind meer, maar bijna een vrouw.

Ze keek op toen hij binnenkwam.
'Hallo.'
'Hallo daar.'
Hij zette zijn bord op het aanrecht en vulde een glas met water uit de kraan. Hij probeerde uit te rekenen hoe oud ze was, ze was laatst toch veertien geworden?
'Wat ben je aan het doen?'
'Ik schrijf een brief aan Jan-Erik.'
Hij dronk het water op. Gerda kwam binnen en maakte een kniebuiging toen ze hem zag. Hij had haar zo vaak gevraagd dat niet te doen, maar uiteindelijk had hij het maar opgegeven.
'Pardon, meneer, maar ik heb dit in uw jaszak gevonden, ik dacht dat het misschien belangrijk was.'
Hij zette het glas neer en liep naar haar toe. Ze overhandigde hem een opgevouwen blaadje, hij vouwde het uit en las:

Even een krabbeltje …
Bedankt voor een fantastische nacht.
Ik neem zo snel mogelijk contact op.
Je H.

Hij verfrommelde het blaadje snel en keek Gerda aan. Ze beantwoordde zijn blik niet en hij kon uit haar gesloten gezicht niet opmaken of ze het al dan niet had gelezen. Zonder verder nog iets te zeggen verliet hij de keuken en op weg naar zijn werkkamer scheurde hij het blaadje in een heleboel kleine stukjes en gooide die in de prullenmand. Hij dacht even na en deed toen de deur open.
'Gerda!'
Hij wachtte een paar seconden voor hij weer riep.
'Gerda, kun je even komen?'
Opeens dook ze op en ze wierp hem enkele schichtige blikken toe voordat ze haar ogen ergens op de muur achter hem richtte.
'Ik wil even iets bespreken, kun je even binnenkomen?'
Hij probeerde zijn stem vriendelijk te laten klinken, maar zag dat ze schrok. Hij hield de deur voor haar open en sloot die toen

ze de drempel over was. Ze bleef vlak bij de deur staan, terwijl hij zelf achter zijn bureau ging zitten. Het was duidelijk dat ze zich slecht op haar gemak voelde en dat maakte het voor hem gemakkelijker, maar toch had hij de autoriteit nodig die zijn bureau hem gaf.

'Gerda, ik wil je alleen zeggen dat Torgny Wennberg niet langer welkom is in dit huis. Als hij weer opduikt, moet je zeggen dat ik niet te spreken ben.'

Gerda maakte een buiging.

'Ja, meneer.'

'Hou toch alsjeblíéft eens op met dat buigen!'

Ze keek hem verschrikt in de ogen. Zijn geduld was op. Ze was meer dan tien jaar ouder dan hij en toch stond ze te buigen als een schoolkind dat de baas over zich liet spelen.

'Ja, meneer.'

Axel had meteen spijt. Hij wist dat ze al sinds eind jaren twintig als huishoudster werkte, toen er nog andere zeden heersten en dit soort gedrag juist van haar werd verwacht, toch trof het hem telkens weer onaangenaam wanneer hij haar serviliteit zag. Het deed hem sterk aan zijn ouders denken. Hoe ze altijd ineenkrompen voor hoger geplaatsten. Zelfs voor hem tegenwoordig, alsof hij een vreemde was.

'Mijn verontschuldigingen, Gerda, het was niet mijn bedoeling om mijn stem te verheffen.'

Vermoedelijk moest ze schipperen, hij was zich ervan bewust dat Alice andere gedragsregels voorstond dan hij.

Gerda zei niets. Ze stond daar maar voor de deur, met haar blik op het vloerkleed.

'Was dat alles?'

Hij aarzelde. Zou hij iets over het briefje zeggen? Als ze het had gelezen, vestigde hij er onnodig de nadruk op. Als ze het niet had gelezen, verried hij iets. Hij besloot het niet te doen. Als Halina iets van zich liet horen, zou hij duidelijk blijk geven van zijn ongeïnteresseerdheid. Daarna hoefde hij Gerda nooit meer ergens bij te betrekken. Dan was het allemaal achter de rug en kon alles weer doorgaan alsof er niets was gebeurd.

'Ja, dat was het.'

Gerda boog en verdween snel uit de kamer.

Axel bleef naar de dichte deur zitten kijken. Gerda, met alles waar ze voor stond, was een overblijfsel uit een verdwenen tijdperk. Het was niet van deze tijd om een huishoudster te hebben, zeker niet in intellectuele kringen waar een linkse wind blies en de kloof tussen de klassen overbrugd moest worden. Maar de waarheid was dat ze zich zonder haar niet zouden kunnen redden.

Vier dagen verstreken. Vier dagen waarin hij niets schreef, het papier dat hij 's ochtends voor zich nam was 's avonds, wanneer hij het opgaf, nog even blinkend wit. Alice had een paar goede dagen, ze wond zich nergens bijzonder over op en zat voornamelijk in de bibliotheek. 's Avonds drong het geluid van de tv door in zijn werkkamer. Een enkele keer ging hij erheen en probeerde haar gezelschap te houden, zwijgend keken ze naar *Columbo* of naar een revueprogramma totdat hij het niet langer uithield en naar zijn werkkamer terugkeerde. Hij wist dat ze Jan-Erik miste en dat het haar verdriet deed dat hij zo zelden iets van zich liet horen. Als er een brief kwam, was die altijd aan Annika geadresseerd. Soms kreeg hij het gevoel dat ze meer aan haar kinderen hechtte als ze er niet waren. Bij zijn weten besteedde ze weinig tijd aan de puber die ze nog in huis hadden. Hij kon niet begrijpen waarom ze niet weer probeerde te schrijven. Toen de kinderen klein waren, had ze het aan tijdgebrek geweten, maar die smoes kon ze nu niet meer gebruiken. Soms, achter het witte papier, was hij weleens jaloers op haar. Omdat zij het niet eens hoefde te proberen.

Toen hij ging slapen, was ze nog steeds op. In afwachting van de slaap gingen zijn gedachten naar de nacht met Halina. Niet naar haar persoonlijk, haar gezicht werd van alle gelaatstrekken ontdaan. Zijn fantasieën volgden de weg van zijn hand over haar huid, de huid van een vrouw. Hij herinnerde zich hoe zijn handen begerig naar haar hadden gegrepen, hoe ze zich gewillig had geopend, de geluiden die ze had gemaakt. Hoe ze zich ongeremd had laten gaan. Zo was Alice nooit geweest, ja, langgeleden misschien, voordat alles was afgebrokkeld. Nu vroeg hij zich af of het een noodlottige vergissing was geweest dat hij de drift had gewekt die hij niet eens meer had gemist. Want hoe moest hij die bevredigen? Met Alice die beneden voor de tv zat? Dat was een bespottelijke, bijna weerzinwekkende gedachte. Maar stel. Waar moest hij de moed vandaan halen om het initiatief te nemen, om het risico van een afwijzing te durven lopen? Was het wel mogelijk zijn vroegere verlangen naar haar nieuw leven in te blazen, nu dat al zo lang werd overstemd door ruzies, onverschilligheid en zwijgen? Hij wist nog hoe hij vroeger was, in hun beginjaren. Toen ze vrijden, dicht bij elkaar lagen te luisteren naar elkaars hartslag. Het gevoel dat eenzaamheid nog nooit zo ver weg was geweest.

Hij vond de gedachte dat het nu moeilijker was om seks te hebben met zijn eigen echtgenote dan met een wildvreemde vrouw in een hotel fascinerend. En inspirerend, misschien kon hij die gebruiken voor zijn boek.

Zijn schuldgevoel begon minder te worden. Een enkele keer kwam er een herinnering boven, maar die wist hij te negeren. Het was nu eenmaal gebeurd en alleen de tijd kon zijn vergissing verzachten. Maar op de vijfde dag na zijn nacht met Halina lag er opeens een dikke, ongefrankeerde envelop op zijn bureau toen hij terugkwam van de wc. Hij keerde het poststuk om. Hij ontstak in woede toen hij de ene letter zag. H. Alleen een H. Alsof ze een geheime code hadden. Hij liep de kamer uit om te kijken waar Gerda was. Hij vond haar op haar knieën voor de tegelkachel in de woonkamer.

'Waar komt dit vandaan?'

Gerda stond haastig op en streek met haar handen over haar mouwloze schort. Hij hield haar de envelop voor.

'Die hing in een tas aan de voordeur, iemand moet hem hebben gebracht, maar ik heb geen bel gehoord.'

Axel liet die informatie tot zich doordringen, draaide zich om en wilde weglopen. Door de deuropening naar de bibliotheek kreeg hij zijn vrouw in het oog. Ze zat in een van de fauteuils te lezen. Zonder op te kijken van haar boek stelde ze haar vraag.

'Wat is het voor iets?'

'Dat weet ik niet.'

'Hoezo weet je dat niet?'

'Ik heb hem nog niet opengemaakt.'

'Nou, doe dat dan, misschien wordt het dan duidelijk.'

Hij zei niets meer, maar ging terug naar zijn werkkamer. Achter de dichte deur ritste hij snel de envelop open en haalde er een stapel papier uit. Het manuscript van haar boek, dat begreep hij meteen. Met de hand geschreven op gelinieerd papier. Een getypte brief zat met een paperclip aan het voorblad vast en hij las de tekst snel door.

Axel, de afgelopen uren zijn niet eenzaam geweest, je bent steeds in mijn gedachten. Ik kan moeilijk weg, en daarom stuur ik je mijn boek, ik zou je bijzonder erkentelijk zijn als je mij je gewaardeerde mening hierover zou willen geven. Ik heb het nog aan niemand laten lezen (je zult begrijpen dat dit Torgny's horizon ver te boven gaat!). Mijn woorden willen enkel door jouw mooie ogen gelezen worden.

Je Halina

PS: Ik ben zo ontzettend blij dat we elkaar eindelijk hebben ontmoet!

Hij wist eerst niet goed wat hem het meest ergerde. Haar familiaire toon, die veronderstelde dat de belangstelling wederzijds was, of haar schaamteloze wens om beslag te leggen op zijn kostbare tijd. Als hij redacteur had willen worden, was hij wel bij een uitgeverij gaan werken, niets interesseerde hem minder dan de wanhopige schrijversambities van een debutante.

Hij propte de brief en het manuscript weer in de envelop en deed de deur van de kast open. Hij legde hem boven op een stapel en keerde terug naar zijn schrijfmachine.

Het was twintig over twee.

Toen het avond werd, had hij nog steeds geen woord geschreven.

Het regende. Het hardnekkige lagedrukgebied dat zich al in de zomer had geïnstalleerd, lag er nog steeds. Vier dagen lang regende het al en de lucht was zo donker dat 's middags de lamp al aan moest. Er lag ook water in de brievenbus, maar Axel kon de tekst op de kaart die Gerda kwam brengen toen de post was geweest duidelijk lezen. Met inkt geschreven stond daar open en bloot: *Restaurant De Prins, vandaag om 17.00 uur. Je H.*

Gerda was alweer weg en opnieuw stond hij in dubio. Hij begreep niet wat het hem eigenlijk kon schelen of Gerda het doorhad of niet. Ze zou het echt niet aan Alice overbrieven, dus dat kon het probleem niet zijn, het zat dieper. Iets in hem vroeg om Gerda's goedkeuring. Hij had het vrolijke gelach in de keuken gehoord wanneer zijn vader en moeder op bezoek waren, luchtige gesprekken die verstomden wanneer hij zich erin mengde. De gemeenschap waar hij nu buiten stond. Hij wilde Gerda aan zijn kant hebben, zich ervan vergewissen dat ze goed over hem sprak tegenover de mensen die hijzelf niet meer kon bereiken. Zij was zijn schakel met datgene wat hem was afgenomen.

Hij draaide de kaart om. Een foto van een poesje op een roze zijden kussen. De sleutel van de kast zat in de la van zijn bureau. Hij ging de kast in en legde de kaart in een bakje met brieven van lezers.

Natuurlijk zou hij niet naar De Prins gaan, maar door haar opdringerigheid was zijn concentratie nu ver te zoeken. Hij moest haar doodzwijgen, met elke andere reactie speelde hij haar in de kaart. Hij was eraan gewend dat zijn omgeving zijn aanwijzingen respecteerde, als iets hem stoorde werden er maatregelen genomen. Nu was hij overgeleverd aan haar onwelkome streken. Voortdurend wurmde ze zich zijn gedachten binnen en daarmee had ze een macht verkregen die niemand haar had verleend. Het was op den duur onhoudbaar, en op dit moment niet te verdragen.

Het bleef plenzen. Op het nieuws werden nieuwe regenrecords gemeld. Nooit eerder was er in dit deel van het land in oktober en november zo veel neerslag gevallen.

De uitgeverij belde om een afspraak te maken. Van enkele van zijn oudere titels zou een herdruk verschijnen en er moest een omslag worden gekozen. Met tegenzin verliet hij zijn werkkamer en nam een taxi naar de stad. Hij moest ook om een extra voorschot vragen en dat was altijd vernederend. Alice wist hier niets van, maar er was reden tot ongerustheid. Als hij niet snel iets schreef, werd de toestand nijpend.

Hij werd met koffie en koffiebroodjes ontvangen en pas aan het eind van het gesprek vroeg zijn uitgever voorzichtig hoe het er met zijn nieuwe boek voor stond. Hij loog en zei dat het goed ging. Misschien zou hij in het voorjaar iets af kunnen hebben. Daar had hij spijt van zodra hij de consequenties van zijn leugen overzag. Maar hij kreeg wel een extra voorschot.

Toen hij weer buiten stond, was het eindelijk droog. Hij bleef even voor de ingang staan en overwoog of hij een eindje zou lopen. Misschien tot aan Slussen en dan met de Saltsjöbanan naar huis. Hij wilde net gaan toen hij een hand op zijn schouder voelde. Misschien was het de sigarettenrook, misschien gewoon zijn instinct, misschien had hij hier stiekem aldoor op gewacht. Voordat hij zich had kunnen omdraaien, wist hij al wie het was. Hij keek in haar glimlachende gezicht. Er was niets meer over van wat hij had willen zeggen, er kwam geen woord over zijn lippen. Zijn sterke gevoel van onbehagen bracht hem in een ondergeschikte positie. Ze had hem al te pakken gehad met het briefje in zijn jaszak, en nog veel erger met alle dagen dat hij in angst gezeten had voor nieuwe toenaderingspogingen.

Ze liet haar sigaret vallen en maakte aanstalten om hem te omhelzen. Hij deed een stap naar achteren om dat te voorkomen.

'Luister naar me, Halina, ik ...'
'Sst.'
Ze legde haar vinger op zijn lippen en hij raakte helemaal de kluts kwijt.
'Laat me alleen even naar je kijken.'
Hij rook de geur van tabak. Hij duwde haar hand weg uit zijn gezicht en liet die los alsof hij er vies van was. Haar glimlach verflauwde op slag.
'Wat is er? Wat doe je raar.'
De deur van de uitgeverij ging open en er kwamen twee mannen naar buiten. Axel herkende een van hen en knikte bij wijze van groet, hij deed zijn best een onbekommerde indruk te maken. Halina hield hem continu in de gaten. Ze leek de situatie opnieuw te beoordelen. Ze rommelde in haar tas en haalde een nieuwe sigaret tevoorschijn, stak die op en blies snel de rook uit.
'Ben ik niet degene die chagrijnig zou moeten zijn? Weet je hoelang ik in De Prins heb zitten wachten?'
'Ik heb nooit gezegd dat ik zou komen.'
'Nee, nee. En je had ook niet even naar het restaurant kunnen bellen om te zeggen dat je verhinderd was? Dat had mij een hele hoop gedoe bespaard.'
Hij nam weer een aanloopje en probeerde een verzoenende toon aan te slaan.
'Halina, ik weet niet waar je op had gehoopt, maar je moet geen contact meer met me opnemen, je weet toch dat ik getrouwd ben?'
Ze snoof.
'In Västerås heb ik je daar anders niet over gehoord.'
'Nee, ik weet het, ik was, het is vervelend dat het zo is gegaan, maar ik dacht dat we het erover eens waren dat het alleen, dat het alleen ...'
'Dat jij alleen een potje wilde neuken?'
Axel deed zijn ogen dicht en sloeg zijn hand voor zijn gezicht. De situatie waarin hij zich bevond, was zo absurd dat hij er, schrijver of geen schrijver, geen woorden voor had. Op zijn

achtenveertigste stond hij op straat en probeerde een eind te maken aan een relatie waaraan hij nooit had willen beginnen. In de hoop dat hij zo zijn bedoeling kenbaar zou kunnen maken zwaaide hij met zijn armen en probeerde met gebaren tot een oplossing te komen.

'Mijn excuses als ik je de indruk heb gegeven dat het iets zou worden tussen ons, echt, dit is normaal gesproken niets voor mij, maar ja, het is nou eenmaal zo gegaan. Ik ging ervan uit dat we er beiden vrede mee hadden dat het bij één keer zou blijven, ik heb een gezin en kinderen en ik, ja, het spijt me echt heel erg.'

Ze glimlachte, maar nu was het een ander soort glimlach.

'Dus dat was het dan, bedoel je?'

'Ja, helaas wel.'

Ze lachte even, een toonloze lach.

'Dus jij, de bekakte schrijver Axel Ragnerfeldt, denkt dat je mij wel even kunt nemen om me daarna weg te gooien als een of ander oud vod?'

'Halina, toe.'

Hij smeekte, maar ze schudde alleen haar hoofd.

'Hoe heb ik zo stom kunnen zijn?'

Hij kreeg plotseling het gevoel dat hij met een kind te maken had.

'Halina, alsjeblieft, ik bied je mijn welgemeende excuses aan voor wat er is gebeurd, kunnen we niet gewoon proberen als vrienden uit elkaar te gaan, kan dat niet?'

Ze nam een trekje van haar sigaret.

'Weet je wat ik doe als ik kwaad word op mezelf?'

Hij zuchtte.

'Kunnen we niet gewoon ...?'

'Dit doe ik als ik kwaad word op mezelf.'

Ze stak haar arm uit. Hij kon haar zo gauw niet tegenhouden. Met een sissend geluid duwde ze de gloeiende punt van de sigaret tegen haar blote pols. Hij sloeg haar hand weg en keek ontzet naar het rood-zwarte gat dat de brandende sigaret had achtergelaten.

'Ben je niet goed wijs?'

Ze bleef doodstil staan alsof de pijn haar had verdoofd. Hij keek om zich heen of iemand het had gezien, maar er was niemand in de buurt. De mouw van haar jas viel over de wond en hij pakte haar bij de arm. Ze trok zich los en deed een paar stappen naar achteren, draaide zich om en liep weg. Axel bleef staan en keek haar na, volledig van de kaart. Ze stak de straat over en hij stond er nog steeds, niet in staat te begrijpen wat er was gebeurd. Hij was erg geschrokken, niet alleen van wat ze had gedaan, maar ook van wat hij in haar ogen had gezien. Iets wat hem de vorige keer was ontgaan, maar wat hij nu duidelijk in haar blik had gezien. Hij wilde weg uit haar bewustzijn, geen deel meer uitmaken van haar gedachtewereld.

Aan de overkant van de straat bleef ze plotseling staan en ze draaide zich om.

'Zeg, Axel!'

Hij bleef roerloos staan en wachtte af.

'Jij hebt toch zo veel fantasie? Je weet nu wat er gebeurt als ik kwaad ben op mezelf. Probeer thuis maar eens te verzinnen hoe ik reageer als ik kwaad ben op iemand anders.'

Jan-Erik werd alleen wakker in kamer 403. Zijn enige gezelschap in bed was de lege fles Glenlivet en een heleboel kleurige miniatuurflesjes uit de minibar, die naast hem over de gebloemde sprei verspreid lagen. Hij was met zijn kleren aan in slaap gevallen, zag hij nu. De sleutel die hij in de kleedkamer zo vernuftig aan zijn gast had overhandigd, bleek toen hij bij het hotel aankwam bij de receptie te zijn afgegeven, kennelijk had de onderbreking haar tot bezinning gebracht. Nu was hij er dankbaar voor, maar de lege hotelkamer had hem ertoe gedreven de minibar leeg te halen. Hij had de pest aan hotelkamers. De angstige isolering. Het claustrofobische gevoel dat je je in een noodvoorziening bevond, afgesneden van de wereld en ver van alle gemeenschap. Hij keek altijd op de plattegrond wat zijn vluchtroute was. Hij keek waar de nooduitgangen zaten om te weten welke kant hij op moest rennen als er brand uitbrak. Hij probeerde zichzelf ervan te overtuigen dat het bijzonder onwaarschijnlijk was dat het hotel juist die nacht in brand zou vliegen, maar aan de andere kant, hadden alle omgekomen hotelgasten dat niet ook gedacht vlak voordat ze door de vlammen werden verzwolgen of stikten in de rook die het hun onmogelijk maakte de uitgang te vinden?

Moeizaam richtte hij zich op en keek, steunend op zijn elleboog, of hij ergens water kon vinden. Er stond een fles mineraalwater op een bijzettafeltje, maar de afstand leek hem onoverbrugbaar. Hij liet zich weer in de kussens zakken en deed zijn ogen dicht. Hij wilde ergens anders zijn, op een ander moment. Het was geen kater, dit was iets anders, de een of andere ziekte die hij had opgelopen. De ingespannen slagen van zijn hart die hij door de hele kamer heen hoorde. De angst die elke gedachte scherpe kantjes gaf. Elke vezel van zijn lichaam probeerde de vergiftiging te bestrijden. Dit kon hij zelf niet hebben veroorzaakt, dit kon hij zelf niet hebben aangericht.

Hij bleef doodstil liggen en hield zichzelf voor dat zijn toestand niet levensbedreigend was.

Het was tien voor zes.

Zijn dronkenschap kon hem zelfs geen slaap meer bieden.

Hij zakte weg in een onrustige sluimering en bracht zo veertig minuten zoek. Daarna was hij tegen wil en dank weer terug in de werkelijkheid. Voorzichtig naderde hij de dag van gisteren. Sporadische indrukken die zich langzamerhand in een soort ordening probeerden te voegen. Hij was thuis wakker geworden. Een ochtend in Stockholm. Louise en Ellen waren al weg. Hij had aan Annika gedacht, aan de keus die ze had gemaakt, aan het nieuwe verlies waar hij om rouwde. En over wat hij met de dertig jaar oude leugen van zijn ouders aan moest.

De pas ontdekte angst dat Louise hem zou verlaten was er 's ochtends vroeg nog steeds. Hij had zichzelf beloofd dat hij zijn leven zou beteren. Nooit meer met schuldgevoelens thuiskomen, nooit meer wakker worden in de dwangbuis van de kater. Hij zou laten zien dat hij echt wilde vechten. Waarvoor wist hij eigenlijk niet, alleen dat hij niet zou accepteren dat zo'n belangrijk besluit over zijn hoofd heen werd genomen. Onderweg naar het Centraal Station was hij langs de boetiek gelopen. Er stond 'gesloten' op de deur en ze had haar mobiel niet opgenomen. Met een knagende ongerustheid was hij in de trein gestapt en hij had zichzelf beloofd dat hij een betere vader zou worden, een betere echtgenoot, een beter mens. Misschien zou hij zelfs die therapeut bellen, als dat per se nodig was.

Maar daarna stond hij in de schijnwerpers. Hij voelde hoe al zijn poriën zich openden om de onvoorwaardelijke bewondering van het publiek dankbaar op te zuigen. Hij voelde de adrenaline door zijn aderen stromen, de energie die hij kreeg van hun waardering, de kick. En zij zat bewonderend naar hem te kijken, ze kon niet genoeg krijgen van wat hij te bieden had. Het was zo simpel, zo onmogelijk te weerstaan.

En hij was weer voor de verleiding bezweken.

Hij dankte God dat zij zich had bedacht.

Hij zou zijn leven beteren. Echt.

De keer daarop werd hij wakker van zijn mobiel. In de hoop dat het Louise was, tastte hij om zich heen naar het apparaatje. Hij had de vorige dag een paar keer geprobeerd te bellen, maar er was niet opgenomen. Ze had niet teruggebeld.

Hij kuchte in een poging om wat minder slaapdronken te klinken.

'Jan-Erik Ragnerfeldt.'

'Met Marianne Folkesson. Het spijt me als ik u wakker heb gebeld.'

Hij kuchte weer.

'Nee, nee, niets aan de hand. Ik ben gewoon een beetje verkouden.'

Hij ging moeizaam rechtop zitten. Een paar kleine flesjes vielen rinkelend op de grond.

'Ik wilde vragen of u al een foto hebt gevonden voor de begrafenis. Er is niet zo veel tijd meer voor het maken van een vergroting, dus vandaar dat ik even bel.'

'Ik heb ernaar gezocht, maar ik heb er helaas nog niet een gevonden.'

Hij wilde het iedereen zo graag naar de zin maken. Vooral vanochtend wilde hij door niemand onaardig gevonden worden.

'Maar ik ga nog verder zoeken. Ik ben nu in Västerås, vanmiddag ben ik weer thuis, als ik het u morgen laat weten, ben ik dan nog op tijd?'

'Jawel. Het wordt een beetje krap, maar dat zou nog moeten lukken.'

Hij zou meteen naar huis gaan. Onderweg boodschappen doen en de thee klaar hebben als Ellen thuiskwam uit school.

'O ja, ik heb uw telefoonnummer aan Kristoffer Sandeblom gegeven, de man die in het testament vermeld staat. Ik hoop dat u daar geen bezwaar tegen hebt, hij wilde graag in contact komen met iemand die haar had gekend.'

Jan-Erik herinnerde zich opeens het bezoek in de kleedkamer weer. De eigenaardige man en de bizarre omstandigheden. De absurde ingeving dat hij de zoon van Annika was, dat het iets met haar zelfmoord te maken had. Misschien vergezocht, maar het verhaal van de onbekende had zich verstrengeld met de overpeinzingen die vooraan in zijn hoofd zaten. Dankbaar had hij geconstateerd dat de jaartallen niet klopten. Nu, met de koele duidelijkheid van de afstand, besefte hij wat zijn dwaze ingeving eigenlijk zei over het vertrouwen dat hij in zijn ouders stelde. Dat inzicht stemde hem droevig.

Hij kuchte weer.

'Ik heb hem al gesproken, hij kwam me gisteren na afloop van een lezing opzoeken. Een eigenaardig verhaal, dat moet ik wel zeggen. Ik kon helaas niet zoveel voor hem doen. Hij is kennelijk een vondeling, maar ik heb er geen idee van wat het verband met Gerda zou kunnen zijn.'

'Is hij een vondeling?'

'Ja, dat vertelde hij.'

Het werd stil.

'Maar goed, dan neem ik morgen weer contact met u op, wanneer ik tijd gehad heb om een foto te zoeken. Er ligt er vast wel ergens een, de vraag is alleen waar, maar ik zal mijn best doen.'

Ze beëindigden het gesprek en daarna had hij nog zeven minuten, dan moest hij zijn kamer uit zijn.

Hij kon nog net even douchen, maar meer ook niet. Beschroomd checkte hij uit en betaalde voor zijn plundering van de minibar. Hij verklaarde voor ongeïnteresseerde oren dat hij een paar vrienden op bezoek had gehad. Zelfs de kleine likeurflesjes had hij soldaat gemaakt.

Zijn hand trilde toen hij zijn handtekening zette onder de nota. De achternaam die zo veel vertrouwen inboezemde.

Naar de trein nam hij de weg door het park. Er bleven steentjes in de wielen van zijn rolkoffer vastzitten, hij schopte ertegen, maar dat hielp niet. Hij tilde zijn koffer op en rende om op tijd te komen. Zijn lichaam protesteerde tegen die belasting. Dorstig en bezweet kwam hij net op tijd aan en hij zocht zijn plaats op in de eerste klas. Hij liet zich neerploffen en zat nog uit te hijgen toen hij zag dat hij recht in de restauratiewagen kon kijken. Hij voelde zich nog steeds behoorlijk vergiftigd en hij wist maar al te goed wat de remedie daarvoor was. Het was een beproefde methode, van een klein slokje – puur als tegengif, om zijn lichaam er weer bovenop te helpen – zou hij al een heel stuk opknappen.

Hij haalde zijn mobieltje tevoorschijn en probeerde Louise te bellen, maar hij kreeg weer geen gehoor. Het tijdschrift van de spoorwegen lag op het tafeltje voor hem en hij bladerde er verstrooid in, zonder dat het tot hem doordrong wat hij las. De deur naar de restauratiewagen ging open en dicht wanneer er een reiziger langskwam. Hij trommelde met zijn vingers op de armleuning, keek uit het raam, keek weer naar de restauratiewagen. Hij pakte zijn mobieltje en begon een bericht in te toetsen, maar stopte daar weer mee en wiste het. Hij trommelde met zijn vingers, keek uit het raam, bladerde wat in het tijdschrift. Misschien zou hij iets te eten gaan kopen, dat idee sprak hem niet erg aan, maar goed. Hij kon altijd even kijken wat ze hadden. Al was het maar om zijn benen te strekken.

Hij keek weer uit het raam en trommelde even met zijn vingers.

Lasagne, vegetarische pizza, pannenkoeken. Hij bestudeerde het menu lang en grondig. Kipsalade, tortellini en gehaktballetjes. Hij zag de in plastic verpakte sandwiches bij de kassa, liep erheen en bekeek ze met belangstelling. Daaronder stonden de drankjes en hij stond een hele poos te dubben bij de frisdranken, om vervolgens heel verrassend voor een biertje te kiezen.

Puur als medicijn, verdedigde hij zich toen hij weer op zijn plaats zat. Alleen het geluid van de dop hielp al.

Vier biertjes en zevenenvijftig minuten later stapte hij uit op het Centraal Station van Stockholm. Het was twee uur, de dag was jong en hij voelde zich eenzaam en verdrietig. Wat zou hij graag thuiskomen bij iemand die hem begreep. Iemand die hem niet meteen ter verantwoording riep en niet altijd het onmogelijke van hem vroeg. Ze nam haar mobiel niet eens op. Ze strafte hem, ze wilde hem kwaad doen, terwijl hij zo zijn best deed. Waarom zag ze hem niet zoals hij was? En Ellen, kleine Ellen, de jaren waren voorbijgevlogen. Hij zag weer de dreumes van vroeger die op wankele voetjes door de kamer liep in een tijd die voorgoed voorbij was. Hij voelde de tranen in zijn ogen prikken toen hij snel naar de wachtende taxi's liep.

Rechtvaardig zijn, zijn plicht doen, een goed mens zijn.

Gerda was helemaal alleen gestorven en hij had nog niet eens een foto voor haar begrafenis weten te vinden. Al die jaren was ze er geweest, trouwe Gerda, het veilige anker van zijn jeugd. Wat kon nu belangrijker zijn dan ter ere van haar nog een laatste poging te doen?

Hij ging op de achterbank van een taxi zitten en gaf als bestemming Nacka op.

Toen de taxi voor het hek bleef staan, was hij niet meer zo zeker van zijn zaak. Hij betaalde, stapte uit en keek of er onverhoopt iets in de brievenbus lag. Een blaadje van een liefdadigheidsorganisatie over een komende textielinzameling. Het was twintig voor drie.

Hij keek naar het huis waar hij als kind had gewoond. Lege ramen. Getaxeerd op vier komma twee miljoen. Zielloos tronend zonder doel of zin.

Op weg door de tuin toetste hij Louises nummer in, maar annuleerde de oproep voordat de verbinding tot stand was gebracht.

Ergens hield het op.

Nu was het haar beurt om te bellen.

In de keuken beneden was niets drinkbaars te vinden. Een barkast had dit huis nooit gehad. Hij liep naar boven, naar wat eerst Annika's kamer was, en waar later de keuken van Alice was gekomen. Hij vond alleen een onaangebroken pak rijst en een oud pakje cacao.

Axels werkkamer zag er net zo uit als toen hij hem de vorige keer had verlaten. De deur van de kast stond open en de gure kou had zich door het vertrek verspreid. Hij bleef in de deuropening staan en keek naar de haak van de lamp. Hoe had zijn vader hier daarna ooit nog kunnen zitten?

De doos waarin hij Annika's overlijdensattest had gevonden, stond nog op het bureau en hij keek snel wat er verder nog in zat. Geen foto van Gerda.

Misschien moest hij naar huis gaan. Hij had nu spijt. De rusteloosheid was terug.

Hij zette de doos weer in de kast en struikelde bijna over de zwarte vuilniszak. Hij bleef staan en trommelde met zijn vingers tegen zijn bovenbeen. De ongelijke stapels op de vloer en op de planken, al die dozen en bakken, hij kreeg er de kriebels van. Een compleet leven, vol succes en onzekerheden, samengeperst op een paar vierkante meter. Wat hij tot nu toe had gevonden, was al ontluisterend genoeg.

Een foto van Gerda. Waar lagen foto's? Waarom had die ouwe de boel niet wat beter geordend?

Hij pakte een kartonnen doos en nam die mee naar het bureau, hij ging zitten en deed het deksel eraf. Saaie papieren, saaie papieren, saaie papieren, krantenrecensie, saaie papieren, brief van de uitgeverij, saaie papieren, krantenartikel, uitnodiging voor het Finland-Zweeds Literair Genootschap, saaie papieren, saaie papieren, saaie papieren.

Hij stak zijn hand in de doos, tilde de hele inhoud eruit en bladerde langzaam van beneden naar boven. Geen foto te zien. Hij zette de doos weer in de kast en haalde er een andere uit. Saaie papieren, saaie papieren, recensie.

Foto's.

Dat zag er bemoedigend uit. Hij haalde de foto's eruit, maar raakte al snel teleurgesteld. Zijn vader die in een grijs verleden op een onbekende plaats een prijs in ontvangst nam uit handen van een onbekende man.

Van Gerda geen spoor.

Hij ging terug naar de doos en deed een verbijsterende ontdekking. Onder nog meer saaie papieren lag een vijftigtal ongeopende brieven. Ze waren verschillend van vorm en van kleur en de ene was dikker dan de andere, maar ze droegen allemaal hetzelfde handschrift. Hij pakte een ervan op om te zien wie de afzender was. Alleen een H. Die letter stond ook als afzender op de andere enveloppen. Hij aarzelde heel even, maar toen werd zijn nieuwsgierigheid hem te machtig. Hij zou uiteindelijk toch alles moeten sorteren, dus waarom zou hij niet meteen beginnen? Er lag een briefopener in de bovenste la van het bureau en hij maakte de envelop voorzichtig open. Er zat maar één klein blaadje in. Hij trok het eruit en las:

De boeien – ze breken, ze vallen van me af. Het duister wordt verjaagd. Ik laat de liefde zegevieren!
Je H.

Stomverbaasd stopte hij het briefje weer in de envelop en leunde achterover. Het poststempel gaf 19 maart 1975 aan, maar hij was de eerste die de cryptische regels las. Hij tilde de doos op en kiepte de brieven op het bureau. Een van de enveloppen was open. Die pakte hij op en hij haalde de brief eruit.

Bedankt voor je bericht. Ik zal er zeker zijn. Eindelijk, mijn lief!
Je Halina

Hij las de regels drie keer, met stijgende verbazing. Er was iemand op deze wereld van wie hij veel had gedacht, niet alleen maar goeds, zeker niet, maar als er iets was wat hij in zijn wildste fantasie niet had kunnen bedenken, dan was het wel dat zijn vader een minnares had gehad. Ook al begreep hij wel dat zijn ouders het twee keer gedaan moesten hebben, toch kon hij zijn vader onmogelijk als een seksueel wezen zien. En bovendien: overspel? Was dat echt mogelijk? Dat hij de schijn had durven riskeren waarop zijn leven was gebaseerd?

En met de kracht van een plotselinge donderslag trof hem opeens de ontstellende gedachte: stel dat Axels minnares rond 1972 zijn kind ter wereld had gebracht.

Axel, Axel, vergeef me, vergeef me. Laat me duizend excuses over duizend bladzijden uitstorten voor ik je ervan probeer te overtuigen dat ik je vergeving waardig ben. Vol vertrouwen doe ik een beroep op je grootmoedigheid en ik vraag je geen afkeer meer van me te hebben. Ik kan niets veranderen aan waar ik vandaan kom, alleen aan waar ik heen ga. Daar wil ik je genade als een gladde steen in mijn hand kunnen dragen, een troost wanneer herinneringen mij plagen. Hoe heeft het kunnen gebeuren, zul je je wel hebben afgevraagd. Ik smeek je deze regels te lezen zonder me te veroordelen. Een vergissing toegeven is immers enkel erkennen dat je vandaag wijzer bent dan gisteren. Alles wat ik wil bereiken is een afscheid dat ons in staat stelt als vrienden uit elkaar te gaan, zoals jij zo verstandig zei, die keer, toen ik niet bij machte was te luisteren.

Duizend en nog eens duizend keer vraag ik je te vergeten wat er voor de uitgeverij is gebeurd, want diegene die je toen zag was ik wel, maar ook weer niet. Ik lijd al sinds mijn tienerjaren aan een aantal problemen, de artsen zeggen dat de verklaring te vinden is in wat ik als kind in het kamp heb meegemaakt. Zolang ik mijn medicijnen inneem, ben ik de Halina die je in Västerås hebt ontmoet, de Halina die je zo'n mooie herinnering hebt bezorgd. Onze ervaring heeft mijn leven verrijkt, en het is zo gemakkelijk om te geloven dat alles heel is, wanneer je hart juicht. Helaas werd ik daardoor slordig met het innemen van mijn medicijnen. En tot mijn grote wanhoop ben jij daar de dupe van geworden. Het deed zo veel pijn om te worden afgewezen, terwijl het gevoel van nietswaardigheid elke uithoek van mijn ziel al vulde.

Axel, het was allemaal niet jouw schuld. Ik wil zo graag afscheid nemen met deze regels en vertellen dat alles goed is.

Je bent een fantastische man en schrijver, van ganser harte wens ik je alle geluk toe.

Halina

Axel las de brief vier keer. De opluchting die hij voelde maakte hem euforisch. Sinds de gebeurtenis voor de uitgeverij had hij het gevoel gehad dat hij door de mist liep, hij wist zich geen raad en werd met de dag hulpelozer. Telkens wanneer hij zijn kamer verliet, was hij bang dat hij Gerda zou zien met weer een brief, en als de telefoon ging, was hij bang dat zij het was. Hij had achter het raam staan gluren wanneer hij onbekende geluiden meende te horen. Maar Halina had geen contact gezocht. De brief was een bevrijding. Dat ze aan een psychische stoornis leed, had hij al geconcludeerd, hij had de vonk in haar ogen niet kunnen vergeten die keer dat hij haar voor de uitgeverij had gezien, in slapeloze nachten had hij zich over de verandering van haar persoonlijkheid verbaasd.

Er waren drie weken verstreken, en al die tijd had hij het gevoel gehad dat hij op het slappe koord balanceerde.

Het werd Kerst, met alle drukte van dien. Er was een last van zijn schouders gevallen, waardoor er nu weer plaats was voor andere gedachten, en hij had zelfs iets geschreven, het was wel niet zo goed, maar het was tenminste iets. Onder de gegeven omstandigheden was hij al met weinig tevreden. Op Kerstavond hadden ze Jan-Erik gebeld. Een kort gesprek, gezien de grote afstand, maar het was iedere cent waard geweest. Alice bloeide op toen ze de stem van haar zoon had gehoord, en het kerstfeest werd voor de verandering een gezellige aangelegenheid. Op eerste Kerstdag kwamen zijn ouders op bezoek, maar zijn zus wilde er als gewoonlijk niet bij zijn. Hij vroeg soms naar haar. Hij wist dat ze in Farsta woonde en in de WAO zat na al het tillen dat ze als bejaardenverzorgster had gedaan. Ze had geen kinderen en of ze een man had, wist hij niet. Zijn ouders vertelden niet veel, ook al wist hij dat ze regelmatig contact met elkaar hadden. Ooit had hij gevraagd of hij een keer met hen mee mocht, maar zijn zus had laten weten dat hij niet welkom was.

Na Driekoningen ging het gewone leven weer van start, totdat alles opnieuw overhoop werd gehaald. Op 9 januari sneeuwde het hard en een storm raasde door Stockholm. Hij luisterde hoe het huis zich verzette toen de wind het vastgreep, door alle kieren naar binnen sloop en geluiden veroorzaakte die hij nooit eerder had gehoord. Zodra hij Gerda's voetstappen hoorde, rook hij onraad. Hij stond in de bibliotheek een boek te zoeken toen ze het vertrek binnenkwam, en zijn eerste reactie was verbazing dat er überhaupt post werd bezorgd die dag. Gerda overhandigde hem de kleine envelop, draaide zich zonder een woord te zeggen om en ging weg. Haar gelaatsuitdrukking maakte hem meteen duidelijk wie de afzender was en gaf hem ook de bevestiging van iets anders: Gerda had het aldoor geweten. Hij liep regelrecht naar zijn werkkamer en rukte de envelop zo woest open dat de H doormidden werd gescheurd.

Bedankt voor je bericht. Ik zal er zeker zijn. Eindelijk, mijn lief!
Je Halina

Hij liep de kast in en stopte de brief in de kartonnen doos die vooraan stond. Daarna zocht hij Gerda in de keuken op.

'Gerda, kom je even?'

Hij wachtte haar antwoord niet af, maar draaide zich om en liep terug. Bij de deur bleef hij staan en liet haar voorgaan. Ze ging de kamer binnen en de procedure van de vorige keer herhaalde zich. Gerda vlak bij de deur, ineengedoken, Axel tronend achter zijn bureau. Werkgever en dienstmeid. Axel Ragnerfeldt en zijn ouders. Hij wist niet hoe hij die kloof kon overbruggen. Hij had haar diensten nodig en zij zijn geld. Ze leefden in wederzijdse afhankelijkheid onder hetzelfde dak. Waarom was het dan zo'n godsonmogelijkheid om elkaar als gelijken te behandelen? In het begin had hij geprobeerd haar in de familiekring op te nemen, maar hij had al snel moeten inzien dat zijn gedrag ongewenst was. Met bijna vijftig jaar ervaring in het vak wilde ze gerespecteerd worden om haar kunnen en daarbij moest aan bepaalde voorwaarden worden voldaan. Ze had duidelijk laten blijken dat ze niet van plan was deel uit te gaan maken van de familie.

'Wat ik nu zeg, moet tussen ons blijven, Gerda, ik wil niet dat je hier met Alice over praat, ik wil haar niet nodeloos ongerust maken. Het is zo dat ik de afgelopen tijd een aantal keren ben benaderd door een vrouw met wie ik niets te maken wil hebben. Een wildvreemde vrouw dus, die ik nog nooit heb ontmoet. Waarschijnlijk een lezeres van mijn boeken. Misschien is het je opgevallen dat er wat merkwaardige brieven zijn gekomen?'

'Dat zou ik niet weten.'

'Nou, in ieder geval leek het me goed dat je dit weet. Ik maak me namelijk zorgen dat de vrouw in kwestie niet helemaal goed bij haar hoofd is.'

Hij had zo graag gewild dat ze iets zou zeggen, een vraag zou stellen. Dat ze liet blijken dat ze het waardeerde dat ze in vertrouwen werd genomen en dat ze zijn zorgen wilde delen.

Maar Gerda zweeg. Er kwam geen woord over haar lippen en toen het stil bleef, besefte hij dat ze ook niet van plan was iets te gaan zeggen.

'Dat was het dan. Dank je wel.'

Gerda maakte een kniebuiging, draaide zich om en wilde weglopen. Toen ging de bel. Ze keken elkaar aan en heel even voelde het als een blik van verstandhouding. Toen was het moment voorbij en ze liep de deur uit. Axel volgde haar, maar bleef halverwege staan, vol bange voorgevoelens. Er werd maar zelden aangebeld, er kwam nooit iemand onaangekondigd langs.

Alleen Torgny Wennberg.

Hij hoorde Gerda's stem, die boven de storm uit probeerde te komen.

'Ik kan u helaas niet binnenlaten. Meneer is druk bezig en mag niet gestoord worden.'

'Wat voor meneer, verdomme, bedoel je Ragnerfeldt, die geile bok? Aan de kant jij, ik moet met hem praten.'

Uit zijn stem kon je het promillage al afleiden. Axel was bang dat Alice iets had gehoord en liep snel naar de hal. Torgny was wit van de sneeuw. Gerda hield de deurkruk met beide handen vast en de sneeuw wervelde door de deuropening naar binnen. Torgny gaf een ruk aan de deur en wrong zich naar binnen. Met grote moeite wist hij de deur achter zich dicht te trekken.

'Kijk aan, meneer Ragnerfeldt himself, beneden op aarde, net als wij gewone stervelingen.'

Hij boog en zwaaide met zijn arm in een gebaar dat een beleefde groet moest voorstellen. Axel zwaaide dreigend met zijn vinger.

'Hou je een beetje gedeisd, hè! We hebben hier een paar zieken in huis.'

Torgny deed of hij ingespannen tuurde.

'Is dat je pik of je pink? Ik kan vanaf hier het verschil niet zien.'

'Laat maar, Gerda, dank je wel, ik regel het verder. We gaan buiten wel even een praatje maken.'

Hij trok snel zijn schoenen en zijn jas aan en Gerda verliet de hal.

'Ben je bang dat Alice het hoort, die suffe doos, wil ze niet meer of zoekt ze haar gerief elders, bij de buurman of zo, er wonen zoveel eikels in deze deftige buurt, ze zal het er wel druk mee hebben.'

'Hou je kop en ga naar buiten.'

'Kom jij niet meer aan je trekken, Ragnerfeldt?'

Axel stak zijn hand uit en duwde de deurkruk achter Torgny's rug naar beneden. De deur vloog met een klap open toen de storm er vat op kreeg en er stoof nog meer sneeuw naar binnen. Axel duwde hem naar buiten en wist de deur te sluiten. Daar stonden ze, op de stoep in de storm, en in elkaar gedoken probeerden ze zich zo goed en zo kwaad als dat ging tegen de vlijmscherpe vlokken te verweren. Hij kreeg weer het gevoel dat zijn leven een absurde wending had genomen. Wat er de laatste tijd was gebeurd viel ver buiten de normale kaders. Nu stond hij met Torgny Wennberg in de sneeuwstorm voor zijn huis, en hij begreep dat hij een gesprek moest voeren om van de ellende af te komen, maar hij besefte ook dat dat gesprek onmogelijk plaats kon vinden op de plek waar ze nu stonden. De windvlagen waren zo hevig dat ze zich schrap moesten zetten. Het enige positieve effect van de storm was dat die Torgny de mond snoerde, hij had geen woord gezegd sinds ze naar buiten waren gegaan.

'Kom, we gaan naar de houtschuur.'

Axel begon te lopen en Torgny kwam achter hem aan. Met zijn ene hand om de kraag van zijn jas en de andere ter bescherming voor zijn ogen ploegde hij naar het schuurtje. Er lag een berg opgewaaide sneeuw voor de deur, die Axel met één been wegduwde, hij tilde de haak op, liet Torgny samen met een heleboel sneeuw naar binnen gaan en trok de deur dicht. Ze stampten een paar keer met hun voeten, klopten de meeste sneeuw van zich af, maar de felle kou van de houtschuur ging dwars door hun kleren en schoenen heen. Torgny's baard was wit en zijn gezicht knalrood, zijn adem dampte als rook uit zijn mond. Axel wreef zijn handen. Ze zeiden geen van beiden iets. De vijandige toon was ergens daarbuiten in de sneeuw blijven steken, nu stonden ze met zijn tweeën te blauwbekken en hadden een gemeenschappelijke tegenstander. Nooit was het wij-gevoel groter dan wanneer de weergoden zich lieten gelden. De kou had een ontnuchterende uitwerking op Torgny en nu keek hij plotseling beschaamd. Misschien was hij eerder boos geweest dan dronken, Axel had hem beoordeeld naar zijn taalgebruik.

Axel wilde een heleboel. Bovenal wilde hij een eind maken aan de hele geschiedenis, maar niet als dat inhield dat hij moest toegeven wat hij in Västerås had gedaan. Die herinnering was nu van zo veel berouw doortrokken dat hij niet meer zeker wist of het wel echt gebeurd was.

Torgny huiverde en ging op de houtstapel van een meter hoog tegen de wand zitten.

'Je had me toch minstens in je huis kunnen ontvangen, moet ik me nu ook nog laten vernederen in je houtschuurtje?'

De wind floot door de kieren. De tonen stegen en daalden in een troosteloze melodie die speciaal voor hun gemoedstoestand gecomponeerd leek. Torgny keek om zich heen, pakte een houtblok en liet het ongeïnteresseerd op zijn hand balanceren. Hij rilde van de kou, maar speelde zijn nonchalance toch met bravoure.

'Dat was toch wat chiquer geweest, vind je niet? Maar verdomme, wat kan het me ook schelen, ik geef het op, ben je nu eindelijk tevreden? Of is er nog meer wat je van me af kunt pakken?'

Axel stopte zijn handen diep in zijn jaszakken en duwde zijn armen tegen zijn lichaam.

'Je snapt toch wel dat ik je zo niet binnen kon laten, zoals jij bezig was. Ja, ik geef het toe, ik wilde niet dat Alice hoorde wat jij allemaal uitkraamde.'

'Dus ze weet nog van niks. Wanneer was je van plan haar het blijde nieuws te vertellen?'

Axel zweeg. Torgny liet het houtblok op de grond vallen en kruiste toen zijn armen voor zijn borst. Met zijn hoofd schuin keek hij naar Axel alsof hij een onbegrijpelijk kunstvoorwerp bestudeerde.

'Dat had ik niet van je gedacht, Axel, dat je in staat was tot dergelijk menselijk gedrag. Ik dacht dat je het naar je zin had, hier in deze villawijk, met je mooie huis en die vrouw van je, welopgevoede kinderen, een huishoudster en alles. Ze moet je het hoofd behoorlijk op hol gebracht hebben.'

'Hoe bedoel je?'

'Al je successen en je indrukwekkende reputatie, alles, je hebt immers alles. Ik had niet gedacht dat je dat allemaal op zou geven alleen omdat je jeuk aan je ballen kreeg.'

'Zeg nu eens ronduit wat je bedoelt voordat een van ons hier nog doodvriest.'

Torgny lachte snuivend en vreugdeloos en pakte weer een stuk hout op.

'Wanneer vertel je het je gezin dan?'

Axel voelde dat zijn grens bereikt was.

'Wat vertellen? Zeg wat je te zeggen hebt, want ik wil weer naar binnen.'

'Het wordt een hel, dat weet je toch, hè? Wanneer ze haar medicijnen niet inneemt, is het of de duivel in haar vaart. Nou, veel geluk ermee, zou ik zeggen, ik zal blij zijn als die ellende me voortaan bespaard blijft.'

Axels voeten sliepen en hij besefte dat het gesprek niet veel langer moest duren. Hij schatte de situatie snel in en nam een besluit.

'Ik vermoed dat we het over Halina hebben, of hoe ze ook alweer heette, ja toch? Zoals jij het zegt, klinkt het alsof zij en ik plannen hebben voor een toekomst samen, en ik weet niet waar jullie op uit zijn, of wat zij eventueel heeft gezegd, maar ik weet absoluut zeker dat ik daar helemaal niets mee te maken heb.'

Wat hij zei was geen leugen en de waarheid maakte hem moedig. Toen hij bovendien de verwarring opmerkte die zich op Torgny's gezicht aftekende, durfde hij nog een stapje verder te gaan.

'Ik vind dit een bijzonder nare situatie, en ik zou willen dat je voor eens en voor altijd uitlegt waarom ik hier in mijn houtschuur sta te bevriezen.'

'Wat zeg je?'

'Dat hoor je toch?'

Torgny ging staan.

'Je bedoelt dus dat je Halina niet ten huwelijk hebt gevraagd?'

'Nee, bepaald niet.'

Torgny zei even niets.

'Maar jullie hebben wel een verhouding?'

'God, nee, Torgny, nee, dat hebben we niet. Als je me de verzekering geeft dat een normaal gesprek mogelijk is, kunnen we binnen verder praten.'

Torgny ging weer zitten en verzonk in gedachten. Axel nam aan dat hij zijn best deed om de situatie te herinterpreteren. Toen hij verder praatte, deed hij dat langzaam en duidelijk.

'Als je me nu voorliegt, sla ik je dood als ik erachter kom, dat zweer ik je.'

Axel slikte. Maar zijn woorden zouden altijd zwaarder wegen

dan die van een vrouw met zwakke zenuwen. Wat ze ook zou beweren.

'Wat moet ik er nog meer over zeggen? Kom, dan gaan we nu naar binnen.'

'Nee, ik ga niet mee naar binnen.'

Torgny deed zijn ogen dicht en streek met zijn hand over zijn baard.

'Verdorie, ze zei dat jullie de koffer in gedoken waren toen in Västerås, toen ik op de bank in slaap was gevallen.'

Axel zweeg.

'Dan is ze weer ziek, dan dwaalt ze ergens rond, ze heeft haar spullen gepakt en is gewoon weggegaan. Ze zei dat jullie ergens hadden afgesproken en ze had het steeds maar over je sinds die dag van het boek in Västerås, dus ik geloofde haar. Ik had moeten begrijpen dat er iets niet klopte. Een dag of wat geleden had ze het idee dat er een of ander bericht in de krant stond dat voor haar bedoeld was. Ze wilde niet zeggen wat het was, maar ze was ervan overtuigd dat het aan haar gericht was, ik probeerde erachter te komen wat ze had gelezen, maar ik kon niets vinden.'

Hij schudde langzaam zijn hoofd.

'En ze heeft de kleine jongen ook meegenomen.'

'Welke jongen?'

'Ze heeft een zoontje, een peuter nog. Hij is niet van mij, maar ik ben me toch wel een beetje aan hem gaan hechten. Ze is lelijk tegen hem wanneer het niet goed met haar gaat.'

Axel had geen gevoel meer in zijn handen.

'We moeten naar binnen voordat een van ons een longontsteking krijgt.'

'Sorry, Axel, ik moet je mijn excuses maken, voor wat ik daarnet binnen zei en zo. Misschien kan ik beter even meelopen om het uit te leggen, om je verder gelazer te besparen.'

Axels eerste impuls was om het voorstel af te slaan, maar toen hij even verder nadacht, besefte hij dat het al zijn problemen zou oplossen. Als Alice had gehoord wat Torgny had gezegd, kon hijzelf wel van alles beweren, maar dat hielp dan toch niet. Daarentegen zou ze zeker naar Torgny luisteren. En Gerda zou het bewijs van zijn onschuld krijgen.

'Ja, als je dat voor me zou willen doen, heel graag.'

Gerda en Alice zaten op de bank in de woonkamer. Gerda op het uiterste puntje nadat ze was overgehaald om toch maar te gaan zitten. Axel had haar er per se bij willen hebben. Ten slotte was Alice' geduld op en geërgerd had ze haar opgedragen om plaats te nemen. Axel zat in een leunstoel met een deken over zijn knieën. Torgny stond voor hen en hield zijn toespraakje. Onsamenhangend en diep beschaamd had hij zijn excuses aangeboden voor zijn optreden, had hen gevraagd alles te vergeten wat hij in zijn onredelijke uitbarsting in de hal had gezegd. Alice' gezicht was gesloten. Axel gluurde af en toe naar haar, maar hij kwam er niet achter hoeveel ze van de beledigingen had gehoord. Torgny ging stamelend verder, in zijn ontreddering zocht hij naar woorden die zijn misstap goed konden maken.

'Dit was allemaal erg stom van mij, ik begrijp nu dat ik het helemaal bij het verkeerde eind had, ik was zo dom om haar te geloven, ze heeft helaas wat problemen met haar zenuwen, maar ze is in wezen een fantastische vrouw, echt, maar soms zit het verleden haar op de hielen en dan haalt ze zich de gekste dingen in haar hoofd, ik had niet door dat dat nu ook weer het geval was, maar ik was zoals gezegd zo dom om te geloven wat ze zei. Ik besef nu dat ik Axel geheel ten onrechte heb beschuldigd en ik vraag oprecht om vergeving.'

Torgny haalde diep adem en Axel was onder de indruk van zijn totale onderwerping. Hij wist hoe moeilijk het voor Torgny was om hem op te hemelen en zichzelf klein te maken. Bij zijn slaap klopte een ader die zijn gemoedstoestand verried.

Nu pas begreep Axel hoe groot Torgny's liefde moest zijn, dat hij bereid was deze vernedering te doorstaan en haar toch in bescherming te nemen. De diepte die hij in Torgny nooit had vermoed, was plotseling geopenbaard, die diepe bron van liefdesdorst waar alle creativiteit uit voortkomt.

Alice, die tot dat moment roerloos was blijven zitten, stond op.

'Als ik het goed begrijp, loopt er dus nu een geestelijk gestoorde vrouw rond die verliefd is op Axel en denkt dat zij een stel zijn?'

'Ze is niet geestelijk gestoord, en waarom ze dat van Axel heeft gezegd, weet ik niet. Misschien alleen om mij te kwetsen.'

'Ik stel toch voor dat we de politie bellen. Ik heb helemaal geen zin om hier te zitten wachten totdat er een gek opduikt, wie weet waar ze toe in staat is.'

Axel legde zijn hand op Alice' arm.

'Rustig maar.'

'Er is geen reden om de politie te bellen, misschien is ze alweer thuis wanneer ik terugkom, en zo niet, dan beloof ik dat ik haar ga zoeken en, zoals gezegd, ze is niet geestelijk gestoord, je hoeft absoluut niet bang te zijn. Dan is het risico dat ze zichzelf iets aandoet veel groter.'

Alice ging weer zitten.

'Waarom uitgerekend Axel?'

Torgny gaf met een gebaar aan dat hij het niet wist.

'Misschien omdat we hem toen in Västerås zijn tegengekomen, ik weet het niet.'

Alice richtte zich tot Axel.

'Dus je hebt haar ontmoet?'

'Ja, we hebben wat gepraat tijdens het eten, dat was alles.'

Axel keek naar Gerda en zag zijn vergissing meteen in. Voor het eerst tijdens het gesprek keek ze hem recht aan. Hij sloeg zijn ogen neer, maar het kwaad was al geschied. In haar blik had hij duidelijk kunnen lezen welke versie zij geloofde: niet wat hij had gezegd, maar wat hij met zijn bange blik had verraden.

'Zoals gezegd, ik wilde alleen mijn excuses aanbieden. Ik kan nu beter weer naar huis gaan om te kijken of ze al is opgedoken.'

Gerda vloog op van de bank en ging Torgny voor naar de hal. Axel stond op om mee te lopen maar Alice hield hem tegen.

'Als ik maar een glimp van die vrouw opvang, bel ik de politie. Hoe ziet ze eruit?'

'Nogal gewoontjes. Donkerbruin haar, gemiddelde lengte.

Het komt in orde, Alice, ze heeft kennelijk alleen medicijnen nodig, als ze die inneemt, is ze net zo gezond als iedereen.'

Alice snoof.

'Als iedereen? Alsof dat een geruststelling is.'

Axel liep de hal in, nam afscheid van Torgny en deed voor alle zekerheid de deur op slot. De ergste storm leek te zijn bedaard, maar het waaide nog steeds hard. Door het raam van de entree zag hij Torgny tegen de huilende wind optornen. Alice verdween naar boven. Hij vroeg zich af of hij achter haar aan zou moeten gaan, maar besloot dat niet te doen. Hij hoorde geluiden uit de keuken en na even dubben liep hij erheen en ging aan de keukentafel zitten. Gerda was met haar rug naar hem toe bij het aanrecht bezig. Efficiënte handbewegingen na jaren ervaring.

'Ik heb het gevoel, Gerda, dat je me niet helemaal gelooft.'

Gerda draaide zich razendsnel om alsof ze niet had gehoord dat hij daar was gaan zitten.

'Oef, u laat me schrikken.'

Axel zuchtte en glimlachte even naar haar.

'Kun je niet eindelijk je tegen me zeggen, na al die jaren?'

Gerda antwoordde niet, maar keerde hem voor de verandering de rug toe en ging door met haar bezigheden. Een laatje werd uitgetrokken en er kwam een klopper tevoorschijn. Er werden twee eieren gebroken tegen de rand van een kom en met geroutineerde gebaren begon ze te kloppen.

'We zijn toch gelijken, Gerda, jij en ik, ik begrijp niet waarom we elkaar niet als zodanig kunnen behandelen. Ik kan goed schrijven en jij bent goed in wat jij doet, waarom zouden we het zo moeilijk maken?'

Gerda zei niets, maar hij hoorde de bewegingen van de klopper iets feller worden. Weer merkte hij de overeenkomst met de gesprekken met zijn ouders, alsof zijn woorden niet begrijpelijk meer waren, maar in hun oren een andere inhoud kregen dan ze in zijn mond hadden gehad.

'Gerda, toe, je kunt toch op z'n minst met me praten?'

De klopper stopte abrupt. Axel keek naar haar rug, aangezien dat het enige was wat hij van haar te zien kreeg.

'We zijn geen gelijken, jij en ik.'

Ze praatte zo zacht dat hij zijn best moest doen om haar te verstaan.

Ze had 'je' tegen hem gezegd.

'Jawel, Gerda, dat zijn we wel.'

Hij zag haar schouders op en neer gaan op haar ademhaling.

'Ik weet wat mijn taak hier is, die voer ik zo goed mogelijk uit, en dat is het dan.'

'Nou, zie je wel, zo is het bij mij ook. Wat ik doe, doe ik ook zo goed mogelijk.'

In de stilte die volgde lag alles open. Gedurende achttien jaar hadden ze hun levens gedeeld. Voor het eerst hadden ze een echt gesprek. Hij kon eigenlijk niet begrijpen waarom dat zo belangrijk voor hem was, maar dat was het wel.

'We zijn geen gelijken, jij en ik.'

'Hoe bedoel je dat?'

Ze stond nog steeds met haar rug naar hem toe.

'Omdat ik tevreden ben en jij niet, je jaagt continu iets na waarvan je je verbeeldt dat je het kunt bereiken.'

Gerda ging weer door met kloppen en gaf daarmee aan dat het gesprek afgelopen was. Axel was sprakeloos en dacht na over wat ze had gezegd. Opeens besefte hij dat het de grofste belediging was die hem ooit was toegevoegd.

De dagen verstreken en werden een week. Iedereen in huis bemoeide zich met zijn eigen zaken en alles was weer gewoon. Gerda deed de huishouding, Annika was met school bezig, zelf worstelde hij zonder succes verder met zijn roman. Wat Alice deed, wist hij niet, maar ze zat meestal in de bibliotheek, net als altijd, zelden gekleed in iets anders dan haar ochtendjas. Torgny liet niets van zich horen. Hij had beloofd te bellen zodra hij iets wist, maar kennelijk was Halina nog steeds niet terug. Na een week kwam er weer een brief, en dat zou het begin blijken te zijn van een dagelijkse routine. Elke ochtend plofte er een nieuwe envelop in de bus, en Gerda overhandigde de brieven zonder commentaar. Alice werd er niet over geïnformeerd. Ze vroeg een paar keer of ze al iets van Torgny hadden gehoord en Axel kon naar waarheid antwoorden dat dat niet het geval was. Hij legde de brieven ongelezen in de kast. Als er tegen alle verwachting in iets zou gebeuren, was het handig om bewijzen van haar gekte te hebben. En zoals met alles wat maar lang genoeg duurt, werd het allemaal algauw een gewoonte, en de brieven werden met dezelfde vanzelfsprekendheid in ontvangst genomen als het ochtendblad.

Februari werd maart en in de wereld ging alles zijn gangetje.

Israël viel de Palestijnse guerrilla in Libanon aan en in Mjölby kwamen veertien mensen om bij een treinongeluk. De koning vroeg de media om zijn privéleven te respecteren en Irakese strijdkrachten sloegen de vrijheidsstrijd van de Koerden neer. De Amerikaanse minister van Buitenlandse Zaken, Kissinger, probeerde te bemiddelen in het Midden-Oosten, maar Egypte wilde op geen enkele eis ingaan zolang Israël Arabisch grondgebied bezet hield. Wetenschappers vreesden dat er een nieuwe ijstijd voor de deur stond, Ingemar Stenmark won de wereldbeker en van de CIA werd beweerd dat die een dodenlijst had van buitenlandse staatshoofden waarop Fidel Castro bovenaan stond.

Er was niet veel nieuws onder de zon.

Het was april 1975.

We staan vandaag voor een acute bedreiging van het milieu, door het broeikaseffect en klimaatveranderingen. De huidige aantasting van het milieu bedreigt onze hele geglobaliseerde wereld en kan op termijn leiden tot de definitieve vernietiging van onze cultuur. Door te kijken naar uitgestorven hoge culturen, zoals die van de Maya's, hebben onderzoekers kunnen aantonen dat wat begint als aantasting van het milieu het risico loopt te eindigen in burgeroorlog en een totale ineenstorting van de maatschappij.

Het begint ermee dat de bevolkingsgroei leidt tot een toename van de vraag naar voedsel en grondstoffen. Bossen worden gekapt, de bodem erodeert, gewassen en dieren worden uitgeroeid om plaats te maken voor landbouw en veeteelt. Het gevolg van de verarming van het milieu en het opraken van de hulpbronnen is honger, en uiteindelijk begint de bevolking oorlog te voeren om de middelen van bestaan, die steeds schaarser worden. Ten slotte daalt het bevolkingscijfer drastisch vanwege hongersnood, ziektes en oorlog. Alleen wie zich kan aanpassen aan nieuwe levensomstandigheden overleeft. In laatste instantie is de totale ineenstorting van de maatschappij onvermijdelijk en een cultuur gaat ten onder.

Op dit moment zijn we een heel eind op weg om die vergissing nog eens te herhalen. We kappen de bossen, roven de zeeën leeg, putten de aarde uit en vechten om de resterende middelen van bestaan. Met dit verschil dat wij nog een paar stappen verder gaan: we verontreinigen de lucht en het water, hetgeen opwarming van de aarde veroorzaakt en de basisvoorwaarden voor ons eigen leven vernietigt.

Eerder in de geschiedenis waren het afzonderlijke, geïsoleerde culturen die ten onder gingen. De huidige aantasting van het milieu bedreigt onze hele geglobaliseerde wereld. Het enige voordeel dat we hebben, en wat ons onderscheidt van eerdere verdwenen culturen, is dat wij de kans hebben om lering te trekken uit de fouten van anderen. Maar zijn wij mensen daartoe werkelijk in staat, of moeten we de consequenties aan den lijve hebben ondervonden om ze te voorkomen? Nieuwe generaties lijken de fouten uit de geschiedenis voortdurend te herhalen, onderzoek en gedegen documentatie van de gevolgen ten spijt. We blijken het onzalige vermogen te bezitten om in de meeste gevallen te kiezen voor de oplossing die op korte termijn voor onszelf het voordeligst is, ook als die op de lange termijn voor iedereen nadelig is.

Kristoffer legde het boek neer en keek op zijn horloge. Het was vijf over drie en dat verklaarde zijn trek in een kop koffie. Hij stond op en ging voor het raam staan. De regen viel diagonaal op de Katarina Västra Kyrkogata en de kale takken van de bomen op het Katarinakerkhof huiverden in de wind. Kristoffer had even overwogen om naar café Neo in de Skånegatan te wandelen, maar zag daarvan af.

Hij had nog steeds niets van Jesper gehoord. Ook al had Kristoffer hem een paar keer gebeld en had hij steeds dringender berichten achtergelaten op zijn voicemail. Uiteindelijk had hij onthuld dat hij iets moest vertellen, want nadat hij Jan-Erik Ragnerfeldt de waarheid had verteld, voelde hij zich eenzamer dan ooit. Hij zou Jesper meevragen naar Gerda's begrafenis. Na zijn ervaring in Västerås had hij beseft dat hij een vriend naast zich nodig had, hoe moeilijk hij het ook vond die behoefte te erkennen. Hij was gewend zichzelf te redden en het stoorde hem dat hij moest vragen om iets wat afbreuk deed aan zijn zelfstandigheid. Hij zou erdoor in de schuld komen te staan en elk moment verplicht kunnen worden die schuld terug te betalen.

Het scherm van zijn laptop stond omhoog en zijn bureau was bezaaid met boeken en tijdschriften. Hij wilde zich op zijn werk concentreren en niet meer denken aan wat komen ging. De dagen verstreken en de datum waarop het toneelstuk klaar moest zijn, kwam steeds dichterbij. Maar schrijven was gemakkelijker gezegd dan gedaan wanneer hij zijn gedachten er niet bij kon houden. Die dwaalden voortdurend af naar de begrafenis waar hij Gerda's vrienden en kennissen zou ontmoeten, en de menging van verwachting en angst maakte elke vorm van concentratie onmogelijk. Hij keek weer naar de regen en deed zijn best om zich te laten inspireren. Daar moest hij het in zijn stuk over hebben, dat het weer niet meer was wat het geweest was. De idiotie die gaande was. De idiotie van het kortetermijndenken. Sinds mensenheugenis was het klimaat een vanzelfsprekende zaak geweest, een van de weinige dingen die zich niet voegden naar de menselijke behoefte aan macht en die niet te beïnvloeden waren. Maar die tijd was nu voorbij. Nu was die fantastische aarde toch geknecht en niet meer tot verzet in staat. De monumentale overwinning van de marktwerking op het onverslaanbare. De domheid van de mens in al haar pracht.

Dat wilde hij in zijn toneelstuk stoppen, hij voelde zich verplicht de mensen wakker te schudden, aangezien maar weinigen leken te begrijpen dat er echt haast bij was.

Hij liep terug naar zijn laptop en ging zitten.

VADER: Wat besluiten we nu dan? Gaan we naar Thailand of naar Brazilië?

DOCHTER: Waarom niet naar Vetlanda?

VADER: Vetlanda?

DOCHTER: Weet je hoe groot de uitstoot van kooldioxide is die ons gezin veroorzaakt door naar Thailand te vliegen? Vijf komma vier ton.

MOEDER: Goh, wat doe jij vervelend! Ik begrijp niet hoe je zo hebt kunnen worden.

DOCHTER: Nee, daar snap ik ook niks van.

MOEDER: Dat vliegtuig stoot toch niet minder troep uit als wij ons hier blijven zitten vervelen? Alleen omdat wij als gezin toevallig milieubewust zijn, zouden we dus moeten afzien van een heerlijke zonvakantie? Ik dacht het niet. Ik heb echt wel een paar weken zon nodig in dit jaargetijde, anders kom ik de winter niet door.

ZOON: We kunnen een toeslag betalen. Voor onze eigen vervuiling.

DOCHTER: Dan stoten we toch nog steeds evenveel troep uit! Niet alles is met geld te koop. Je eigen verantwoordelijk kun je al helemaal niet afkopen.

VADER: Moppie, het is mooi dat je zo geëngageerd bent, maar nu stel je je wel een beetje aan.
DOCHTER: Stel ik me aan?
VADER: Je snapt toch zelf ook wel dat iemand anders onze tickets koopt als wij niet gaan. De Svenssons gaan bijvoorbeeld op vakantie naar Bali, en ik ben niet van plan hun reisverhalen aan te horen als wij zelf niet verder zijn geweest dan Vetlanda.

Hij stond op en liep naar de keuken om een glas water te halen. Zijn gedachten rukten zich nog eens los en slopen weg uit de isolering van het appartement. Nam Jesper nou maar contact op. Hij liet een glas vollopen, ging ermee achter zijn bureau zitten en las wat hij had geschreven. Hij hield zijn handen startklaar boven het toetsenbord, maar opnieuw gingen zijn gedachten ervandoor. Hij noteerde snel wat hem te binnen was geschoten, voordat dat ook weer weg was:

Als de gelegenheid zich voordoet, bejubelt iedereen voorbeelden als Joseph Schultz, en iedereen denkt van zichzelf dat hij, als de nood aan de man is, even heldhaftig zal zijn.

Hij klapte het scherm omlaag. Hij hoefde het niet eens te proberen. De gedachten waren niet op de plaats waar ze eigenlijk zouden moeten zijn. De onrust dwong hem steeds van zijn stoel en hij wist niet hoeveel onnodige rondjes hij al door zijn appartement had gelopen. Het was net of het inwendig jeukte, en in de loop van de dag had hij zichzelf er meerdere keren op betrapt dat hij zijn bonzende hartslagen telde. De toestand beangstigde hem, die leek akelig veel op iets wat hij eerder had meegemaakt. In de eerste afschuwelijke maanden in deze flat toen hij leed onder het verlies van zijn maatje. Dat hem had geholpen de werkelijkheid simpeler te maken. Hij liet zijn blik langs de boekenkast glijden tot hij bij de cognacfles kwam. Gekocht op de dag dat *Alles zoeken en vervangen* in première was gegaan, om ongeopend te blijven staan als een monument voor zijn prestatie en zijn standvastige karakter. Hij had er kracht aan ontleend, het had hem een gevoel van onoverwinnelijkheid gegeven.

Hij stond weer op om zijn mobieltje te controleren, hij wilde kijken of hij echt geen oproep had gemist, maar de display was leeg. Hij belde Jespers nummer, maar werd meteen begroet door zijn opgenomen stem.

Hij zuchtte geërgerd.

'Nog een keer met mij. Bel me. Het is ontzettend belangrijk.'

Hij drukte de eindetoets in en gooide zijn mobieltje op de bank. Het kwam naast een stuk papier terecht en hij zag meteen wat het was. Het artikel over Torgny Wennberg dat hij een paar avonden geleden had uitgeprint. Hij ging zitten lezen. Hij verbaasde zich nogmaals over de beklemmende kop 'Vergeten schrijver van de werkende klasse'.

Geen blijver, dus.

Helemaal onderaan stond het telefoonnummer dat hij bij Eniro had opgezocht. Hij keek naar zijn mobiel en dacht even na. Geboren in 1928. Veertien jaar jonger dan Gerda. Hij vroeg zich af hoe goed ze elkaar hadden gekend. Misschien waren ze zelfs wel familie. Het enige wat hij zeker wist, was dat hij niets voor elkaar zou krijgen zolang hij niet wist waarom hij in het testament van Gerda Persson terecht was gekomen, en het feit dat hij naar de cognacfles had gegluurd met het gevoel niet langer onoverwinnelijk te zijn, bracht hem ertoe zijn mobieltje te pakken en de cijfers in te toetsen.

Hij had nog niet bedacht wat hij zou zeggen, toen hij een raspende stem aan de andere kant van de lijn hoorde.

'Ja, met wie spreek ik?'

'Hallo?'

'Ja?'

'Spreek ik met Torgny Wennberg?'

'Met wie spreek ik?'

'Ik weet niet of ik het goede nummer heb gebeld, maar ik ben op zoek naar Torgny Wennberg, een voormalig schrijver. Bent u dat?'

'Hoe bedoel je, "voormalig"?'

Kristoffer pakte snel de print erbij.

'Nee, ik bedoel de Torgny Wennberg die *Hou het vuur brandende* en *De wind fluistert je naam* heeft geschreven. Onder andere.' Dat laatste voegde hij eraan toe, omdat er eerst geen antwoord kwam.

'Ja. Dat ben ik.'

Nu aarzelde hij pas en hij vroeg zich af wat hij eigenlijk moest zeggen. Hij wou dat hij zich beter had voorbereid.

'Als je me iets aan wilt smeren, dan heb ik geen interesse.'

'Nee, nee, dat is het niet.'

Hij aarzelde weer. Torgny Wennberg klonk geïrriteerd en hij wilde niet het risico lopen om al over de telefoon te worden afgewezen. Hij besloot een gokje te wagen.

'Ik wilde vragen of ik u zou mogen interviewen over hoe het is om schrijver van de werkende klasse te zijn. Ik ben zelf toneelschrijver en ik heb over u gelezen op een internetsite. Ik werk op dit moment aan een toneelstuk en ik zou er veel aan hebben als ik u zou mogen ontmoeten. Als het u uitkomt, dus. Ik heb maar een paar vragen die ik u graag zou willen stellen.'

Het werd stil. Hij besefte dat er meer overreding nodig was.

'Misschien mag ik u een lunch of een diner of iets dergelijks aanbieden in de buurt van waar u woont, dat is misschien gemakkelijker voor u.'

'Nee, verdorie, uitgaan doe ik niet meer nu ik nergens meer mag roken. Je moet hier maar komen, als je geïnteresseerd bent. Het kan vanavond wel, als het zo belangrijk voor je is.'

Kristoffer antwoordde opgelucht dat dat prima was en ze spraken een tijdstip af. Hij vroeg of hij iets mee moest nemen en Torgny stelde voor dat hij een pizza calzone zou gaan halen in de pizzeria vlak om de hoek.

Kristoffer drukte op de eindetoets en voelde zich enorm opgelucht. In onzekerheid zitten, dat vrat aan je, maar nu zat er weer schot in de zaak.

Pas toen hij zijn schoenen aantrok, drong het tot hem door dat hij zijn naam niet eens had genoemd.

Hij nam de route over het kerkhof en liep door naar de halte. Er was geen zitplaats voor hem in de bus, maar hij vond het niet erg om te staan, aangezien zijn rusteloosheid dan minder voelbaar was. Een moeder met een kind in een wandelwagen stond in het gedrang bij de middelste deuren. Het kind schreeuwde en probeerde keer op keer uit zijn gevangenis te klimmen, tot groeiende ergernis van zijn moeder. Ze zag er moe uit en had donkere wallen onder haar ogen, het kind had een vuurrood gezicht en de pony die onder de muts uit kwam, plakte aan zijn bezwete voorhoofd. Uiteindelijk was het geduld van de moeder op en met harde hand duwde ze het kind terug in het wagentje. Een man met een aktetas wierp de vrouw een verwijtende blik toe. Het kind was op slag stil en voelde aan zijn arm op de plek waar de hand van zijn moeder hem had beetgepakt.

Waarom geen kuit? dacht Kristoffer. Of kikkerdril? Waarom waren juist mensenkinderen zo totaal afhankelijk van hun ouders en aan hun gunsten overgeleverd, en werden ze voor het leven getekend als die fouten maakten?

Hij stapte uit bij Kungsholmstorg en ging op zoek naar de pizzeria die Torgny had genoemd, bestelde twee pizza's en ging zitten wachten. Ook al was het nog maar vijf uur, toch waren er al verscheidene tafeltjes bezet. Een paar koppels, een groepje van vier – de gasten zorgden dat er ruimte bleef tussen henzelf en andere bezoekers en ze wierpen onzichtbare barrières op tussen de tafeltjes. In de oneindige tijdruimte van de eeuwigheid zat iedereen toevallig juist op dit moment hier. Voor deze ene keer. Kristoffer bedacht een scenario. Als er nu een gek binnenkwam die hen allemaal gijzelde, zou in één klap alles veranderen. De barrières zouden geslecht worden en samen zouden ze een eenheid vormen. Verenigd door de gemeenschappelijke dreiging zouden ze snel hun plaats in de groep zoeken en er alles aan doen om samen te werken. Maar zolang er geen dreiging in zicht was, zaten ze daar bij elkaar en deed iedereen zijn best om net te doen alsof hij de anderen niet zag.

'Uw pizza's zijn klaar.'

Kristoffer stond op en betaalde.

Hij wierp nog een laatste blik op de gasten voordat hij het restaurant verliet.

Kennelijk was de bedreiging van het klimaat nog niet angstwekkend genoeg.

Torgny Wennberg had hem de deurcode gegeven en hij balanceerde de pizzadozen op zijn ene knie terwijl hij de cijfers intoetste. De zoemer ging en hij duwde de deur open. Een tableau met namen gaf aan dat Torgny op de tweede verdieping woonde en aangezien het moeilijk was om het ijzeren hek van de lift open te krijgen met zijn handen vol pizza, besloot hij de trap te nemen. Er waren drie appartementen op de tweede verdieping en hij belde aan bij de linkerdeur. Vlak daarna werd het kleine lichtpuntje in het midden van de deur zwart en Kristoffer begreep dat Torgny door het kijkgaatje naar hem keek. Hij glimlachte even en meteen daarop ging de deur open. Kristoffer glimlachte wat breder.

'Goeienavond, ik kom uw pizza brengen.'

Torgny Wennberg stond hem stokstijf aan te staren. Hij maakte geen aanstalten om hem binnen te nodigen en zijn gelaatsuitdrukking maakte Kristoffer onzeker.

'Ik heb u een uurtje geleden gebeld, weet u nog? Ik wilde u een paar vragen stellen.'

Hij kreeg geen antwoord. In plaats daarvan sloeg Torgny Wennberg zijn hand voor zijn mond. Kristoffer raakte in verwarring, misschien was hij ziek of zo. De diepe rimpels in het ongeschoren gezicht getuigden van een zwaar leven. Hij had een wilde grijze haardos en de hand die hij voor zijn mond hield, trilde bedenkelijk. Een muffe, rokerige lucht vermengde zich met de pizzageur en Kristoffer kreeg spijt dat hij gekomen was. Zoals Torgny eruitzag, had hij zelf ook kunnen worden als hij uit wat slechter hout gesneden was. Net als altijd wanneer hij met flagrante zwakheid werd geconfronteerd, voelde hij een lichte verachting.

Torgny liet zijn trillende hand zakken.

'Kristoffer, ben jij het echt?'

Het volgende moment namen al zijn zintuigen scherper waar dan ooit tevoren. Alles stond stil.

'Hoe weet u wie ik ben?'

En toen Torgny antwoordde, werd de deur die hij altijd had gezocht, wijd opengezet. Hij liet de pizza's vallen en zou nog het liefst zijn weggerend.

'Omdat je sprekend op je moeder lijkt.'

UIT ANGST VOOR WINDSTILTE HIELD ik de chaos in stand, onwetend van de grote vreugde die zetelde in mijn verschanste hart.

Axel las de woorden die hij had geschreven door. Hij wist niet waar ze vandaan kwamen, opeens had hij ze zomaar opgeschreven, en even dacht hij dat hij weer terug was. Het was zo lang geleden dat hij genoeg inspiratie had gehad voor een productieve werkdag. Letters op papier zetten had zware lichamelijke arbeid geleken, aangezien geen ervan uit zichzelf op de goede plaats ging staan. Het verhaal dat hij wilde vertellen, strompelde voort over een dertigtal bladzijden, op een stapeltje op zijn bureau waren ze een aanfluiting, als je bedacht hoeveel tijd het had gekost om ze te schrijven. Geen van zijn personages wilde zich settelen in het leven dat hij hun probeerde te geven. De inleverdatum die hij in zijn overmoed met de uitgever had afgesproken kwam steeds dichterbij en de vorige dag had er iemand van de bank voor hem gebeld. Gerda had hem het briefje gegeven toen hij zoals altijd om vier uur zijn werkkamer verliet om te horen wie er die dag hadden gebeld. Hij had nog steeds niet teruggebeld, omdat hij heel goed wist wat er gezegd zou worden. Met het geld van de grote prijs voor de letteren, het voorschot van de uitgeverij en de werkbeurs die hij als schrijver afkomstig van het platteland had ontvangen, had hij het huishouden sinds de zomer op poten gehouden, maar nu begon het geld op te raken. Hij had uitstel van betaling van hypotheekrente gevraagd, en de bank had zijn verzoek gehonoreerd, natuurlijk met rente op de rente die hij niet kon betalen. Ze waren op de hoogte van zijn werk en de onregelmatige inkomsten die dat meebracht, en ze hadden het huis als onderpand geaccepteerd, maar nu was de termijn verstreken en hij begreep dat ze een oplossing voor het probleem wilden aankaarten.

Achteraf kon je goed zien dat ze aan grootheidswaanzin hadden geleden toen ze het begerenswaardige huis hadden gekocht. Ze waren verblind door alles wat het uitstraalde, het paste zo goed bij hun visie op de toekomst. Maar toen, midden jaren vijftig, werkte Alice ook, en met twee tamelijk goede schrijversinkomens waren de maandlasten op te brengen geweest. Maar de werkelijkheid was anders geworden dan de grootse toekomst die ze voor zich hadden gezien. Hij werd geacht voor het hele inkomen te zorgen, terwijl zij als een martelaar rondliep en haar zorgen probeerde te vergeten met behulp van boeken van andere schrijvers, goede wijn en tv-kijken. Binnenkort zou hij haar van de moeilijkheden moeten vertellen. Ze zouden Gerda moeten vragen te vertrekken, vermoedelijk zouden ze het huis moeten verkopen om kleiner te gaan wonen.

Dat was geen gesprek waar hij naar uitzag.

Hij hoorde de telefoon overgaan. Eén keer, daarna was het weer stil. Hij keek op zijn horloge. Dat zou de bank kunnen zijn. Toen de telefoon een minuut later opnieuw rinkelde, schoof hij geïrriteerd zijn stoel naar achteren en hij stond op. Het stuitte hem tegen de borst om al om drie uur naar de telefoontjes te vragen, maar de onzekerheid liet hem toch geen rust.

Gerda was nog aan de telefoon toen hij de keuken binnenstapte. Ze stond met haar rug naar hem toe en hoorde hem niet binnenkomen, wat hem de gelegenheid bood om stiekem mee te luisteren.

'Ik kan het bericht doorgeven, maar ik kan meneer nu helaas niet storen, hij zit te werken ... Nee, dat zal helaas niet gaan.'

Het was een paar seconden stil voordat Gerda er met een herhaald 'nee, dat ...' weer tussen probeerde te komen. Als het de bank was, dan was hun vasthoudendheid bijzonder verontrustend.

'Die is helaas op dit moment ook niet te spreken. Kan ik uw telefoonnummer noteren, dan kan hij u terugbellen ... Ja, in dat geval moet u het zelf nog maar eens proberen. Ja. Nee, dat gaat niet. Dat weet ik helaas niet, maar ik zal de vraag aan hem voorleggen. Dag, mevrouw.'

Gerda hing met een diepe zucht op. Ze streepte iets door in een notitieboekje en legde de pen neer.

'Wie was dat?'

Ze schrok en draaide zich om.

'Ik geloof dat het die vrouw was, ze noemde geen naam, maar ze vroeg naar u en naar mevrouw, ze had geen telefoon, zei ze, en ze heeft geen telefoonnummer doorgegeven.'

'Vroeg ze naar Alice?'

Gerda knikte. Axel, die naderhand dankbaar constateerde dat het in ieder geval de bank niet was geweest, werd door een nieuw gevoel van onbehagen overmand. Hoe moest hij onder zulke omstandigheden ooit kunnen schrijven? Vier maanden waren verstreken sinds het opzienbarende bezoek van Torgny, maar behalve de brieven die met regelmatige tussenpozen in de bus vielen, had hij geen woord gehoord over wat er in de tussentijd was gebeurd. Torgny had niet gebeld, en Axel was blij geweest dat hij ook niet langs was gekomen.

'Hoe klonk ze?'

Gerda dacht even na.

'Boos, zou ik zeggen. Ze verzocht me u te vragen of u haar brieven had gelezen.'

Ze zwegen allebei en keken naar de deuropening toen ze Alice' voetstappen op de trap hoorden. Zij wist nog niets van alle brieven en ze vroeg niet meer of Torgny al had gebeld met nieuws over de verdere lotgevallen van de smachtende vrouw. Ze kwam de keuken binnen en op weg naar de koelkast wierp ze hun een ongeïnteresseerde blik toe. Voor de verandering was ze aangekleed.

'Het is hier weer een dolle boel, zoals gewoonlijk. Is er iemand dood of is het de gewone middagtriestigheid?'

Ze haalde een kan uit de koelkast en liep door naar de keukenkast waar ze een glas uit pakte.

Axel en Gerda keken elkaar aan. Onder andere omstandigheden zou hij van het moment hebben genoten. Voor het eerst waren ze bondgenoten, en hij was bereid zichzelf wijs te maken dat ze dat uit eigen vrije wil was, zoveel betekende het voor hem. Maar nu waren de omstandigheden anders en de situatie riep bepaald geen genot op. Het werd tijd om Alice op de hoogte te stellen voordat Halina weer belde en Alice toevallig opnam. Als ze het over de brieven had, zou Axel moeten toegeven dat hij de waarheid had achtergehouden, en dan bestond het gevaar dat Alice ze wilde lezen. Ze wist heel goed dat hij niets kon weggooien.

'Alice, kunnen we even gaan zitten. In de bibliotheek misschien?'

Hij wilde hier niet in de keuken over praten met Gerda erbij, eventueel zou hij bepaalde details weg moeten laten, wat in haar oren leugenachtig zou kunnen klinken.

Alice keek op toen ze de ernst in zijn stem hoorde.

'Er is toch niets met Jan-Erik?'

'Nee, nee, het is niets ergs, ik moet je alleen iets vertellen.'

Ze nam het glas mee en liep voor hem uit. Axel keek naar Gerda, maar die lette al niet meer op hem. Ze werd volledig in beslag genomen door de sapkan die Alice op het aanrecht had laten staan, en die zij nu weer terugzette in de koelkast.

'Het gaat over die vrouw waar Torgny over vertelde toen hij hier was. Je weet wel, Halina of zoiets.'

'O?'

Alice keek hem aandachtig aan. Met een rechte rug en haar benen over elkaar zat ze in een van de leesfauteuils van de bibliotheek. Zelf was hij in de andere gaan zitten en het drong tot hem door hoelang het geleden was dat ze daar samen hadden gezeten. Ze hadden de fauteuils tegelijk met het huis gekocht, ze waren veel te duur geweest, maar met zorg gekozen om hun harmonieuze toekomstdroom te vervolmaken. De bibliotheek was het eerste vertrek dat ze hadden ingericht, ze wilden er het kloppende hart van het huis van maken. Daar, in die fauteuils, zouden ze 's avonds bij elkaar zitten en in hun verrijkende gesprekken samen op reis gaan.

Nu waren de armleuningen versleten door de armen van anderen en de gesprekken waren vertrokken om nooit meer terug te keren.

'Ik heb de laatste tijd een aantal brieven van haar gekregen. Ik heb je er niets over verteld omdat ik je niet ongerust wilde maken.'

'Wat voor brieven?'

'Ik heb ze niet gelezen, maar ze ongeopend weggegooid.'

Het glas vruchtensap dat ze naar haar mond wilde brengen, bleef halverwege steken.

'Echt? Heb je brieven weggegooid die je had gekregen?'

Haar stem was een en al ongeloof, maar hij was van plan vast te houden aan zijn woorden. En hij had de brieven immers ook echt niet gelezen.

'Ja.'

Ze nam een slok en zette het glas neer.

'Nou, nou. En wat zegt Torgny ervan? Hij moet toch weten of ze haar medicijnen inneemt of niet? Hij zei dat het dan goed kwam.'

'Ik heb hem niet gesproken.'

'Waarom niet?'

Axel slaakte een diepe en welgemeende zucht.

'Omdat ik deze hele geschiedenis zo verschrikkelijk beu ben. Ik redeneerde: hoe minder ik me erover opwind, hoe beter het is.'

Ze spande haar middelvinger tegen haar duim en schoot een dingetje van haar broekspijp.

'Bel haar dan. Vraag wat ze wil.'

'Ze heeft geen telefoonnummer achtergelaten.'

'Maar dat weet Torgny toch wel?'

Hij zuchtte.

'Om eerlijk te zijn heb ik geen zin om hem hierover te bellen. Je hebt hem zelf gehoord toen hij haar hier stond te verdedigen. Je kunt veel zeggen van Torgny, maar ik vind het zielig voor hem dat zij mij een heleboel brieven zit te schrijven.'

'Heb je echt niets gemerkt toen je haar in Västerås ontmoette, ik bedoel, maakte ze geen vreemde indruk op je of zo?'

Axel schudde zijn hoofd.

'Ik heb haar nauwelijks gesproken. Ze was daar met Torgny

en bij het natafelen zaten ze aan het andere einde van de tafel. Ik snap niet waarom ze zich uitgerekend aan mij heeft vastgeklampt.'

'Nee, dat is inderdaad onbegrijpelijk.'

Ze keek hem niet aan toen ze dat zei en ze sprak de woorden met een peinzende gelaatsuitdrukking uit. Ze scheen niet door te hebben dat het een belediging was, het kwam er gewoon zo uit.

'Had ze tegen Torgny gezegd dat jullie iets met elkaar hadden in Västerås?'

'Ja, kennelijk.'

Ze zei een poosje niets, hield toen haar hoofd schuin en keek hem aan.

'En dat was niet zo?'

'Alice!'

Hij had zijn meest verwijtende toon gebruikt.

Er was een tijd geweest waarin liegen zinloos was. Ze wist wat elke uitdrukking in zijn ogen betekende, elke nuance in zijn stem, elke schaduw die over zijn gezicht ging. Toen zou het ook niet bij hem opgekomen zijn om tegen haar te liegen.

'Dat mag ik toch wel vragen? Dat zou haar gedrag wel kunnen verklaren, en ik heb er toch geen idee van wat jij allemaal uitspookt op je reizen.'

'Zo vaak ben ik niet op reis. Ik ben de afgelopen herfst vijf keer naar een dag van het boek geweest, dat was alles. Je bent van harte uitgenodigd om mee te gaan de volgende keer, als het je interesseert.'

'Nee, dank je wel.'

Het klonk zowel kleinerend als afkerig.

'Ik zou er zelf ook liever niet naartoe gaan. Je weet hoe ik over dat soort bijeenkomsten denk.'

Ze gaf geen antwoord en het drong tot hem door dat ze dat misschien niet wist. Ze vertelden elkaar al zo lang niet meer wat ze ergens van vonden.

'Maar goed, nu heeft ze kennelijk vandaag hierheen gebeld en naar jou gevraagd.'

Ze keek op.

'Naar mij?'

'Ja, eerst naar mij, maar toen Gerda zei dat ik niet gestoord mocht worden, vroeg ze naar jou. Je moet meteen ophangen als je haar toevallig aan de lijn krijgt. Al hoop ik dat ze niet weer gaat bellen.'

'Waarom vroeg ze naar mij?'

'Geen idee, hier valt toch al geen touw aan vast te knopen. Maar ze is kennelijk niet helemaal gezond, dus misschien valt er niets te begrijpen.'

Alice stond op en liep naar een van de boekenkasten. Ze haalde er een ingelijste foto van Annika uit en veegde verstrooid het glas af voordat ze hem terugzette. Het viel hem opeens op dat hij Annika al een paar dagen niet had gezien. Maar toen wist hij het weer, er was sprake geweest van een paardrijkamp rond Hemelvaart, en vandaag, vrijdag, was een vrije dag.

Alice draaide zich om.

'Ik vind dat we de politie moeten bellen. Ik zou niet weten waarom we dit moeten tolereren. Er moet toch een manier zijn om haar te laten stoppen? Is het niet onwettig om zo bezig te zijn?'

'Dat geloof ik niet, ze heeft immers alleen maar brieven gestuurd.'

'Ze heeft toch ook gebeld?'

'Ja, maar dat was misschien maar eenmalig. We moeten afwachten en zien hoe het loopt. Denk je eens in wat er allemaal geschreven zou kunnen worden. De roddelbladen smullen van dit soort dingen.'

Alice ging weer zitten en het gesprek liep dood.

Buiten schemerde het al. Ze maakten geen van beiden aanstalten om weg te gaan, ze bleven gewoon zitten, in de fauteuils die ze langgeleden in een ander leven voor zichzelf hadden gekocht. Ze leken zich beiden bewust van het uitzonderlijke van de situatie. De herinneringen die bij hem boven waren gekomen bleven Axel op een merkwaardige manier bezighouden. Al het werk dat ze in het huis hadden gestoken toen ze die droom nog hadden. De verkoper van het huis was de eerste eigenaar geweest, de prijs was relatief laag omdat er nogal wat aan opgeknapt moest worden. Zijn vader had geholpen met wat ze zelf niet konden, het leidingwerk en reparaties aan het dak, en Alice en hij waren samen alle kamers te lijf gegaan met verfpotten en behangplaksel. Hij keek naar het plafond en vond het kleine gaatje. Op die plaats had het pas geverfde weefsel meegegeven met de champagnekurk toen ze bij kaarslicht hun bibliotheek plechtig hadden ingewijd. Zij tweeën samen, net als altijd. Toen de aanwezigheid van de één een voorwaarde was geweest voor het bestaan van de ander. Toen de rest van de wereld een storende factor was, een noodzakelijk kwaad.

Hij keek naar haar. Inmiddels waren ze bijna vijfentwintig jaar verder.

Hij was er zo zeker van geweest dat ze zich geen van beiden ooit nog eenzaam zouden hoeven voelen.

In een impuls stak hij zijn hand uit en legde die op haar arm. Verbaasd keek ze ernaar alsof ze niet zo gauw begreep wat het was. Toen legde ze haar hand op de zijne en zo bleven ze zitten, twee verdwaalde zielen die de hoop hadden opgegeven ooit nog thuis te zullen komen.

Op welk moment begint het proces? Wanneer valt de vlok die de sneeuwbal zal vormen? In welk stadium start de beweging? Was het de dag dat hij stiekem voor de talenkant koos, of toen hij zijn eerste boek schreef? Was het zijn handtekening onder de koopakte of de eerste nacht dat ze gingen slapen zonder dat ze elkaar hadden aangeraakt? Waren het alle jaren van frustratie of het moment dat hij ja had gezegd tegen de dag van het boek in Västerås? Of was het puur het moment waarop hij zich had laten verleiden?

Alles was al zo lang aan het rollen.

Het zou nog maar een uur duren voordat alles wat ze tot dan toe als het hunne hadden beschouwd voorgoed verloren zou gaan.

De pizza's zaten nog in de dozen die in de hal op de grond waren blijven liggen. Kristoffer zat op een ongemakkelijke rechte stoel in de enige kamer van het appartement. Het alternatief was geweest om naast Torgny op het onopgemaakte bed te gaan zitten. Stapels kranten, lege flessen, oude kleren. Overvolle asbakken en voorwerpen die waren blijven staan waar iemand ze ooit toevallig had neergezet. Het zag er allemaal vies en oud uit en het leek langgeleden dat iemand een poging had gedaan om orde te scheppen in deze chaos.

Met lange pauzes was het gesprek haperend gevorderd, ze waren allebei te veel van slag om een logische gedachtegang af te kunnen maken. Kristoffer had het meeste gezegd, nadat Torgny hem had gevraagd of zijn moeder hem had gestuurd. Hij had de waarheid verteld, onder de omstandigheden zag hij geen reden om te liegen. Ditmaal ging het gemakkelijker om op te biechten wat hij pas één keer eerder had verteld. Over de trap bij de ingang van Skansen, dat hij niets meer wist van zijn eerste levensjaren en dat hij zich altijd had afgevraagd wie zijn ouders waren en waarom ze hem hadden verlaten. Torgny had gezucht en was twee biertjes gaan halen. Kristoffer bedankte ervoor. Bij de aanblik van Torgny en diens huis was dat niet zo moeilijk.

Zo had het hem ook kunnen vergaan als hij een slapper karakter had gehad.

Halina.

Zijn moeder heette Halina.

Niet Elina, zoals ze dachten dat hij als vierjarige had gezegd. Twee letters verschil. Een piepklein misverstand dat ervoor had gezorgd dat de politie haar niet had kunnen vinden.

Torgny was weer op het bed gaan zitten, in de war van wat hij te horen had gekregen. Hij haalde een pakje sigaretten uit zijn borstzakje en stak een sigaret op. Kristoffer schudde zijn hoofd toen Torgny hem het pakje voorhield.

Hij zat naar het olieverfschilderij te kijken. In deze omgeving zag het eruit als een gevangengenomen pauw in een lompenhandel. Hij probeerde alleen naar het gezicht te kijken, maar toch gleed zijn blik keer op keer over het naakte vrouwenlichaam. Loom liggend met haar hoofd op haar ene hand, terwijl de andere halfhartig haar schoot bedekte.

Hij had zijn moeder gevonden.

Maar zo had hij haar niet willen zien.

Hij sloeg blozend zijn ogen neer.

'Je ziet zelf hoeveel jullie op elkaar lijken.'

Torgny keek naar het schilderij en ook al begreep Kristoffer dat zijn blik eindeloos vaak over haar naakte lichaam was gegaan, toch wilde hij hem vragen dat niet te doen. Hij wilde haar verbergen, haar van de wand halen en het schilderij achterstevoren neerzetten.

'Dat is een schepping van jouw vader. Een enorme klootzak, maar hij kon wel schilderen.'

Kristoffer wist niet of hij meer zou kunnen aanhoren. Het was net of hij voor een afgrond stond, het duizelde hem. Volkomen onvoorbereid was hij de trappen opgedraafd met zijn pizzadozen en nu zat hij hier, in een flat die eruitzag alsof er een junk woonde, en werd hij geacht de kostbare informatie tot zich te nemen die hij altijd zo graag had willen hebben.

'Dus ze heeft je in de dierentuin achtergelaten. Sodeju.'

Torgny zuchtte diep en schudde zijn hoofd, hij deed een lange haal aan zijn sigaret en nam een slok bier.

'Had ik het maar geweten.'

Kristoffer zei niets.

'Dus je weet niet meer dat je hier de eerste jaren van je leven hebt gewoond?'

Kristoffer keek om zich heen.

'Hier?'

'Ja, tot januari 1975. Toen pakte ze haar koffers en verdween. Sindsdien heb ik niets meer van haar gehoord.'

'Maar ze heeft me pas de tiende mei in Skansen achtergelaten.'

Torgny leek niet te luisteren. Of misschien maakte die informatie voor hem geen verschil. Hij nam een paar slokken bier.

'Je moest eens weten hoe ik heb gezocht. Ik heb de halve stad overhoopgehaald om jullie te vinden, maar niemand wist iets. Ik vond een mysterieuze commune in Ekerö waar jullie kennelijk een maand hadden gewoond, maar ze wisten niet waar jullie daarna naartoe waren gegaan. Ze konden haar daar niet houden met haar ziekte, zeiden ze, hoewel zij naar mijn idee gekker waren dan Halina ooit was geweest. Het was van dat jarenzeventiggedoe met new age en dergelijke onzin. Maar ze kon zich heel raar gaan gedragen als ze haar medicijnen niet slikte. Je kon het aan haar ogen zien, het was net of er een knop werd omgedraaid. Als je iets deed vond ze het de ene keer prima, en als je een andere keer precies hetzelfde deed, kon ze pisnijdig worden. 's Ochtends was ze soms net een zielig vogeltje, dan moest ik beloven dat ik haar nooit zou verlaten, en 's middags schreeuwde ze tegen me dat ze me haatte. Het was niet altijd even goed te volgen.'

Hij sloeg zijn ogen neer en prutste aan het ringetje van het bierblikje.

'Maar ik hield wel ontzettend veel van haar.'

Hij snikte en streek met zijn hand over zijn gezicht. Vervolgens stond hij op en liep naar de boekenkast, hij zocht even en trok er een boek uit.

'Dit gaat over haar, het is het laatste wat ik heb geschreven. Daarna is het nooit meer iets geworden.'

Hij drukte zijn sigaret uit in een overvolle asbak, liep terug naar het bed en gaf het boek aan Kristoffer.

Hij las wat er op de omslag stond. *De wind fluistert je naam*. Een afbeelding van een vrouw die zich had afgewend.

Hij draaide het boek om en las de tekst op de achterkant:

George is een verbitterde man van middelbare leeftijd die de hoop op de grote liefde heeft opgegeven. Wanneer hij Sonja ontmoet, wordt hij hevig verliefd en hij moet zijn kijk op het leven herzien. Maar Sonja's vreselijke herinneringen dringen langzaam hun leven binnen …

Met verbazingwekkende echtheid schildert Torgny Wennberg de ondergang van een man na het mislukken van een relatie. Uit de sterke portretten van George en Sonja groeit een aangrijpend verhaal over hoe moeilijk het is om mens te zijn.

'Je mag het hebben als je wilt. Ik weet al hoe het afloopt.'

Hij glimlachte even, bracht het bierblikje naar zijn mond en ontdekte dat het leeg was. Hij verkreukelde het, liet het op de grond vallen en pakte het biertje dat hij aan Kristoffer had willen geven.

'Misschien heeft ze wel zelfmoord gepleegd, daar dreigde ze soms mee als het niet goed met haar ging.'

Kristoffer zei niets.

Waarom was hij zoals hij was? Op wie leek hij? Wat had hij van wie?

Er kwamen nu volop antwoorden, maar opeens was hij doodsbang voor zijn vragen.

Hij slikte.

'Wat mankeerde haar?'

Torgny haalde zijn schouders op.

'Geen idee, wanneer ze gezond was wilde ze er niet over praten, en als het slecht met haar ging, wist ze niet dat ze ziek was. Maar je moet goed begrijpen dat je moeder een fantastische vrouw is. Ze kon het niet helpen dat ze op slechte momenten zo werd, het was een ziekte, maar doorgaans was ze gezond. Ze had medicijnen en als ze die innam was alles goed, alleen had ze 's nachts soms last van nachtmerries. Ik weet nog dat ze vaak schreeuwde in haar slaap. Dan viel ze bijna niet wakker te krijgen en dan was het moeilijk haar aan het verstand te brengen dat het maar een droom was. Het kon uren duren voor ze weer rustig was.'

Hij zuchtte en stak weer een sigaret op.

'Ik geloof dat ze vooral bang was om weer in de steek te worden gelaten. Ze had zo veel ellende meegemaakt, dus het is niet gek dat er iets was geknapt. Je eigen rotjeugd wordt een luxe cruise in vergelijking. Ze heeft verdorie alleen maar ellende meegemaakt als je erover nadenkt.'

'Vertel.'

En Torgny vertelde. Dat Kristoffers moeder Jodin was en in 1938 in Polen was geboren, in een concentratiekamp had gezeten en haar hele familie had verloren. Dat haar moeder was doodgeschoten, dat haar vader vermoedelijk naar een ander kamp was gebracht en dat ze nooit te weten was gekomen wat er met hem was gebeurd. Dat haar zus in het kamp was overleden en dat ze alleen was overgebleven. Torgny was al een hele poos aan het woord toen het tot Kristoffer doordrong dat het over zijn eigen familie ging. Hij was opeens afkomstig uit Polen en niet uit Zweden en zijn hele familie was omgebracht. Hoe meer hij te horen kreeg, hoe meer hij in de war raakte en ten slotte vroeg hij om pen en papier om aantekeningen te kunnen maken. Torgny zei dat hij wel iets voor hem had en ging naar de keuken om schrijfgerei voor hem te halen.

'Stel je voor, je bent zes jaar oud en je ziet hoe je moeder door het hoofd wordt geschoten. De man die schoot schijnt gelachen te hebben, hij had met een andere soldaat gewed dat hij haar in het oog kon raken. Het was toeval dat uitgerekend zij het slachtoffer werd.'

Zijn grootmoeder. Ze hadden het over zijn grootmoeder. Zijn moeder had moeten toekijken. Opeens moest hij aan Joseph Schultz denken. Aan de lezing van Jan-Erik Ragnerfeldt. Misschien was iets in hem extra ontvankelijk geweest voor het verhaal, een aangeboren schreeuw om eerherstel.

'Iemand zei dat Halina teruggegaan was naar Polen en misschien is dat wel zo, ze had er dan wel geen familie meer, maar ze kwam daar toch vandaan. Ze sprak de taal vloeiend en er was waarschijnlijk niets wat haar hier hield. Helaas.'

Hij nam een slok bier.

'Waarschijnlijk heeft ze nooit hetzelfde gevoeld voor mij als ik voor haar. Als dat zo was, zou ze me nooit hebben verlaten.'

Hij zweeg en keek naar de grond.

'Het was net of ze in haar schulp kroop wanneer ik mijn gevoelens toonde, alsof ze vond dat ze niet het recht had om het goed te hebben. Ik weet nog dat ik soms het gevoel had dat ze het meest van me hield als ik me het minst van haar aantrok, dan was het net of ze liefdevoller werd, maar als ik dat dan ook werd, kroop ze weer in die schulp.'

Kristoffer zat stil te luisteren. Torgny sprak met peinzende pauzes, wat Kristoffer deed vermoeden dat de herinneringen lang hadden liggen wachten om naar buiten te mogen.

Kristoffer keek naar het boek in zijn handen. Het afgewende vrouwengezicht.

'Je moet niet denken dat je moeder dom was omdat ze problemen had met haar zenuwen, integendeel, waarschijnlijk heb ik nooit een verstandiger mens ontmoet. Wanneer ze gezond was, was ze net een ... een ... ik kan het niet beschrijven.'

Torgny glimlachte en keek om zich heen alsof hij een passende omschrijving zocht.

'Wat hadden we het gezellig als alles goed was, potverdorie, ja. Zoals haar vind je geen tweede, dat weet ik, want ik heb gezocht.'

Hij zweeg en verzonk in gedachten.

Het was een hele poos stil geweest. Kristoffer was ontzettend moe, maar wist dat het gesprek nog niet afgelopen was. Hij moest nog meer horen. Al wist hij niet meer goed wat hij met die informatie aan moest.

'U zei dat mijn vader dat schilderij had geschilderd.'

Hij knikte naar het schilderij en Torgny snoof.

'Die hufter. Gelukkig heeft hij zich op tijd dood gedronken, anders had ik hem nog doodgeslagen.'

'Dus hij leeft niet meer?'

'Nee, allang niet meer en daar mag je blij om zijn. Karl-Evert Pettersson, zo heette hij. Kunstenaar, maar kennelijk zo'n verschrikkelijke zuiplap dat niemand iets met hem te maken wilde hebben. Hij had een kwade dronk en moest dan vechten en treiteren. Hij was toen ook dronken.'

'Wanneer?'

'Toen hij zich aan haar vergreep.'

Kristoffer schoof heen en weer op zijn stoel in een poging het onbehaaglijke gevoel van zich af te schudden. Hij wilde nu niets meer horen. Helemaal niets meer.

'Ze zat model voor dat schilderij, ze zal wel een extraatje hebben willen verdienen. Ze wilde schrijfster worden, maar het is haar nooit gelukt iets aan een uitgeverij te slijten.'

Torgny onderbrak zichzelf, alsof hij een onderwerp had aangesneden waar hij niet op door wilde gaan.

Kristoffer voelde dat er iets op het punt van instorten stond. De fantasieën uit zijn jeugd, de droomwereld waar de hoop in stand gehouden was. De beelden van hoe gelukkig zijn ouders zouden zijn als ze hem eindelijk vonden. Hoe ze tot het uiterste hadden gevochten om hem terug te krijgen.

'Ze was in verwachting toen wij elkaar leerden kennen. Ze was ten einde raad, en ze wilde ... Ja, ik kan het net zo goed eerlijk zeggen, het was toch een verkrachting, maar de nieuwe abortuswetgeving met het recht op zwangerschapsonderbreking en zo, dat had je toen nog niet en daar mag jij wel heel erg blij om zijn.'

Hij werd opeens ontzettend duizelig.

'Maar toen je er eenmaal was, was ze blij met je. Ze was een goede moeder, dat was ze echt, alleen kon ze weleens streng zijn als het niet goed met haar ging.'

Kristoffer probeerde op te staan en hield zich aan de rugleuning van de stoel vast.

'Ze was vast ziek toen ze jou daar in Skansen achterliet, dat zou ze nooit gedaan hebben als ze gezond was.'

Met het boek in zijn hand slaagde hij erin de hal te bereiken.

'Kristoffer.'

Torgny zat nog op het bed, maar Kristoffer had geen energie om te antwoorden. Hij had zijn schoenen nog aan en legde zijn hand op de kruk van de voordeur.

'Laat nog eens iets van je horen, Kristoffer, we kunnen toch nog weleens afspreken samen?'

Hij liep het trappenhuis in en deed de deur achter zich dicht. Hij hoorde een krijsend geluid dat hem door merg en been ging.

Zijn hand trilde toen hij de trapleuning vastgreep, zijn benen leken wel verkrampt en hij kwam haast de trap niet af.

Alles lag aan diggelen.

Zijn verborgen wereld die hem als een verre oase met zijn schittering had gelokt, bleek leeg en verwoest. Loste op en verdween. Al dat eindeloze wachten. Al die verloren seconden. De hoop die hem had voortgedreven. Hoe kon hij accepteren dat het aldoor zinloos was geweest?

Ze hadden hem nooit gezocht, ze hadden hem nooit gemist.

Uit het diepst van zijn hart kwam het verdriet omhoog dat hij altijd had ontkend. Het schreeuwde om genoegdoening en haalde hem onderuit. Met zijn rug tegen de muur van het trappenhuis gleed hij op de vloer.

Hij had het allemaal liever niet geweten!

Nu wilde hij alleen de hoop weer terug.

De broodnodige hoop dat hij nog eens een acceptabele verklaring zou krijgen die hem in staat zou stellen te vergeven.

Ze zatten nog steeds in de bibliotheek toen er werd aangebeld. Het rook al lekker in de keuken, Gerda zou hen zo wel roepen voor het eten. Ze keken elkaar aan toen ze Gerda's klepperende voetstappen door de hal hoorden op weg naar de voordeur. Axel wilde net opstaan toen duidelijk werd wie er had aangebeld.

'Ik kom voor Axel Ragnerfeldt.'

'Die is helaas niet thuis.'

'Die is wel thuis, ik heb hem door het raam gezien.'

Het was een paar seconden stil.

'Hij is helaas bezig.'

'Zeg hem dat ik hem wil spreken. Het is voor zijn eigen bestwil.'

Alice stond op en siste hem toe: 'Je moet erheen. Ga Gerda helpen!'

Axel haastte zich erheen. Hij besefte tot zijn verbazing dat hij bang was. Hij kon zich niet herinneren dat hij sinds zijn kinderjaren ooit zo bang was geweest.

Hij kwam net op tijd bij de voordeur om te zien dat Gerda de deur dicht probeerde te trekken. Halina had zich ertussen gewrongen in een poging binnen te komen, maar het tumult hield meteen op toen ze hem in het oog kreeg.

'Ik wil met je praten.'

Hij zag de wanhoop in Gerda's ogen en besefte dat het nergens op sloeg om haar hiermee op te schepen. Hij knikte naar haar en ze liet de deur los, ze kneep haar lippen op elkaar en liep weg zonder hem een blik waardig te keuren.

Halina stapte de hal in.

'Waar is je vrouw? Die moet er ook bij zijn.'

Hij gluurde over zijn schouder en zag Alice aan het andere einde van de gang naar de woonkamer staan. Hij draaide zich om naar Halina, maar kon bijna niet naar haar kijken. Haar haar zat vol klitten en haar kleren waren vies. En in haar ogen zag hij de blik die er toen voor de uitgeverij ook was geweest; hij had gebeden dat hij die nooit meer zou hoeven zien.

'Ik moet je vragen weg te gaan, ik ben niet geïnteresseerd in wat je te zeggen hebt.'

'Heb je mijn brieven gelezen?'

Hij deed een stap naar voren om haar de deur uit te werken.

'Nee, die heb ik niet gelezen. Ik moet je vragen nu weg te gaan.'

Ze hield zich aan de deurpost vast om op haar plaats te blijven.

'Ik wil alleen ...'

'Het maakt me niet uit wat je wilt!'

Hij wrikte haar vingers los en met zijn hand tegen haar schouder slaagde hij erin haar naar buiten te duwen, iets hardhandiger dan zijn bedoeling was geweest. De angst was geweken en hij laaide van kwaadheid, nu had ze letterlijk een grens overschreden. Hij deed de deur op slot. Ze bleef voor de deur staan, belde aan en schreeuwde. Misschien moest hij Torgny nu bellen, hem vragen of hij haar wilde komen halen, maar wat moesten ze tot dat moment met haar beginnen? De politie was geen alternatief, daar kwam alleen maar meer ellende van, zijn angst voor roddels in de kranten was nog steeds groter dan die voor de vrouw aan de andere kant van de deur.

Het aanhoudende bellen weergalmde door het huis en haar luide geschreeuw drong door sloten en grendels heen. Toen verscheen haar gezicht voor het raam van de hal en hij dook weg uit haar blikveld. Alice stond met haar armen over elkaar in de deur van de woonkamer.

'Laat haar binnen, maak hier een eind aan. De buren kunnen er zo ook van meegenieten!'

'Geen sprake van! Ze zet geen voet in dit huis.'

Alice zei niets, maar liep met een vastberaden uitdrukking op haar gezicht naar de voordeur.

'Dan doe ik het zelf wel.'

'Nee, Alice, hoor je me. Je doet de deur niet open!'

'Deze flauwekul moet toch een keer afgelopen zijn. We moeten maar eens gaan horen wat ze eigenlijk wil.'

Hij probeerde haar tegen te houden toen ze langs hem heen liep, maar ze sloeg zijn handen weg.

Het geluid van de bel hield meteen op toen Alice opendeed. Axel was een meter achter haar blijven staan en zag hoe beide vrouwen elkaar een paar seconden met hun blikken taxeerden.

Toen zette Alice de deur wijd open en ze deed een stap opzij.

'Kom binnen. Maar trek wel uw schoenen uit.'

Alice draaide zich om en liep weg.

'Gerda, wil je koffie serveren in de woonkamer?'

Halina stapte de hal in, trok haar laarsjes uit en glimlachte triomfantelijk naar Axel.

Hij keek Alice na, met haar rechte houding en haar resolute pas. Hij wist exact in wat voor stemming ze was, met haar verbale artillerie was ze erop ingesteld Halina te vermorzelen als een griezelig insect.

Hij deed zijn ogen dicht en streek met zijn hand over zijn gezicht.

Toen ze de woonkamer in kwamen, zat Alice al op de bank. Ze glimlachte even en vroeg Halina poeslief of ze niet wilde gaan zitten. Toen klopte ze even op het kussen van de bank naast zich.

'Schat, kom jij naast me zitten?'

Axel zei niets, maar bleef staan waar hij stond. Met zijn ene arm tegen de schoorsteenmantel. De situatie was zo absurd dat delen van hem nog steeds niet begrepen dat dit echt was.

Halina keek de kamer rond. Alice volgde haar blik alsof ze wilde weten wat ze zag.

'Ik heb Gerda gevraagd of ze koffie wil brengen. U drinkt toch wel koffie?'

Halina knikte.

Alice' superioriteit was evident. Met een onwankelbare rust hield ze de situatie onder controle, terwijl Halina vies en zwijgend in haar fauteuil zat. Alice glimlachte en keek haar even aan voordat ze weer het woord nam.

'Ik heb begrepen dat u geïnteresseerd bent in mijn man, u had hem kennelijk een aantal brieven gestuurd.'

Halina gaf geen antwoord, maar haar ogen schoten vuur. Alice leek zich er niets van aan te trekken.

Gerda kwam binnen met de koffie en het werd stil in het vertrek terwijl ze het dienblad op de salontafel neerzette.

'Misschien is er nog wat cake in huis voor bij de koffie. Hebben we dat, Gerda?'

Gerda stopte midden in een beweging voordat ze knikte en wegliep.

Axel stond gespannen als een veer te wachten op de explosie. Halina kon elk moment het woord nemen en hij wist dat hij zijn woorden met zorg moest kiezen. Hij had al zo lang gelogen dat toegeven nu uitgesloten was. Haar gekte was zijn redding, het schild waarachter hij zich kon verstoppen, wat ze ook zou beweren.

'Wat doet u verder? Werkt u?'

Alice ging op vriendelijke toon verder met de conversatie. Ze klonk alsof ze tegen een klein kind praatte.

'Ik schrijf.'

'Ah, u schrijft ook. Wat voor boeken hebt u zoal geschreven?'

'Ik heb bijvoorbeeld zojuist een novelle geschreven die ik naar het tijdschrift *Artes* wil sturen. Een erotische novelle. Daar kwam ik feitelijk voor.'

Axel slikte. *Artes* was een prestigieus tijdschrift voor kunst, literatuur en muziek dat door onder andere de Zweedse Academie werd uitgegeven. Hoogstwaarschijnlijk zou daarin nooit een novelle worden geplaatst van iemand als Halina, maar het was al erg genoeg als de redactie zou lezen wat ze had geschreven. Want hij begreep meteen om welke erotische gelegenheid het ging.

'Waar gaat die novelle dan over? Ja, zo bedoel ik het niet, dat begrijp ik wel als het erotisch is, maar waarom wilt u er juist met ons over spreken?'

Axel deed zijn ogen dicht. Hij kon het met geen mogelijkheid meer begrijpen. Dat het echt was gebeurd. De onbegrijpelijke macht van de plotselinge gelegenheid. Zo'n kleine vergissing.

Wat gebeurd was, had geen enkele betekenis, het stelde absoluut niets voor.

Maar het had zulke onvoorstelbare consequenties gekregen.

'Omdat die over Axel en mij gaat.'

Hij keek naar Alice. Ze glimlachte nog steeds. Hij deed zijn mond open om de bewering te ontkennen, maar Alice was hem voor.

'U bedoelt die nacht in Västerås?'

Voor het eerst leek Halina te aarzelen, maar toen ging Alice door en Halina herwon haar houvast.

'Die u bij elkaar hebt gefantaseerd.'

Halina glimlachte en keek Axel aan.

'Heb jij dat gezegd, dat ik dat bij elkaar gefantaseerd heb?'

Axel, die nog geen woord had gezegd, moest even zijn keel schrapen voordat hij het woord nam.

'Je weet net zo goed als ik dat er niets is gebeurd in Västerås. Torgny was hier en vertelde dat je alleen je medicijnen maar hoeft in te nemen, dan ben je van al die waandenkbeelden af.'

Halina leunde schaterend achterover.

Op dat moment kwam Gerda terug.

Halina stak haar hand in haar jas en haalde een stapel opgevouwen blaadjes tevoorschijn die ze Alice over de goed gevulde cakeschaal heen overhandigde.

'Leest u dit maar, dan kunt u daarna beslissen wie van ons u wilt geloven. Hij vindt het fijn als je je mond gebruikt, maar dat wist u hopelijk al. En verder heeft hij een schattige moedervlek in zijn lies, het lijkt wel een hartje.'

Naderhand wist Axel zich alleen brokstukken te herinneren van de minuut stilte die volgde. Hij herinnerde zich Alice' gezicht, Gerda's voetstappen die in het parket bleven steken, Halina die genoot van haar wraak. Hij herinnerde zich vaag dat de telefoon rinkelde en dat ze geen van allen aanstalten maakten om op te nemen. Zelf zei hij niets. Hij had alles kunnen ontkennen, elke bewering had hij kunnen pareren door zich te verstoppen achter het alibi dat Torgny hem had gegeven. Maar hij stond machteloos tegenover het feit dat ze wist van het hartvormige moedervlekje in zijn lies, dat ooit het intieme liefdesteken van hem en van Alice was geweest.

Halina verbrak het zwijgen. Aan Gerda's verlamming kwam een eind en ze verdween naar de keuken.

'Eerst wilde ik er dus mee naar *Artes*, maar ze betalen daar niet zo goed. Er zijn andere tijdschriften die heel wat scheutiger zijn, maar ik heb nog niet echt besloten. Ik wilde u ook een stem in het kapittel geven.'

Axel keek Alice aan. Ze zat met haar handen op haar schoot en haar rug was niet meer recht. De zelfverzekerde aura was verdwenen en gebroken sloeg ze haar ogen neer, als een laatste bevestiging van haar vernedering.

Halina was haar de baas.

'Waarom doe je dit?'

Axel wist de woorden met moeite uit te spreken, hij wilde zich er niet eens toe verlagen met haar te praten. De afkeer die hij voelde, vervormde zijn stem.

Halina stond op en stopte de blaadjes in haar jas.

'Omdat je me pijn hebt gedaan, arrogante kwal die je bent. Ik heb genoeg ellende meegemaakt, ik laat me door niemand ongestraft zo behandelen. Jij met je mooie woorden en je dure volzinnen. Ik kan het niet uitstaan dat mensen jou als een soort übermensch beschouwen terwijl je in werkelijkheid maar een laffe stumper bent. Je moet maar eens voelen hoe het is om door het slijk gehaald te worden. Ik verzeker je, Axel Ragnerfeldt, dit is nog maar het begin.'

Jan-Erik legde de laatste brief terug in de doos en leunde achterover. Met stijgende verbijstering had hij de enveloppen open geritst en de inhoud gelezen. Hij was er inmiddels van overtuigd geraakt dat zijn vader daadwerkelijk een minnares had gehad. Geen van de brieven was gedateerd, maar met behulp van het poststempel had hij geprobeerd ze te sorteren om ze in een enigszins chronologische volgorde te lezen. De vroege brieven waren pure liefdesbrieven, sommige waren staaltjes van poëtische romantiek, andere borrelden over van wellust. Van sommige passages kreeg hij rode oren wanneer hij zich voorstelde dat het over zijn vader ging, maar langzamerhand was de toon veranderd. Er sloop een vijandige bijbetekenis de regels binnen en de laatste brieven waren bijna dreigend. Een herhaalde waarschuwing dat ze een novelle zou publiceren als Axel niet op de aangegeven plaats zou verschijnen.

Hij vroeg zich af waarom Axel de brieven niet had gelezen. Of hij had geprobeerd de affaire te beëindigen door haar botweg te negeren. Had zijn moeder hiervan geweten? Het drong tot hem door dat dat misschien de werkelijke verklaring was dat ze ieder op een verdieping woonden toen hij terugkwam uit de Verenigde Staten. Van hun duidelijke afkeer van elkaar.

Hij had gevreesd dat hij de bevestiging zou vinden dat er uit die verhouding een buitenechtelijke zoon was geboren, maar hij had dankbaar geconstateerd dat daarover in geen van de brieven werd gesproken. Toch was hij er nog niet helemaal gerust op. Het merkwaardige verhaal van Kristoffer Sandeblom bleef door zijn hoofd spoken. Een vondeling. Uitgerekend in de periode dat zijn vader een affaire had gehad. Zijn vader die de relatie aantoonbaar had verbroken en contact geweigerd had, de overduidelijke wanhoop die uit de brieven sprak. Gerda, die Kristoffer had opgenomen in haar testament. Het geld dat ze hem al die jaren had gestuurd, terwijl ze niet rijk was geweest. Vermoedelijk had ze gedeelten gebruikt van het bedrag dat de BV Ragnerfeldt haar al die jaren had betaald. Hij verwierp die gedachte weer, zag het onlogische ervan in. Waarschijnlijk was het allemaal gewoon een wonderlijke samenloop van omstandigheden. Hij had ervan gehoord net op het moment dat hij Axels oude liefdesbrieven had gevonden en toen was zijn fantasie met hem op de loop gegaan. En een kater was ook niet erg bevorderlijk voor het logisch denkvermogen.

Maar toch.

Hij besefte wat voor consequenties een onbekende halfbroer of -zus zou hebben wanneer de erfenis zou moeten worden verdeeld. Onder geen beding wilde hij delen met een plotseling opduikende bastaard. Híj had het kapitaal beheerd, hij had gezwoegd om de vraag op peil te houden, en bovenal: hij had het met die ouwe moeten zien uit te houden al die jaren. Het was al erg genoeg dat er rechtstreeks iets aan Louise was vermaakt.

Hij stond op en zette de doos weer in de kast. Weer had hij zich laten afleiden en hij had nog steeds geen foto van Gerda gevonden. Het was inmiddels al donker buiten en het werd hoog tijd om naar huis te gaan. Hij moest Marianne Folkesson maar bellen om te zeggen dat er geen foto was.

Hij liep een rondje door het huis om te zien of alles in orde was. Er brandde licht in de bibliotheek en hij controleerde of de timer goed was ingesteld, zuchtte toen hij de zee van boeken zag die wachtte om gesorteerd te worden. Misschien was een museum toch wel een goed idee, dan kon hij alles zo laten staan. Hij bleef staan bij de foto van Annika. Hij zag voor zich hoe ze wanhopig en alleen op de stoel klom in Axels werkkamer. Een meisje van net vijftien dat haar leven nog voor zich had moeten hebben.

Hij streek met zijn vinger over het gezicht achter het glas.

'Ik mis je, weet je dat?'

In de badkamer op de bovenverdieping vond hij een paar hoofdpijntabletten die hij met zijn mond onder de kraan doorslikte. Hij had een vieze smaak in zijn mond. Aan een oude tube verdroogde tandpasta had hij weinig, maar er stond ook een fles mondwater in het badkamerkastje. Hij sprenkelde een paar druppels rechtstreeks op zijn tong en trok een lelijk gezicht toen het prikte. Hij stopte de fles in zijn zak, hij wilde niet met een kegel thuiskomen.

Louise had nog steeds niets van zich laten horen.

De taxi was Danvikstull net gepasseerd toen zijn mobiel ging. In de hoop dat het Louise was, haalde hij hem snel tevoorschijn, maar teleurgesteld zag hij dat er een vreemd nummer op de display stond.

'Ja, met Jan-Erik Ragnerfeldt.'

'Dag meneer Ragnerfeldt. U spreekt met Gunvor Benson van de Noordse Raad. Bel ik gelegen?'

'Ja, hoor.'

'Ik heb namelijk de bijzonder plezierige taak om u mee te delen dat u unaniem bent gekozen als winnaar van de literaire prijs van de Noordse Raad van dit jaar.'

Jan-Erik was letterlijk met stomheid geslagen. Het bericht was zo verrassend dat eerst niet tot hem doordrong wat hij had gehoord.

'Het is voor het eerst dat de prijs aan een niet-schrijver wordt toegekend, maar naar onze mening is datgene wat u in het kielzog van het unieke schrijverschap van uw vader hebt bereikt, zo bewonderenswaardig dat we daar aandacht aan willen schenken.'

'Ja, ja. Goh.'

Ze passeerden het Londonviaduct en hij staarde naar een gigantische veerboot uit Finland zonder zich te realiseren waar hij naar keek.

'Bij de prijs hoort een geldbedrag van driehonderdvijftigduizend Deense kronen.'

'Allemachtig!'

'Wilt u misschien de overweging van de Raad horen?'

'Ja, graag.'

Ze begon voor te lezen.

'Omdat Jan-Erik Ragnerfeldt met zijn gedreven lezingen en

humanitaire hulpprojecten de woorden van een unieke schrijver in daden omzet.'

'Sjonge.'

Iets anders wist hij niet uit te brengen.

De vrouw aan de andere kant van de lijn moest er even om lachen.

'U klinkt verbaasd.'

'Ja, het is ook een hele verrassing, dat kan ik u wel zeggen.'

'Ik bel u nog om een datum af te spreken voor de plechtige uitreiking, want we willen natuurlijk graag dat u de prijs zelf in ontvangst komt nemen. Dan wil ik alleen nog zeggen dat we uw naam pas vlak voor de prijsuitreiking bekend zullen maken, dus ik moet u vragen er voorlopig nog niet over te praten.'

'Natuurlijk, dat spreekt vanzelf.'

'Ik heb uw e-mailadres, dus ik zal u mijn gegevens sturen, voor het geval u vragen mocht hebben. En van harte gefeliciteerd.'

'Dank u wel, ik weet niet wat ik moet zeggen, maar ik ben er natuurlijk heel erg blij mee.'

Dat was ook zo. Toen ze het gesprek hadden beëindigd bleef hij met een brede glimlach op zijn lippen zitten. Voor het eerst in lange tijd voelde hij hoe een grote, onstuimige vreugde zich door zijn lichaam verspreidde.

Hij liet de laatste druppels mondwater op zijn tong vallen, voor hij de deur van het appartement opende. Hij had weer vertrouwen in de toekomst en hij voelde zich opgewekt. Hij zou Louise vertellen van zijn succes, ervoor zorgen dat zijn onderscheiding een keerpunt werd. Hij zou echt iets doen aan zijn drinkgewoonten en meer tijd besteden aan zijn gezin.

Het was stil in het appartement, maar er brandde wel licht.

'Hallo?'

Hij zette zijn bagage neer en hing zijn jas op.

'Hallo.'

Dat was Ellens stem. Jan-Erik liep naar haar kamer en bleef in de deuropening staan.

'Hoi.'

'Hoi.'

Ze zat achter de computer. Jan-Erik liep erheen om te zien wat ze aan het doen was. Een in het zwart geklede vrouw met een wespentaille en enorme borsten slachtte vijanden af in een gebied waar niets meer overeind stond. Ellen timmerde met haar vinger op het toetsenbord in hetzelfde razende tempo waarmee op het beeldscherm de schoten werden gelost.

'Nou, dat lijkt me niet zo'n heel gezellig spelletje.'

'Ach, hou op.'

Hij zweeg, bang om de ergernis van zijn dochter op te wekken. Jan-Erik deed een paar stappen naar achteren en ging op het bed zitten. Ellen ging door met het spel en nam geen notitie van hem. De getergde kreten werden muzikaal begeleid met een suggestief loopje.

'Waar is mama?'

'Ze is naar bed gegaan. Ze had hoofdpijn.'

Er spatte bloed op het beeldscherm, het was een verbluffend realistische animatie.

'Hoe was het op school vandaag?'

'We hadden een studiedag.'

'O, je was dus vrij?'

Ellen gaf geen antwoord. Het gevecht op het scherm ging door.

Jan-Erik vond de situatie onplezierig. Zoals zo vaak merkte hij hoe moeilijk het was om met zijn dochter te communiceren. Waar praatte je over met een kind van twaalf? Haar wereld was voor hem even verborgen als die van een buitenaards wezen.

'Zal ik je een geheim vertellen?'

'Mmm.'

'Maar je mag het tegen niemand zeggen.'

De ene vijand na de andere werd neergemaaid en geliquideerd.

'Ik krijg een hele mooie prijs, voor al het werk dat ik doe met opa's boeken en zo. Je weet wel, die artsenposten en andere dingen die ik heb opgezet.'

'Ja, ja.'

Hij had net zo goed kunnen vertellen dat hij af en toe een boterham at. Ellens totale gebrek aan belangstelling leek oprecht. Ze deed niet eens alsof ze ervan onder de indruk was.

'De literaire prijs van de Noordse Raad, heet het, een fantastische prijs. Driehonderdvijftigduizend kronen. Die hebben vóór mij alleen schrijvers gekregen.'

De muziek van het computerspelletje maakte een tempowisseling door. De in het zwart geklede vrouw bevond zich in een soort kerk, maar dat deed niets af aan haar vechtlust. De slachting ging gewoon door.

Jan-Erik stond op.

'Heb je al gegeten?'

'Ja.'

Hij verliet haar kamer zonder nog iets te zeggen.

De deur van de slaapkamer zat dicht. Hij luisterde eraan voordat hij hem voorzichtig op een kier openzette en naar binnen keek. Ze lag op haar zij met haar rug naar hem toe. Hij stond een poosje zwijgend af te wachten, maar er gebeurde niets.

'Slaap je?' fluisterde hij.

Hij kreeg geen reactie.

Zo stil mogelijk trok hij de deur dicht en hij liep naar de keuken. Al het eten was opgeruimd en hij deed de koelkast open, er stonden geen restjes, dus hij maakte een boterham met smeerworst klaar. Pas nu kon hij weer aan eten denken.

Hij zou zich nooit meer bezatten. Dat meende hij nu de kater van vandaag net weer over was, maar met de herinnering eraan nog vers in zijn geheugen.

Toen hij klaar was met eten ging hij in zijn werkkamer zitten. De stapel post was gegroeid en hij besteedde een half uur aan het doornemen van de dringende dingen. De brieven van lezers, geadresseerd aan Axel Ragnerfeldt, legde hij opzij; op dit moment was hij niet erg in de stemming om aan diens voortreffelijkheid te worden herinnerd.

Plotseling schoot hem te binnen dat hij vergeten was om Marianne Folkesson te bellen. Het was net negen uur geweest, hij kon nu nog wel bellen. Hij zocht haar op in het telefoonboek van zijn mobiel.

'Marianne.'

'Hallo, met Jan-Erik Ragnerfeldt. Ik wilde even zeggen dat ik helaas geen foto van Gerda heb kunnen vinden.'

'O nee?'

'Nee, ik heb overal gezocht.'

'Oké, dan moet ik de foto gebruiken die ik in haar appartement heb gevonden, ook al is die wat wazig. Maar toch bedankt dat u het hebt geprobeerd.'

'Geen dank, dat is wel het minste wat ik kon doen. Maar helaas.'

'We hebben ons best gedaan. Dan zien we elkaar overmorgen.'

'Ja, precies.'

Jan-Erik sprak de woorden langzaam uit. Hij wilde nog meer met Marianne bespreken, maar dat signaal pikte ze niet op.

'Tot ziens dan maar.'

Ze wilde ophangen, maar dat wist Jan-Erik net op tijd te voorkomen.

'Zeg, nu ik u toch aan de lijn heb, gewoon uit nieuwsgierigheid. Die Kristoffer Sandeblom, die me gisteren na mijn lezing kwam opzoeken. Bent u al iets meer aan de weet gekomen over waarom Gerda hem in haar testament heeft opgenomen? Wat er voor band tussen hen bestaat, bedoel ik?'

'Geen idee, maar ik ben vandaag nog in haar appartement geweest om een paar spullen te halen voor de begrafenis. Ik heb een brief gevonden die ze voor hem had achtergelaten.'

'Een brief?'

'Ja, die heb ik vandaag op de bus gedaan, dus die heeft hij morgen.'

'En u weet niet wat dat voor brief was?'

'Nee, geen idee. Ik heb hem natuurlijk niet opengemaakt.'

'Hm.'

'We moeten hem er op de begrafenis maar naar vragen. Ik

moet toegeven dat ik intussen zelf ook nogal nieuwsgierig ben geworden.'

Toen beëindigden ze het gesprek, dat Jan-Eriks gevoel van onbehagen er niet minder op had gemaakt. Hij kon zichzelf wel voorhouden dat het allemaal erg onwaarschijnlijk was, maar dat was Annika's zelfmoord ook geweest voordat hij daar het bewijs van had gekregen.

Er stond een half glas water op tafel en hij goot het leeg in een van de bloempotten op de vensterbank, stond op en haalde de fles achter de boeken in de boekenkast vandaan.

Hij had beloofd dat hij niet weer dronken zou worden. Maar dat wilde niet zeggen dat hij niet nog een klein drupje whisky mocht nemen.

ALICE ZAT OP DE BANK tv te kijken. Een onbegrijpelijk programma over een rijke Amerikaanse vrouw die zich wilde laten opereren, zodat ze op een kat zou lijken. Sinds er kabel-tv was geïnstalleerd in huis had ze zo veel merkwaardige dingen gezien dat ze niet meer wist wat ze van de mensheid moest denken. Maar bij gebrek aan ander gezelschap stond de tv meestal aan en tussendoor kwam er weleens iets wat aardig was om naar te kijken.

Ze had de hoop al bijna opgegeven toen de telefoon ging. Ze had de hele dag geprobeerd Jan-Erik te bereiken in verband met haar afspraak in het ziekenhuis de volgende dag. Deze keer wist ze het zeker, het was geen verbeelding, er was iets vreemds aan de hand in haar lichaam. Ondanks haar ongerustheid keek ze uit naar het onderzoek, alsof ze een spannend avontuur zou gaan beleven.

De telefoon rinkelde nog eens, maar ze hoefde niet op te staan, het toestel stond vlak bij de bank. Ze zette het geluid iets zachter met behulp van de afstandsbediening.

'Jan-Erik?'

Hij viel met de deur in huis.

'Ik moet je wat vragen over een paar andere dingen die ik in papa's kast heb gevonden.'

Geen begroeting, geen 'hoe gaat het met je?' Jan-Eriks stem klonk kortaf en stug en ze vond het vervelend als hij zo praatte. Hun vorige gesprek hing er nog, ondanks al haar inspanningen om het te verjagen. Zijn beschuldigende blikken brandden op haar netvlies, even duidelijk alsof hij het verwijt had uitgesproken.

Wat Annika heeft gedaan, is jouw schuld, het komt door jou dat ze niet meer wilde leven. Als moeder had je de verantwoordelijkheid om te voorkomen wat er is gebeurd.

En Axel dan?! had ze willen schreeuwen, waarom droeg Axel geen schuld? Axel, die met niemand rekening had gehouden, zich alle rechten had toegeëigend en daarmee de basis voor haar falen had gelegd.

Hij had alles gekregen.

Echt alles.

Een onneembaar pantserschip dat eerzuchtig was opgestoomd en onbekommerd had toegekeken hoe iedereen om hem heen ten onder was gegaan.

Maar ze had gezwegen, ze had niet geschreeuwd. Ze had Jan-Erik laten gaan met zijn verwijt. Alleen de verwijten die ze zichzelf maakte, zaten er nog en nestelden zich steeds dieper in.

'Wat doe je daar in die kast te wroeten, je vindt er toch alleen maar narigheid.'

'Het gaat om brieven van iemand die Halina heet. Ken jij die?'

De naam trof haar als een stomp in haar middenrif. Die was in geen jaren meer uitgesproken. Ze waren stilzwijgend overeengekomen om hem uit de stoffelijke wereld weg te vagen. Maar intussen was hij uitgegroeid tot een kankergezwel. Nu, eenendertig jaar later, wist ze nog steeds het fijne niet van hun relatie. Of het alleen bij die ene keer in Västerås was gebleven, of dat de verhouding van langere duur was geweest.

Naderhand, toen alles onbelangrijk was geworden, had ze het niet meer willen weten.

De routines die ze als in een nevel weer hadden proberen op te bouwen om de waarheid te temmen. Een dwangmatige behoefte om het leven in een rooster te passen, om de consequenties te bezweren. Maar hoe pak je de draad op van een leven waarvan je niet eens weet of je het wel wilt?

'Nee, die naam zegt me niets.'

'Het zijn brieven uit de jaren zeventig. Maar jij hebt dus nog nooit van die Halina gehoord?'

'Nee.'

Hij had de brieven bewaard! Echt iets voor Axel! Ze moest nog een keer naar het huis om te kijken of die idioot nog meer dingen had bewaard die nooit gevonden mochten worden.

'Ze waren niet opengemaakt, dus hij kan ze niet eens hebben

gelezen. Ik dacht dat jij misschien zou weten wie het was.'

'Nee, dat weet ik niet.'

Nu had ze haar drie keer verloochend.

En voor Alice' geestesoog kwam ze telkens meer tot leven.

Alles was zo onwerkelijk geweest. Een seconde van haar leven die plotseling van beslissende betekenis was geworden. Een stuk tussen haakjes dat er opeens uitgelicht werd en titel mocht worden.

Het was zo'n doodgewone dag geweest, totdat Halina had aangebeld. Afgezien van het uurtje in de bibliotheek. Er was niets waaraan je kon merken dat het aftellen was begonnen, dat het gewone leven bijna was afgelopen. Ze zouden straks gaan eten, ze zou naar *De Jordaches* kijken op tv, alles was zo volkomen alledaags geweest.

Een miniem moment van waanzin.

Ze was zo bang geweest. Zo verschrikkelijk bang. Niet op het moment zelf, toen Axel achter Halina aan holde naar de hal en zij met haar vernedering op de bank bleef zitten. Niet toen ze de verdere dreigementen van Halina hoorde over wat ze allemaal van plan was te gaan doen om hun leven te verwoesten. Niet toen ze opstond, niet toen ze de zware zilveren kandelaar pakte en naar de boze stemmen toe liep en zelfs toen ze met de kandelaar in haar hand op het roerloze lichaam van Halina stond neer te kijken, was ze nog niet bang geweest.

Alleen verbaasd. Ze had naar de handen gekeken die de kandelaar vasthielden en ze had zich erover verbaasd dat het haar handen waren. Ze hadden haar instinct gevolgd, dat even oeroud was als de mens, de bereidheid om te doden en zo te beschermen wat van ons is.

Dat vermogen had ze zonder het zelf te weten in zich gehad.

Ze had zoveel opgeofferd en daar zo weinig mee bereikt. Een leven in de schaduw van degene die ze bewonderde. Voor dat weinige was ze in staat gebleken te doden.

Zelfs toen was ze nog niet bang.

Gerda's wanhoopskreten. Geluidloos stuitten ze op haar trommelvliezen, die niet meer functioneerden. Ze kon aan Gerda's gezicht zien dat er iets vreselijks was gebeurd.

Axel had zich naast Halina op de grond laten zakken.

'Wat heb je gedaan? Wat heb je gedaan? Wat heb je gedaan?'

Als een mantra werd die vraag herhaald en pas toen ze het geluid van Axels stem hoorde, was de angst binnengeslopen. De vreselijke angst voor het onherroepelijke.

Verschrikt had ze naar zijn handen gekeken, die Halina wakker wilden schudden in een poging de toekomst te redden. Naar de lege ruimte die ontstond toen zijn inspanningen vergeefs waren.

Het besef drong keihard tot haar door. Als een heipaal werd het erin geramd en het dwong haar op de knieën. In de momenten die volgden kwijnde het weinige wat er nog over was weg. Dit was onvergeeflijk.

De man, wiens kinderen ze had gebaard, had van haar een moordenares gemaakt.

Ze schrok toen ze Jan-Eriks stem in de hoorn hoorde.

'Oké, ik vroeg het me gewoon af. Ik had je bericht op de voicemail gehoord, ik haal je morgenochtend om tien over acht op.'

Toen Louise haar ogen opendeed was het al licht. Ze was al een poosje wakker, ze had naar de geluiden in de flat liggen luisteren, maar zich schuilgehouden achter gesloten oogleden. Pas toen de voordeur was dichtgeslagen en het stil was geworden, was ze bereid tevoorschijn te komen. Wanneer ze niemand meer zou zien.

Ze bleef nog een hele poos liggen, ze zag geen reden om op te staan.

Drie dagen waren verstreken sinds ze haar ware gezicht had getoond. Toen het verdriet haar te veel was geworden. Toen het eruit kwam, pal voor de ogen van haar medespeler in de klucht die ze al zo lang opvoerden. Met al die vanzelfsprekende teksten. Ze had verbijstering teweeggebracht door plotseling uit haar rol te vallen.

Ze wilde alleen maar contact. Ze had het laatste beetje zelfrespect opgeofferd en gesmeekt om zijn aandacht.

Zijn onuitgesproken antwoord kon maar één ding betekenen.

Hij liet de stilte voor zich spreken.

Ze was niemand.

Ze was niets.

Niet de moeite waard om op te reageren.

De hele nacht had ze wakker gelegen. Toen ze hem in de hal hoorde, had ze snel het nachtlampje uitgeknipt en toen hij vervolgens de deur van hun slaapkamer op een kier opendeed, had ze net gedaan of ze sliep. Ze wilde hem niet onder ogen komen in de ondergeschikte positie waarin ze nu terechtgekomen was. Ze wilde gewoon weg.

Weg van alles wat op niets uitgelopen was.

Gisteren was het allemaal nog erger geworden. Voor het eerst in meer dan vijftien jaar was hij uit haar fantasieën getreden en opeens in haar blikveld verschenen. Haar ex, de man die haar had verlaten, maar haar dromen niet. In de jaren met Jan-Erik had ze hem steeds meer geïdealiseerd.

Een tafeltje bij het raam in een restaurant. Twee kinderen en een mooie vrouw. Ze lachten samen en luisterden aandachtig naar elkaars opmerkingen. Ze zaten daar met elkaar en gedroegen zich als een echt gezin.

Zij stond aan de andere kant van de straat, stiekem om het hoekje van een portiek. Ongezien had ze staan kijken en bedroefd kunnen constateren dat hij had gevonden wat ze zelf altijd had gezocht. En wat ze hem indertijd ook had willen geven, als hij haar had laten blijven.

Als hij haar had willen hebben.

Misschien mankeerde er iets aan haar. Iets wat ze zelf niet wist. Iets wat ze deed zonder dat ze er erg in had. Stonk ze? Maar ze douchte elke dag. Waren de dingen die ze vertelde niet interessant genoeg? Ze probeerde anders wel bij te blijven. Had ze een afstotelijk lichaam? Maar ze zag er beter uit dan veel van haar leeftijdgenoten.

Ze wist niet wat het was, maar er was wel iets mis met haar, iets waardoor mannen onmogelijk van haar konden houden.

Ze ging op haar zij liggen, kroop in elkaar en trok het dekbed op. Ze probeerde zichzelf voor te houden dat het zin had om op te staan. Het enige waar ze naar uitkeek was het glaasje wijn dat ze altijd 's avonds na het eten nam, op de bank voor de tv. Voordat het zover was, moest ze weer een lange dag zien door te komen.

Er lag een briefje op de keukentafel. Hij was naar het Sophiagasthuis met Alice. Ze vroeg zich af wat er nu weer onderzocht moest worden, welk lichaamsdeel zich op dit moment in de belangstelling van haar schoonmoeder mocht verheugen. Ze was dankbaar dat zij haar ditmaal niet hoefde te brengen.

Ze stond naar het koffiezetapparaat te kijken toen de telefoon ging en ze vroeg zich af of het de moeite waard was om op te nemen. Het draadloze toestel lag op de keukentafel en ze herkende het nummer op de display niet. Iemand uit Göteborg. Ze legde de telefoon neer, maar het ding bleef bellen. Ten slotte nam ze toch maar op.

'Louise Ragnerfeldt.'

Een klik aan de andere kant. Dat was nu al de derde keer. Aangenomen dat er niets mis was met de telefoon, had er de laatste dagen iemand gebeld die ophing zodra ze opnam. Ze had gehoord dat telemarketeers soms meer potentiële kopers tegelijk belden en wie het eerst opnam, daar praatten ze dan mee. Geërgerd liep ze terug naar het koffiezetapparaat. Uit principe kocht ze nooit iets van iemand die haar in haar eigen huis lastigviel.

Ze had niet veel trek, maar ze vulde een schaaltje met cornflakes en melk. Ze had geen zin in koffie, ook niet in de krant, en las wat er op het melkpak stond.

Gevleugelde woorden.
Moed: het vermogen om te handelen zonder angst voor de gevolgen, gewoonlijk met een nobel oogmerk en in het volle besef van de risico's.
Dat geeft de burger moed.
In arren moede – in gramschap, toorn; (thans meestal) ten einde raad door teleurstelling of verontwaardiging.

Ze legde haar lepel neer en keek uit het raam. Als zij moedig was geweest, zou alles anders zijn. Dan zou ze in staat zijn de plaats te verlaten waar ze was verworden tot een schim van de vrouw die ze wilde zijn. Al haar verwachtingen. Al haar dromen. Ze had ze allemaal gehoorzaam ingepakt en opgeborgen op een plek die ze nu niet meer kon vinden.

Maar ze was niet moedig.

Ze had tegen haar therapeut gezegd dat ze niet meer zou komen. Ze kon er niet meer tegen om zichzelf te horen vertellen wat ze moest doen om daarna naar huis te gaan, te laf om haar eigen goede raad op te volgen.

Weer ging de telefoon. Zonder op de display te kijken nam ze op.

'Ja, hallo?'

Er kwam geen reactie, maar ze hoorde dat er iemand aan de lijn was. Hielden die verkopers nou nooit op?

'Met wie spreek ik?'

'Ik ben op zoek naar Jan-Erik.'

Een vrouwenstem.

'Die is er niet, kan ik iets doorgeven?'

Het bleef even stil, maar niet lang.

'Ja, graag. Dat Lena uit Göteborg heeft gebeld. En of hij terug wil bellen.'

Louise zat nog met de telefoon bij haar oor toen ze hoorde dat de verbinding werd verbroken. Lena uit Göteborg die op zoek was naar Jan-Erik. Geen achternaam nodig. Telefoonnummers al uitgewisseld.

Peinzend legde ze de telefoon neer. Was hij een paar dagen geleden niet in Göteborg geweest? Toen hij Ellens toneelstuk had gemist? Ze pakte de telefoon en liep de gesprekken van de afgelopen dagen langs. Zeven keer kwam hetzelfde nummer uit Göteborg voorbij. Zeven keer had Lena gebeld. Ook een half uur geleden, toen er was opgehangen.

Ze leunde achterover en verbaasde zich over haar eigen reactie. Ze voelde geen woede, geen wanhoop. Ze was alleen verbaasd, bijna opgelucht dat ze een verklaring had gekregen.

Het was geen verachting die hij haar toonde.

Hij hield gewoon van iemand anders.

Ze stond op en met haar pas verworven kennis ging ze naar de badkamer. Ze douchte, maakte zich op en kleedde zich aan. Haar stemming was veranderd. Het was misschien overdreven om te zeggen dat ze vrolijk was, maar ze kon plotseling gemakkelijker ademhalen, alsof de lucht lichter was, en haar voetstappen waren niet meer zo zwaar. Het was alsof de wetenschap dat Jan-Erik een minnares had, haar eer had hersteld. Ze was uit haar ondergeschikte positie opgekrabbeld, gesterkt doordat ze nu zelf een verwijt had om mee te schermen. Ze stond er zelf versteld van, zo onlogisch was het. Dat alle gevoelens van teleurstelling en verbittering uitbleven. Belangrijker was het dus niet. Alleen al het feit dat er iets bijzonders was gebeurd, dat iets haar uit de gewone grijze sleur had gehaald, woog op tegen de vernedering dat ze het moest afleggen tegen Lena uit Göteborg. Zo ver was het dus al gekomen. Ze had het dieptepunt bereikt.

Ze trok haar jas aan en ging naar buiten. Ze besloot de winkel nog een dag dicht te laten. Ze hield het daar niet meer uit. Al die eenzame uren achter de toonbank, wachtend op een oppervlakkig gesprek met een van de weinige klanten die de weg naar haar boetiekje wisten te vinden.

Ze ademde de frisse lucht in. Ze zoog haar longen ermee vol en probeerde zichzelf wijs te maken dat de moed waaraan het haar nu nog ontbrak binnen handbereik lag.

Haar benen liepen in de richting van Djurgården en ze liet zich gewillig meevoeren. Over de Djurgårdsbrug sloeg ze links af en volgde de weg langs het kanaal. Ter hoogte van Kaptensudden hoorde ze haar mobiel. Ze nam niet op en liep door, maar toen kwam de piep van een berichtje dat was achtergelaten. Het zou Ellen geweest kunnen zijn. Ze haalde haar telefoon tevoorschijn en zag het nummer van hun vaste telefoon, ze belde haar voicemail en werd begroet door de stem van Jan-Erik.

'Hallo, met mij, ik ben weer thuis. Ik ben nog bij de boetiek langsgegaan maar daar was je niet. Waar zit je? Weet je, slecht nieuws dit keer bij het Sophiagasthuis. Ze hebben nu echt iets gevonden en kennelijk is het nogal ernstig. Mijn moeder is nu weer thuis, maar overmorgen wordt ze geopereerd. Bel me als je dit hoort. Hoi.'

Ze bleef staan en drukte het gesprek weg. Was Alice ziek? Echt? Dat was een schokkend bericht. Al die jaren had Alice hen geplaagd met haar ingebeelde kwalen, zo lang en zo veelvuldig dat ze niet meer in een echte ziekte geloofden. Nu had ze dus toch gelijk gekregen. Met een steek van schuldgevoel stopte ze de mobiel in haar zak, ze keerde om en ging op weg naar de flat van Alice.

Ze wilde haar eigen sleutel gebruiken, maar met haar hand bij het slot veranderde ze van gedachten. Ze belde aan. Als Alice sliep, wilde ze haar niet overvallen, hun band was niet van dien aard dat die dergelijke intimiteiten toeliet.

Alice was snel bij de deur en deed open.

'Nee maar, Louise, wat leuk, kom binnen.'

Louise wist niet wat ze had verwacht, maar niet de verschijning die hier voor haar stond. Fris en nuchter met een gebloemde schort voor stapte Alice opzij om haar binnen te laten.

'Ben je niet in de boetiek?'

Louise hing haar jas op.

'Ik hou hem vandaag dicht. Jan-Erik belde om te vertellen van het onderzoek.'

'Ja, het ziet er kennelijk niet zo mooi uit, kom verder. Maar daar hoefde je de winkel niet voor te sluiten.'

Louise raakte van haar apropos. De Alice die nu tegenover haar stond, had ze nooit eerder ontmoet. Louise had zich onderweg hierheen voorbereid op verwijten dat ze nooit in haar ziektes hadden geloofd. Ze had al voor zich gezien hoe Alice triomfantelijk in bed lag, zwelgend in zelfmedelijden en klaar om iedereen schuldgevoelens aan te praten.

Alice verdween in de keuken, nadat ze Louise met een gebaar naar de woonkamer had verwezen.

'Wil je koffie?'

'Nee, dank u.'

Louise ging met haar blik over de rommel die ze in de kamer aantrof. Alles was overhoopgehaald en alle horizontale vlakken stonden vol met boeken, stapels papieren, tijdschriften en siervoorwerpen.

Alice kwam uit de keuken met een doos in haar handen.

'Ik ben een beetje aan het opruimen. Kijk maar eens om je heen of er iets bij zit wat jullie willen hebben. De rest wilde ik iemand laten ophalen.'

Alice pakte een glazen paardje op.

'Ik weet dat Ellen hier dol op was toen ze klein was. Misschien wil ze die als aandenken.'

Louise keek haar aan. Het viel haar op hoe kwiek haar bewegingen waren en hoe haar ogen glinsterden.

Alice' oog viel op een van de schilderijen aan de muur.

'Volgens mij vindt Jan-Erik dat een mooi schilderij. We hadden het in Nacka in de woonkamer hangen. Dat wil hij vast graag hebben, en anders brengt het altijd wel een paar kronen op.'

'Loopt u nu niet wat te hard van stapel?'

Alice zette de doos neer en keek om zich heen alsof ze het niet had gehoord.

'Wat zei de dokter?'

'Joost mag het weten, ze gebruiken zoveel moeilijke woorden dat geen mens begrijpt wat ze eigenlijk bedoelen. Maar ze keek er bezorgd bij en ze wil overmorgen een kijkoperatie uitvoeren. En dit!'

Alice ging bij de boekenkast staan en haalde er een boek uit.

'Moet je zien! Een van de eerste boeken die ik ooit heb gelezen. Stel je voor, ik had het in geen jaren gezien, ik dacht dat ik het kwijt was. Dit moet je aan Ellen geven.'

Louise verbaasde zich erover dat Jan-Erik Alice alleen had gelaten. Hij moest toch ook gezien hebben hoe verward ze was.

'Dus u wordt overmorgen geopereerd?'

'Ja.'

Alice liep naar de buffetkast en trok de bovenste la open.

'Wat verzamelt een mens toch een boel spullen in zijn leven, en je gebruikt er maar een fractie van.'

Ze keuvelde opgewekt verder. Louise liep naar de bank, zette de doos aan de kant en ging zitten. Ze wou dat ze wist wat ze moest doen. Dat ze wist hoe je met mensen in shock moest omgaan.

Alice haalde het tafelzilver tevoorschijn en legde het op het buffet.

'Als je het poetst wordt het echt mooi. Het is nog van mijn ouders geweest.'

Louise keek naar haar rug. Langgeleden was eens ter sprake gekomen dat Alice al jong het contact met haar ouders had verloren; hoe dat kwam, had ze er niet bij verteld. Sindsdien had ze het nooit meer over haar ouders gehad. Het was bij die ene keer gebleven, en toen had ze alleen iets gezegd omdat Ellen ernaar vroeg.

Louises gemoedstoestand en alle verwarrende omstandigheden gaven haar plotseling de moed om ernaar te vragen.

'Hebt u uw ouders nooit gemist?'

'Nee, ouders worden enorm overschat.'

Een vaststelling, alsof ze uit een vakboek citeerde. Zelfs aan haar rug kon Louise zien dat ze niet van plan was dieper op het onderwerp in te gaan. Een eetlepel werd extra nauwkeurig geïnspecteerd.

Opeens drong het tot Louise door hoe weinig ze van het leven van Alice wist, hoe slecht ze haar eigenlijk kende. Ze had een kind verloren bij een auto-ongeluk, een dochter van vijftien. Pas nu besefte Louise wat dat eigenlijk betekende. Dat Ellen nu nog maar drie jaar te leven zou hebben. Dat was zo'n onvoorstelbare gedachte, dat ze die niet eens kon denken.

Alice' hand ging door met het onderzoeken van het tafelzilver in de la. Ooit had die hand een pen vastgehouden, Alice had boeken geschreven, net als Axel. In de jaren vijftig waren er een paar romans van haar uitgekomen, die Louise nooit had gelezen. Jan-Erik ook niet voor zover ze wist. Ze vroeg zich af waarom ze met schrijven was gestopt.

Alice schoof de la dicht en nam het bestek mee naar de keuken.

Louise volgde haar zwijgend met haar ogen. Ze dacht aan de verachting die ze zo vaak voor haar had gevoeld. Verstrengeld met een schoorvoetende wens om haar respect te winnen. Of misschien was ze alleen maar bang geweest. Ze wilde niet dat Alice haar verbaal zou belagen, want ze wist hoe ze over anderen praatte. Als een alleenrechter beoordeelde ze haar omgeving. Als ze een karaktertrek ontdekte die ze zelf niet had, was ze er als de kippen bij om die belachelijk te maken.

Louise hoorde de kraan lopen. Het gerammel van het erfgoed in de gootsteen. Ze stond op en liep erheen. Ze bleef op de drempel staan en keek naar Alice' rationele handelingen.

'Zou het niet verstandiger zijn om af te wachten wat de doktoren zeggen?'

Alice kneep polijstmiddel op een wit doekje en pakte een vork.

Louise deed nog een poging.

'We weten eigenlijk toch nog niets, misschien is het niet zo ernstig.'

Alice' hand ging sneller wrijven en een deel van het doekje werd zwart.

'Het lijkt mij beter om daar nog even mee te wachten en eerst eens te horen wat de artsen zeggen.'

Plotseling gooide Alice de vork met een heftig gebaar neer en ze draaide zich om. Volkomen onvoorbereid op de felheid in haar ogen deinsde Louise terug.

'Godallemachtig! Kun je me niet op zijn minst laten genieten van mijn eigen ondergang?'

Het was opeens helemaal stil. Een paar seconden lang lag Alice' gezicht open en Louise vergat adem te halen door wat ze zag. Een wanhoop zo diep dat haar gezicht ervan vertrok. Het duurde maar heel even, toen was het voorbij en Alice ging met boze bewegingen verder met haar zilver. Louise bleef als aan de grond vastgenageld staan totdat de verlamming uitgewerkt raakte. Daarna liep ze achteruit de woonkamer in en liet zich op de bank zakken.

De vrouw die daar in de keuken stond, was Alice, maar toch had ze zichzelf erin gezien.

In een plotseling moment van helderheid besefte ze dat het over veertig jaar haar beurt zou zijn, wanneer het leven uiteindelijk zijn zinloosheid had bewezen. Net als Alice zou zij jarenlang iedereen die bij haar in de buurt kwam het leven zuur maken. Ellen en het gezin dat ze dan zou hebben. Uit frustratie over een verspild leven. Ze zag alles nu vanuit een ander perspectief. Ze had andere plichten jegens haar dochter dan ze tot nog toe had aangenomen. Voor wie offerde ze zich eigenlijk op? Van wie verwachtte ze dankbaarheid? Van Ellen, die het leven in zou gaan met een verwrongen kijk op de liefde? Van Jan-Erik, wiens gedrag ze gedoogde? Wat voor soort voorbeeld gaf ze haar dochter nou eigenlijk? Opeens besefte ze dat haar angst om op te stappen louter egoïstische lafheid was, want wat had Ellen aan een moeder die al dood was? Aan een moeder die, als het overal te laat voor was, dankbaarheid zou verwachten voor alles wat ze zich had ontzegd om het gezin in stand te houden.

Ze wilde nu alleen haar hart nog maar volgen. Ze wilde het leven vrijlaten dat zo lang opgesloten had gezeten. Ze voelde het in haar binnenste, het smeekte om zuurstof, het stond te popelen om zijn potentieel te tonen.

Toen ze de knoop doorhakte, werd het volledig windstil.

Het glazen paardje stond op de vensterbank. Ze strekte haar arm uit, pakte het op en hield het voorzichtig in haar hand. Toen stond ze op en liep naar de keuken. Alice stond nog net zoals ze haar had verlaten, met de rug naar haar toe, bezig met het mooie bestek van haar ouders. Louise aarzelde, ze wilde haar bedanken, maar als gewoonlijk kon ze niet uit haar woorden komen. Ten slotte legde ze voorzichtig een hand op haar schouder.

'Ik ga nu weg, sterkte met alles. Ik neem dit paardje mee voor Ellen. Ik weet zeker dat ze daar ontzettend blij mee zal zijn.'

Torgny zat aan de keukentafel met de overlijdensadvertentie van Gerda in zijn vingers. Geen gedicht. Geen rouwende familieleden. Even anoniem als zijn eigen overlijdensadvertentie eruit zou komen te zien, als iemand tenminste de moeite zou nemen om er een te plaatsen.

Zijn zwarte pak hing in de hal. Dat droeg hij nu alleen nog op begrafenissen. Het was pas geborsteld, maar even aftands als hijzelf. Een vermomming die hij af en toe van zichzelf mocht dragen.

Hij keek altijd in de krant om te zien wie er waren overleden, en als een naam hem bekend voorkwam, ging hij erheen. Dat was voor hem een uitje, een tijdverdrijf en een kans om wat saamhorigheid mee te pikken. Zijn stropdas was ooit door Halina's vingers gestrikt. Hij was er nooit toe gekomen hem los te halen. Hij maakte gewoon de lus iets wijder en deed hem over zijn hoofd, hij droeg zijn strop als een symbool.

Hij streek een lucifer af en stak een sigaret op. Hij zette het raam op een kier, want dat had hij de huisbaas beloofd toen de buren klaagden over de rooklucht uit zijn appartement. Hij woonde hier al vierenvijftig jaar, vanaf het moment dat hij naar Stockholm was verhuisd. In een jeugdige roes was hij de stad binnengekomen, klaar voor de wereld die zich voor hem opende. Een wereld die nog verdeeld was in zwart en wit en waarin nog geen plaats was voor grijstinten. Zwart, dat was zijn kindertijd en alles wat hij achter zich had gelaten. Zijn jeugd en het werk van een arbeider in de metaalfabriek van Finspång, dat van vader op zoon overging. Als kind had hij zich al een buitenbeentje gevoeld. Al vroeg had hij geleerd zijn pijn te verbergen wanneer een schoolkameraadje, een van zijn broers of zijn vader hem weer eens moest hebben omdat hij anders was. Hij was klein en tenger en niet erg sterk, en daardoor een gemakkelijk slachtoffer voor wie er eentje zocht. Totdat hij de kracht van de taal ontdekte. Met zijn nieuw ontdekte wapen kon hij om elke tegenstander heen spelen, en in de loop der jaren perfectioneerde hij zijn debattechniek tot in de puntjes. Niet dat hij toen nooit meer op zijn donder kreeg, integendeel, verwarde mensen gaan eerder op de vuist, maar hij kon de klappen gemakkelijker verdragen wanneer hij wist dat hij al had gewonnen.

Wit was de toekomst die hem wachtte. Stockholm, het culturele leven en het schrijverschap waaraan hij thuis in Finspång al begonnen was. Hij zou de mensen daar weleens even laten zien wie ze zo hadden uitgelachen.

Nu was hij bijna achtenzeventig en de schemering was vroeg ingevallen, zijn levensavond was allang begonnen. De dagen werden steeds eenzamer, aangezien iedereen die hij had gekend al was overleden, of hij was ze onderweg uit het oog verloren. Er waren nog maar weinig mensen met wie hij herinneringen deelde.

Hij keek naar de uitgescheurde overlijdensadvertentie.

Het plotselinge opduiken van Kristoffer had het verleden in één klap weer bovengehaald. Toen Torgny hem zag, moest hij wel toegeven dat er een eeuwigheid verstreken was. Hij moest erkennen dat hij vreselijk veel tijd had verknoeid en dat zijn wachten al heel lang geen zin meer had. Het kleine ventje was veranderd in een volwassen man, maar in Torgny's wereld was hij nog steeds de vierjarige die hij zo miste. Wat Kristoffer over zijn leven had verteld was de definitieve bevestiging dat Halina niet meer leefde.

Hij had hem nog niet eens om zijn telefoonnummer gevraagd, of naar zijn achternaam. De jongen die hij ooit als zijn zoon had beschouwd, was weergekeerd om daarna opnieuw te verdwijnen. Hij zou hem zo graag nog eens willen spreken.

Merkwaardig dat hij nu juist was verschenen, nu ook de aanstaande begrafenis van Gerda herinneringen opriep. Hij zou er niet heen kunnen, dat zou te veel voor hem worden. Dat ging niet nu de beelden van wat hij had gedaan boven kwamen drijven, en het dunne vlies aantastten waarin hij zijn schaamte had ingekapseld.

Hij begreep niet eens meer waarom hij er eerst wel heen had

gewild. Misschien om nog één keer een glimp op te vangen van de man die zijn leven had verwoest. Om nog één keer te voelen hoe sterk de haat was, die zijn enige levensgezel zou blijken te zijn.

Hij gooide de peuk naar buiten en trok het raam dicht. Hij wilde nu geen herinneringen meer en hij stopte de advertentie onder een stapel kranten. Dat hielp niet. De herinnering aan Gerda en aan alles wat met haar verband hield, bleef. Ze hadden elkaar niet gekend, ze wisselden alleen af en toe een paar woorden wanneer hij daar aan huis kwam. Op weg naar binnen of naar buiten bleef hij weleens een praatje maken als ze in de keuken bezig was, of op haar knieën in de moestuin zat.

De laatste keer dat hij haar had gezien was vlak daarna. Toen hij het huis uit kwam rennen en, misselijk van wat hij had gedaan, met zijn armen op zijn knieën zijn eigen slechtheid probeerde uit te kotsen.

Hij schudde een nieuwe sigaret uit het pakje, maar deed het raam niet open. Hij stond op om een biertje te gaan halen, maar liet zich weer op de stoel zakken toen hem te binnen schoot dat hij helemaal geen bier meer had.

Had hij op dat moment maar begrepen hoe gelukkig hij was. Toen Halina en Kristoffer deel uitmaakten van zijn leven en hij nog kon schrijven. Toen hij nog niet achter de letters hoefde weg te kruipen nadat hij voor altijd het recht had verspeeld om zich te laten horen. Pas toen alles verloren was, had hij beseft wat hij had gehad. Uit dat contrast was zijn lijden ontstaan.

Het onzichtbare keerpunt, dat pas veel later zo helder werd als een vuurbaak, was het moment waarop Halina had gevraagd of ze mee mocht naar Västerås.

Toen had hij zich al moeten afvragen waarom, ze wilde anders nooit mee. Oppas was zo duur, zei ze altijd. Was ze niet plotseling van gedachten veranderd toen hij had verteld dat Axel Ragnerfeldt er ook zou zijn?

Zoals zo vaak had het antwoord de vraag doen vergeten, aangezien alles duidelijk was geworden in het licht van de verdere ontwikkelingen.

De tijd daarna. Axel voor en na. Haar voortdurende gedweep over hoe briljant hij was. Zijn boeken die ze las en herlas. Ze lagen overal door het appartement verspreid, als een bevestiging van zijn superioriteit. Hij had geprobeerd zijn wrevel in te slikken, maar die had ze meteen opgemerkt en ze maakte er misbruik van wanneer ze ruzie hadden. Toen ze op een dieptepunt zaten, kwamen de toespelingen dat ze achter zijn rug om in Västerås iets met elkaar hadden gehad. Er werd stiekem gedaan met briefjes, dus het contact hield stand. Hij was verschrikkelijk jaloers geweest.

Axel Ragnerfeldt, die hem altijd en eeuwig de baas was, die aantoonbaar meer talent had dan hij, die al het aanzien had vergaard dat hijzelf altijd had nagestreefd, stak hem ten slotte ook als man en minnaar de loef af.

Hij dacht aan de dag waarop Halina haar koffers had gepakt en Kristoffer had meegenomen. Hij had haar niets in de weg gelegd. Hij geloofde haar toen ze zei dat Axel op hen wachtte. Pas toen het al te laat was, ging hij zoeken. Toen hij het bewijs kreeg dat Axel gewoon nog bij zijn gezin woonde en Halina en Kristoffer door de aarde verzwolgen leken.

Hij stond op en ging voor het schilderij staan. Haar blik volgde hem altijd. Telkens wanneer hij keek, was ze daar, haar spottende ogen zagen elke zinloze stap. Eeuwig jong, continu aanwezig, altijd buiten bereik. Als een chronische kwaal was ze in zijn borst gaan zitten en weigerde te vertrekken. Hield hij nog steeds van haar, of hield hij van het beeld van hun liefde? Had de tijd de kleuren mooier gemaakt, haar humeurigheid en haar onvergeeflijke bedrog afgezwakt? Was ze alleen nog een hardnekkig wijsje dat door zijn hoofd bleef spelen en dat hem had behekst?

Zijn gevangenis bestond uit wat onafgesloten was, zijn zucht naar een verklaring, alles wat open lag zonder mogelijkheid om het weer toe te dekken.

De eerste tijd was hij als verlamd geweest. Toen hij zijn zoektocht had moeten staken en hij het verder ook niet meer wist. De muren van het appartement, die haar afwezigheid benadrukten, kwamen langzaam op hem af en joegen hem de deur uit. Daar in het gekrioel van mensen was niemand zoals zij, elke ontmoeting herinnerde hem op een ondraaglijke manier aan haar. Toen was hij in zijn wanhoop gaan schrijven. Hij had zich opgesloten in zijn appartement en had geprobeerd haar te herscheppen, en diep in zijn hart hoopte hij dat ze terug zou keren als ze las wat hij had geschreven. Als ze zag hoe briljant het was.

De wind fluistert je naam was het beste wat hij ooit tot stand had gebracht.

Zelfs dat kon haar niet naar huis lokken.

Opnieuw werd hij afgetroefd. De schitterende recensies waren naar een hoekje van de boekenpagina's verdrongen. Alle aandacht ging uit naar Axel Ragnerfeldt met zijn Nobelprijs. Zijn literaire triomf *Schaduw* had de Zweedse Academie uiteindelijk overtuigd. Het boek werd huizenhoog geprezen en uitgeroepen tot de roman van de eeuw. Torgny wilde het eerst niet lezen, maar ten slotte won zijn nieuwsgierigheid het van zijn onwil. Hij moest met eigen ogen zien wat die man zo superieur maakte. En hemzelf tot nul reduceerde.

Hij herinnerde zich nog met hoeveel tegenzin hij het in de boekhandel had gekocht.

Zijn ontsteltenis toen hij het al na de eerste bladzijde had begrepen.

Een jaar na die vreselijke dag waarop hij in de woonkamer van de Ragnerfeldts zijn excuses had aangeboden had hij de omvang van de leugen ingezien.

Torgny nam niet eens de moeite om aan te bellen. Het sprak voor hem vanzelf dat hij gewoon de deur kon opendoen en naar binnen kon stappen. Hij kroop niet meer voor een man die meer verachting verdiende dan hij in zich had. Hij passeerde de keuken en Gerda zag hem door de deur, maar ze was te verbaasd om een woord uit te brengen. Toen hij doorliep naar de werkkamer van Axel kwam ze achter hem aan. Ze haalde hem pas in toen hij de deur al had opengedaan. Axel vloog van zijn stoel, maar hield zich in. Torgny had de angstige blik in zijn ogen echter wel gezien.

'Niets aan de hand, Gerda, ik regel dit wel.'

Hij keek Torgny niet aan toen hij naar de deur liep en die voor Gerda's bezorgde gezicht sloot. Zonder een woord keerde hij vervolgens terug naar zijn bureau, ging op zijn stoel zitten en vouwde zijn handen voor zich op het bureaublad. Het was even stil, toen waagde hij een voorzichtige glimlach.

'Torgny, dat is langgeleden.'

Afwachtend, maar niet onvriendelijk.

Torgny stond nog bij de deur. Hij had de bijl geheven, maar nu hij zag hoe ongemakkelijk Axel zich voelde, wilde hij het nog even rekken. Zijn geforceerde beleefdheid. De ongerustheid die zich uitte in rode vlekken in zijn hals. Torgny voelde een serene rust. Nu hij de waarheid aan zijn kant had, was hij voor het eerst in het voordeel. De macht die hij voelde was bedwelmend, zijn positie zo sterk dat hij er duizelig van werd. Hij genoot van de situatie als van dure champagne.

'Gefeliciteerd met je lidmaatschap van de Zweedse Academie.'

'Dank je wel.'

Torgny keek hem iets te lang aan, maar wendde zijn ogen toen af en keek de kamer rond. Hij liep naar de ene wand en bekeek met belangstelling getuigschriften en foto's, zich bewust van het onbehagen dat zijn zwijgen opriep.

'Kwam je zomaar langs of ...?'

Torgny ging door met zijn inspectie, nog steeds met zijn rug naar Axel gekeerd. Hij ging met zijn vinger over de bovenkant van een lijstje en schudde het stof eraf.

'Hier heeft Gerda een randje gemist.'

Hij draaide zich om en liep langzaam door het vertrek naar de boekenkast. Met zijn hoofd schuin las hij de titels op de ruggen en even later zag hij *De wind fluistert je naam*.

'Wel heb ik ooit. Heb je tijd om zulke flutliteratuur te lezen? Ik dacht je het veel te druk had met het schrijven van je eigen boeken.'

'Kan ik je iets aanbieden? Koffie? Whisky?'

'Nee, dank je.'

Het was weer stil en hij liet zijn vinger langs de rij boeken van Axel gaan.

'Ik vermoed dat je niet voor de gezelligheid komt. Ik had je niet verwacht, dus ik had andere plannen gemaakt.'

Torgny stopte met zoeken.

'Dus jij denkt dat ik niet voor de gezelligheid kom?'

'Dat denk ik, ja.'

Hij keek Axel aan.

'En waar dan wel voor, denk je?'

Axel gaf geen antwoord.

Torgny liep terug naar *De wind fluistert je naam* en haalde het uit de kast. Hij balanceerde het even op zijn hand.

'Weet je over wie dit boek gaat?'

'Ik moet je helaas bekennen dat ik nog geen tijd heb gehad om het te lezen.'

'Nee, natuurlijk niet, je hebt het ook zo druk gehad. Ik vertel het je wel, dan hoef je daar geen kostbare tijd in te steken. Het gaat over Halina. Die ken je misschien nog wel? De vrouw over wie we een jaar geleden zo gezellig hebben zitten praten in je houtschuur. Doet dat een belletje rinkelen?'

'Ja, dat weet ik nog wel.'

Torgny trok een peinzend gezicht.

'Eens kijken. Ik geloof dat ik me dat gesprek nog woordelijk kan herinneren, dat heb je soms zo, hè, als de ervaring maar onplezierig genoeg is. Eén detail weet ik nog heel goed, aangezien het destijds zo'n opluchting voor me was. Dat je zei dat er niets was geweest tussen Halina en jou, dat zei je toen toch?'

'Er was ook niets tussen ons.'

'Jij zei dat jullie niets met elkaar te maken hadden.'

'Waar wil je heen?'

De rode kleur in Axels hals was naar zijn hoofd gestegen.

Torgny schudde zijn hoofd.

'Weet je, Axel, er zijn momenten geweest dat ik je benijdde, wanneer ik moest toegeven dat je iets extra's had, niet alleen je boeken, maar datgene waar ik dacht dat je voor stond.'

Hij keek naar Axels gevouwen handen. De vingers waren wit

geworden. Met opeengeklemde kaken liet hij Torgny's woorden passeren, zonder erop te reageren.

Torgny kon zijn nonchalante pose niet langer volhouden.

'Verdomme zeg, hoe kun je nu de schijn nog blijven ophouden? Je weet dat je ontmaskerd bent, dat ik weet wat voor blaaskaak je in feite bent.'

Axel beet op zijn lippen. Zijn armen begonnen te trillen en hij verborg zijn handen in zijn schoot. Torgny zette zijn boek weer in de kast en haalde er een exemplaar van *Schaduw* uit. Axel zag het wel, maar keek snel een andere kant op alsof hij het niet kon aanzien. Torgny hield hem nauwlettend in de gaten, hij wilde geen druppel missen van Axels lekkende waardigheid.

'Hoe voelt het nou om de Nobelprijs te winnen nadat je de hemel in geprezen bent vanwege dit boek?'

Axel verroerde zich niet. Toen haalde hij diep adem, zoals iemand doet voor hij een duik neemt. Een paar seconden lang hield hij zijn adem in, voordat zijn bovenlichaam voorover viel en hij met zijn voorhoofd tegen zijn schrijfmachine werd geduwd. Torgny bleef doodstil staan en zag de façade afbrokkelen.

'Waar is ze?'

Minuten gingen voorbij. Lange minuten waarin Axel Ragnerfeldt moeite had om op zijn stoel te blijven zitten. Zijn mond ging open en dicht, totdat er daadwerkelijk woorden over zijn lippen kwamen.

'Je moet me helpen, Torgny.'

'Vertel me waar ze is.'

Met moeite slaagde Axel erin rechtop te gaan zitten en Torgny zag een gezicht dat hij niet kende.

'Ik weet het niet, ik zweer het, ze zei dat ze terug wilde naar Polen. Toe, Torgny, je moet dit begrijpen, ik kon geen kant meer op.'

Hij smeekte met wanhoop in zijn blik. Torgny wist niet wat hij zag. Axel Ragnerfeldt, onderdanig bedelend om zijn sympathie. Hij kon geen woord uitbrengen, hij werd er misselijk van. Hij keek naar het boek in zijn handen, liet de bladzijden langs zijn vingers glijden. Al die letters. Al die woorden die zo waren gerangschikt dat ze de vreselijkste hel beschreven waarin een mens maar kan terechtkomen. De omstandigheden in een concentratiekamp werden erin weergegeven op een manier waartoe alleen iemand in staat is die het zelf heeft meegemaakt. Met veel pijn en moeite opgeschreven om de demonen tot zwijgen te brengen. Axel Ragnerfeldt had haar alles ontnomen en haar van alles beroofd. Hij had haar gedachten gestolen en zich aan haar ziel vergrepen.

'Ze heeft me het manuscript gestuurd, ze zei dat ik ermee mocht doen wat ik wilde.'

Torgny's woede laaide ogenblikkelijk op.

'Ze was ziek, verdomme! Dat wist je toch? Weet je hoelang ze heeft geworsteld met die roman?'

'Ze wilde er niets meer van weten, zei ze, ze wilde terug naar Polen om een nieuw leven te beginnen, ze wilde alles wat er gebeurd was vergeten, zei ze en ...'

Hij liet zijn schouders zakken en keek naar zijn knieën. Met de vingers van zijn rechterhand begon hij aan zijn trouwring te draaien.

'Ik had al een paar jaar niets meer op papier weten te krijgen, nog geen letter. Ik was ten einde raad. De uitgeverij zat op mijn nek, de bank deed moeilijk, ik had geen geld voor de hypotheek, ik had nauwelijks genoeg om eten te kopen. Ik kon geen regel meer bedenken, ik kon gewoon niet meer schrijven, alles was weg. Ik stond op het punt om Alice te vertellen dat we het huis moesten verkopen. Ik zat me daar net geestelijk op voor te bereiden toen mijn ouders belden met het bericht dat mijn zus aan een hartinfarct was overleden. Ik had haar bijna dertig jaar niet gezien. Ik hoorde hoeveel moeite het hun kostte om het te vragen, maar ten slotte kwam het hoge woord eruit. Ze vroegen of ik de begrafenis kon betalen en ik ... Ik kon gewoon de waarheid niet vertellen. Ik kon niet toegeven dat ik geen geld had. Dat ik was mislukt.'

Hij verborg zijn gezicht in zijn handen en heel even dacht Torgny dat hij huilde.

'Ik begon de kast te doorzoeken om te zien of ik nog oude teksten kon vinden en toen vond ik het, het lag daar maar en ik … Ze had gezegd dat ik ermee mocht doen wat ik wilde. Ik weet dat het fout was, maar op dat moment zag ik geen andere uitweg.'

'Nobelprijswinnaar Axel Ragnerfeldt! Gadverdamme, zeg! Dat jij nog met jezelf kunt leven!'

Torgny spuugde de woorden uit. De verachting schroeide zijn tong.

Axel zat in elkaar gedoken op de stoel voor zich uit te staren. De man die Torgny nu zag, was een vreemde, iemand die hij nooit eerder had ontmoet.

'Je snapte toch wel dat het uit zou komen, dat ik het boek ooit zou lezen.'

'Ze zei dat jij het niet had gelezen. Dat niemand het had gelezen.'

Torgny zei niets. Jarenlang had hij naast haar gezeten en haar aangemoedigd, hij had haar aangespoord om door te zetten als ze het op wilde geven. Elke zin had hij van commentaar voorzien, hij stond versteld van haar talent en probeerde haar ervan te overtuigen dat het een fantastisch manuscript was.

Niet gelezen!

'Ik waagde het erop. Op dat moment dacht ik dat het allemaal niet erger meer kon worden. Als ik had geweten dat er zo'n ophef van gemaakt zou worden … Ik had in mijn wildste fantasie niet kunnen bedenken dat het zo zou gaan. Ik wilde alleen tijd winnen om het boek af te maken waar ik aan werkte.'

Hij keek Torgny aan, maar sloeg zijn ogen neer toen hij niet het medelijden vond dat hij zocht.

'Denk je dat ik er geen spijt van heb? Nou? Hoe denk je dat het voor mij is? Zo goed ken je me toch wel? Het is één lange nachtmerrie.'

Hij stond op en ging bij het raam staan.

'Ik zou het graag ongedaan willen maken, Torgny, ik zou niets liever willen, maar dat kan ik niet.'

Het werd stil in het vertrek. Er kraakte iets in de hal en Axel draaide zich om. Hij liep naar de deur en maakte die open, maar er was niemand. Toen hij zich ervan had vergewist dat er niemand meeluisterde, kwam hij terug en ging zitten.

'Ik weet dat ik het recht niet heb om je te vragen hierover te zwijgen, Torgny, maar ik heb er alles voor over.'

Torgny snoof.

'Je krijgt de helft van het prijzengeld.'

Torgny kon zijn oren niet geloven. Als een schooljochie dat op spieken was betrapt probeerde hij er met nog meer gesjoemel onderuit te komen. Het bloed beukte in Torgny's voorhoofd, zijn aderen hielden het haast niet meer. De man die hij tegen wil en dank had bewonderd, tegen wie hij altijd had opgekeken ondanks zijn antipathie, kroop nu voor hem als de worm die hij was. Zijn fiere integriteit, zijn benijdenswaardige karaktervastheid. Het tegendeel had aldoor verborgen gezeten onder de stapel unieke prestaties. Hij was een minderwaardige stumper met een heel smerig luchtje om zich heen.

'Ze vond het goed als ik er gebruik van maakte.'

Op gedempte toon, als een laatste koppige poging om hem te vermurwen.

Torgny keek hem aan. De man die Halina's hart had gestolen en met zijn bluf een wig had gedreven.

'Wanneer heeft ze dat gezegd?'

Axel wierp hem een vluchtige blik toe.

'Dat stond in de brief die bij het manuscript zat.'

'Toe nou, Axel. Je had haar niet meer gezien, zei je toch?'

'Ze heeft het met de post gestuurd.'

'Waar heb je die brief dan? Mag ik hem lezen?'

'Ik heb hem weggegooid.'

'Dat zal wel. Hoe kun je nu denken dat ik ooit ga geloven wat je zegt? Wat is er eigenlijk toen in Västerås gebeurd? Ik vind Halina's versie opeens veel geloofwaardiger dan de jouwe.'

Axel zei niets.

Torgny sloot zijn ogen.

Axel en Halina. Opgewonden, achter zijn rug om stiekem met elkaar in contact. De handen daar op het bureau die haar lichaam gretig hadden verkend. Halina die het gewillig had laten gebeuren.

Alles wat van Torgny was geweest, had Axel hem ontfutseld. Wat Halina en hij samen hadden, wat in de loop der jaren was gegroeid en verfijnd, wat ze geleerd hadden over elkaars wensen. De man die daar nu achter het bureau zat te liegen had deel gehad aan hun intieme geheimen.

Het beeld drong zich aan hem op en hij werd er naar van.

Halina's lippen die vaneen gingen, het puntje van haar tong, haar mond die zich om Axels opgezwollen pik sloot. De glans in haar ogen, de manier waarop ze haar heupen bewoog, de geluiden die ze maakte toen hij in haar binnendrong.

Als dat was gebeurd, moest hij hem vermoorden.

'Trek je broek uit.'

Axel staarde hem aan.

'Wat?'

'Broek naar beneden, zeg ik!'

'Ben je gek?'

'Je hebt daar ergens een moedervlek, of niet?'

Axel deed zijn ogen dicht.

'Dat vertelde Halina me om me ervan te overtuigen dat ik haar moest geloven. Ze heeft er zelfs een tekening van gemaakt.'

Tijdens een van de laatste dagen dat ze nog bij hem woonde. Toen ze hem alleen nog maar wilde kwetsen.

'Weet je nog wat ik toen in de houtschuur tegen je heb gezegd? Dat ik je zou vermoorden als ik er ooit achter kwam dat je had gelogen.'

Er hoefde niets meer gezegd te worden. De waarheid stond duidelijk op Axels gezicht te lezen.

'Vuile klootzak!'

'Het was alleen die ene keer in Västerås. Sorry, Torgny, ze had niet gezegd dat jullie een relatie hadden, ze zei dat jullie gewoon vrienden waren. Als ik had geweten dat ze loog, had ik haar met geen vinger aangeraakt.'

Axel stond op.

'Het stelde niets voor, Torgny, we hadden te veel gedronken en toen gebeurde het gewoon.'

Na Västerås was het bergafwaarts gegaan. Na Västerås was

Halina's ziekte teruggekeerd. Västerås was het begin van het einde geweest.

Het stelde niets voor, Torgny.

Zijn ademhaling werd zwaar.

In de jaren die volgden had hij vaak aan dit gesprek teruggedacht en zich gerealiseerd dat hij op dat moment het spoor bijster was geraakt. Toen de waarheid over het bedrog een gat in hem sloeg waardoor zijn kwaadaardigheid de weg naar buiten vond.

'Dat was de enige keer, ik zweer het.'

Hij wilde maar één ding.

Hem tot de grond toe afbreken.

'Wat ga je doen, Axel, wanneer de waarheid over *Schaduw* paginagroot in de kranten zal staan, overal ter wereld? Onder welke steen kruip jij dan weg?'

Hij hoorde zijn eigen stem en verbaasde zich over de verandering. Hij klonk dof en eentonig, alsof het de stem van iemand anders was. Er was iets in hem gevaren. Iets wat hem zijn vuisten deed ballen en zijn blik vastnagelde aan de man die er de oorzaak van was dat zijn leven op de klippen was gelopen. Die Halina en de jongen van hem had afgepikt.

Axel had de verandering waarschijnlijk ook gemerkt. Met een veranderde uitdrukking op zijn gezicht ging hij zitten en hij nam dezelfde houding aan als voor zijn ontmaskering. Met zijn handen gevouwen op het bureau keek hij naar Torgny, plotseling met een nieuwe zekerheid. Zijn excuses hadden niets uitgehaald, het was duidelijk dat hij het nu over een andere boeg wilde gooien.

'Het spijt me dat ik dit moet zeggen, maar je laat me feitelijk geen keus.'

Hij zweeg even voor hij verderging.

'Je kunt niets bewijzen.'

'Wat moet ik bewijzen?'

'Wat je beweert over *Schaduw*.'

Torgny brieste.

'Dus het is nog niet genoeg voor je dat ík het weet? Je kunt hier dus mee leven zolang niemand anders erachter komt?'

'Wat denk je dat ik voor keus heb?'

'Vuile huichelaar.'

'Ik heb toegegeven dat ik een fout heb begaan. Wat wil je nog meer van me?'

'Dus je blijft pronken met haar veren?'

'Mijn naam was al ver voor het verschijnen van *Schaduw* genoemd in verband met de Nobelprijs. Je weet net zo goed als ik dat ik de prijs niet alleen daaraan te danken heb, maar net zo goed aan mijn andere boeken.'

'Aan je eigen boeken, bedoel je zeker?'

'Wat ik al zei, je hebt geen bewijzen.'

Torgny vertrok geen spier. Hij dacht aan het minderwaardigheidsgevoel dat Halina had overgehouden aan de vernederingen in Treblinka. Waardoor ze niet in staat was liefde te ontvangen. Hij zou voortaan moeten aanzien dat Axel in de schijnwerpers stond, bewierookt en bejubeld, op de plaats die Halina toekwam. Hij zou het onderdanige gevlei van het culturele establishment moeten aanhoren en Axel de complimenten in ontvangst zien nemen, omdat hij menselijk lijden had weten om te zetten in magnifieke kunst.

Datgene wat in hem gevaren was, had zijn doel bepaald. De leugen kwam vanzelf, hij hoefde er niet over na te denken. Met dezelfde doffe stem zei hij: 'Ik heb haar aantekeningen thuis liggen, alle brieven die ze heeft gekregen tijdens haar research. Het klad, al haar materiaal. In haar handschrift.'

Die informatie kwam hard aan. Maar terwijl hij de leugen uitsprak, wist Torgny dat Axel gelijk had. Hij kom hem niets maken. Niemand zou Torgny geloven zonder bewijzen. Ook al zouden ze erin slagen Halina te vinden. Als het waar was wat Axel had gezegd, zou ze misschien de waarheid ontkennen, en nog een keer Axels kant kiezen. Als water over een goed ingevette gans zou het schandaal van hem aflopen, en Torgny zou er gekleurd op staan met zijn laffe beschuldiging.

De wil om te vernietigen brandde in hem met een witte gloed. Hij wilde Axel de pijn laten voelen die hij hem had berokkend. Niets anders telde. Alles had hij ervoor over om dit ene te bereiken. Wraak nemen voor Halina's verloren eerherstel en zijn eigen ondergang. Als hij niet aan Axels schrijverschap kon komen, dan moest hij zijn leven kapotmaken. De zwarte macht was zo sterk dat hij er bang van werd. Hij zocht naar iets wat hem kon tegenhouden, maar alles was in het duister verdwenen. En uit de verte hoorde hij de stem die het duivelse plan in werking stelde.

Waar kwam die vandaan? Hij wist het niet.

'Als je mijn zwijgen wilt kopen, dan is er een manier, het hangt ervan af wat je ervoor overhebt.'

Axel zweeg en wachtte af wat er verder zou komen.

'Je kent het spreekwoord "oog om oog, tand om tand" toch wel?'

'Ik weet niet wat je bedoelt.'

'Je hebt mijn vrouw van me afgepakt.'

'Torgny, dat was één keer, ik wist niet eens dat ze jouw vrouw was. Gaat het dáár allemaal om? Eén kleine misstap?'

Toonloos maalde de stem verder.

'Eén keer telt niet, bedoel je dat?'

Axel zwaaide niet begrijpend met zijn armen en Torgny ging verder.

'Voor mij is één keer genoeg.'

'Ik begrijp het niet. Wat wil je?'

'Ik wil dat je met gelijke munt terugbetaalt.'

De rimpels in Axels voorhoofd getuigden van zijn verwarring voordat ze langzaam weer werden gladgestreken.

'Heb je het over Alice?'

Axel snoof. 'Ik denk niet dat ze erg veel belangstelling zal hebben, maar als je het wilt proberen, ga je gang.'

'Ik heb het niet over Alice.'

Axels glimlach verdween.

Torgny's lichaam voelde zwaar aan, zijn verstand en zijn wil waren het niet eens. De lucht die hij langzaam inademde, zocht onwillig een weg door het duister. Hij bleef doodstil staan en liet het duister de macht overnemen. Een seconde later zette hij de stap naar zijn eigen ondergang.

'Ik heb het over je dochter.'

Achteraf had hij ingezien dat hij op dat moment een duistere dwaalweg was ingeslagen.

Axel vloog van zijn stoel.

'Ben je gek geworden? Ben je niet goed wijs?'

Kapotmaken. Axels leven op elke denkbare manier vernietigen.

'Het is aan jou, wat wil je betalen voor de schone schijn?'

'Annika heeft hier absoluut niets mee te maken, niets, hoe kun je iets dergelijks zelfs maar voorstellen? Zoiets ...'

Hij zocht naar woorden.

'Waar zie je me eigenlijk voor aan? Weet je wel wat je zegt? Halina heeft mij toen verleid, als je dat zo graag wilt weten. Waarom moet mijn dochter boeten voor iets wat ik heb gedaan? Ze is nog maar vijftien! Vijftien! Dat had ik niet van je gedacht, Torgny. Hoe diep ben je bereid te zinken, eigenlijk?'

Torgny glimlachte.

'Dat zou jij je eens moeten afvragen, Axel, hoe diep je bereid bent te zinken. Je bent op dit moment al tamelijk ver afgezakt.'

Axels ogen werden spleetjes.

'Ik begrijp dat je het prachtig vindt dat je me de baas bent, en ik kan je verzekeren dat ik dat manuscript liever nooit had gebruikt, maar ik kan het niet terugdraaien, hoe graag ik dat ook zou willen. Is je wraak nog niet compleet nu je weet dat je me in de tang hebt, nu ik moet leven met de dreiging dat je me ooit zult verraden? Je weet heel goed wat er zou gebeuren als ... Ik geloof het niet eens, Torgny, dat je me zo veel kwaad wilt doen.'

Als hij op Torgny's gezicht had kunnen lezen welke vreselijke gedachten er in hem omgingen, was Axel tot een ander inzicht gekomen.

'Halina zei dat ik ermee mocht doen wat ik wilde, met welk recht kom jij dan hier je perverse eisen stellen? Ik heb bovendien een heleboel herschreven. Jij had precies hetzelfde gedaan als je in mijn schoenen stond.'

'O ja?'

'Je kunt het nu wel allemaal zo goed weten, maar ik ken je, Torgny, je had precies hetzelfde gedaan.'

'Maar ik heb het niet gedaan. Dat is het verschil.'

Axel plofte weer neer en schakelde zijn handen in om Torgny tot rede te brengen.

'Torgny, laten we dit nu als twee verstandige mensen bespreken. Je verachting voor me is terecht, ik ben bereid die te dragen. Ik heb je bovendien de helft van het prijzengeld aangeboden. Ga naar huis en denk erover na, ik zie dat je nu veel te opgewonden bent om rationeel te denken. Ik ben bereid te vergeven en te vergeten wat je zojuist voorstelde. Ga naar huis en denk na of het geld niet genoeg is voor je zwijgen.'

'Ik wil Halina's geld niet hebben.'

'Wat wil je dan?'

'Dat heb ik al gezegd.'

'Godsamme, kerel.'

Axel sloeg met zijn hand op het bureau. Torgny glimlachte. De vloek klonk vreemd uit de mond van de wellevende Axel.

'Jij mag het zeggen. Zoals altijd is de keus aan jou.'

Axel schudde zijn hoofd in afschuw.

'Dat kun je niet menen?!'

'Je moet het nu zeggen, Nobelprijswinnaar. Mijn aanbod blijft nog een minuut geldig.'

Torgny hief zijn arm en keek op zijn horloge.

'Je weet niet wat je doet, je denkt niet helder.'

'Nog vijfenveertig seconden.'

Axel stond op.

'Dit meen je toch niet?'

'Nog dertig seconden.'

Axel sloot zijn ogen.

Torgny was leeg van binnen. Het aangename leedvermaak was ondergegaan in het compacte duister.

'Hier krijg je spijt van, Torgny, wanneer je eenmaal weer bij zinnen bent.'

'Tien seconden.'

Axel liet zich op zijn stoel neerploffen.

De secondewijzer zette de beslissende stap en Torgny liet zijn arm zakken.

'Oké dan, Axel, het doet me plezier dat je erin bent geslaagd nog een greintje eergevoel uit een vergeten hoekje te halen.'

Axel zat voorovergebogen met zijn hoofd in zijn handen. Torgny liep naar de deur. Hij had zijn hand al op de deurkruk toen Axel hem tegenhield.

'Wacht.'

Iets in het donker lachte honend. Torgny draaide zich om. Axel was opgestaan van zijn stoel en de gloed in zijn ogen was een waardige rivaal van datgene wat in zijn eigen innerlijk tekeerging.

'Je laat me geen keus. Ik hoop dat je dat beseft.'

'Je hebt altijd een keus, Axel. Het is een kwestie van prioriteiten.'

Axel sloeg zijn ogen neer. Hij ademde zwaar.

'Hoe moet het in zijn werk gaan?'

Zijn stem klonk zo zacht dat hij bijna niet te verstaan was.

'Dat is mijn probleem, zorg jij ervoor dat ze vanavond alleen thuis is.'

Hij keek op zijn horloge.

'Ga met je vrouw naar de bioscoop of zo en zorg dat Gerda uit de buurt blijft. Ik blijf hier in je werkkamer totdat jullie weggaan. Breng me die whisky nog maar even waar je me op wilde trakteren.'

'Klootzak.'

Torgny glimlachte.

'Hoe voelt dat, Axel? Ga eens goed na hoe je je voelt.'

Axel stond voorovergebogen en steunde met zijn handen op het bureau. Hij was een schim van zijn vroegere zelf, Torgny's wraak was bijna compleet. Alleen het ten uitvoer brengen ervan restte nog.

Met een stem die alle klank verloren had, beëindigde Axel het gesprek. Langzaam en nadrukkelijk.

'Als er ooit wordt rondverteld dat *Schaduw* niet uitsluitend mijn werk is, dan hou ik je persoonlijk aansprakelijk en dan zal ik wereldkundig maken wat je hier vandaag hebt gedaan. Als ik val, ga jij mee. Verder moet je me beloven dat je je hier nooit meer zult laten zien, ik vestig al mijn hoop erop dat je spoedig in de hel zult belanden waar je altijd al hebt thuisgehoord.'

Torgny liet zich op zijn onopgemaakte bed ploffen. Dertig jaar lang had hij overleefd in het duister dat hem na die dag nooit meer had verlaten.

Hoe had het kunnen gebeuren? Hij wist het niet. Alleen dat het duister hem had verblind. Dertig jaar lang had hij gezocht, maar hij had nooit enig excuus kunnen vinden. Hij had een tijdje net gedaan alsof. Hij had de buitenkant opgepoetst en de schuld van de hand gewezen.

Maar een onzichtbare barst komt ook aan het licht door de doffe klank.

Was die slechtheid altijd al een integraal onderdeel van zijn karakter geweest, of was het een indringer die zijn kans schoon had gezien toen alles hem was afgenomen? Toen hem niets anders restte dan kapotmaken en met gelijke munt betalen.

Te laat had hij ingezien dat zijn wraakactie ook voor hemzelf funest zou zijn. Het feit dat hij tot zoiets in staat was gebleken had hem opgezadeld met een schaamte die te zwaar was om te dragen.

Axels laatste wens was uitgekomen.

De rest van Torgny's leven was een streven geworden om te leven als de ellendeling die hij had bewezen te zijn. Alle voornemens leiden uiteindelijk tot resultaat als je maar goed genoeg je best doet.

En hij had zijn best gedaan.

Hij had het doel ruimschoots gehaald.

Het is vroeg in de ochtend. Ik word met een blij gevoel wakker.
'George', fluistert ze met haar lippen tegen mijn oor. 'Het is lente, het ruikt zo lekker buiten. Kom!'
Sonja pakt mijn hand vast en wil me meetrekken naar alles wat wacht. Ik doe mijn ogen open en ze glimlacht.
Als goden jaloers kunnen zijn, mag ik wel oppassen.
Neem me dit niet af, bid ik stil.
Maar zo dat zij het niet hoort.

We pakken de mand in en lopen naar de waterkant. We spreiden onze deken uit en gaan ontbijten. De jongen heeft zijn muts thuisgelaten en dartelt rond over wat eerst bruin en dood was, en waar nu het groen weer tot leven is gekomen. Ik zet hem op mijn schouders en ren met hem door het voorjaar tot hij stikt van het lachen. Zij zit nog op de deken en geniet mee. Ons vaste punt op het grasveld, een stip in de verte met een rode jurk aan.
Naderhand zit hij bij haar op schoot een crackertje te eten. Ik schenk koffie in losse kopjes. De jongen krijgt iets in het oog wat alleen kinderen kunnen zien en loopt een eindje bij ons weg. Zij houdt hem nauwlettend in de gaten.
Het ontbreekt mij aan niets, denk ik. Nu is ze gezond en het ontbreekt mij aan niets.
Maar wanneer ik die gedachte heb gedacht, gaat het tussen ons in op de deken zitten.
Het onderwerp waar we nooit over praten.
Ze pakt mijn hand alsof ze de ongenode gast ook ziet. Zoals zo vaak antwoordt ze zonder dat ik de vraag hoef te stellen.
'Ik ben niet gevallen', zegt ze. 'Ik ben gewoon steeds dieper weggezakt.'
'Ik ben bij je.'
Ik streel haar wang.
'Door jou adem ik, op jouw benen loop ik. Laat me niet in de steek, George.'

'Ik verlaat je niet', antwoord ik.

Ze kijkt naar het kind.

'Een man en een vrouw kunnen elkaar van alles beloven, ze weten wat de woorden waard zijn. Dat ze hier en nu gelden, en dat er opnieuw over onderhandeld kan worden.'

'Dat geldt niet voor mijn woorden.'

Ze neemt mijn hand in de hare.

'Een kind vat alles letterlijk op. Ik geloofde mijn moeder toen ze zei dat ze me nooit zou verlaten. Hoe kun je een kind iets beloven waarvan je niet weet of je je er wel aan zult kunnen houden?'

Ze kijkt weer naar het jongetje.

'Ik hou van hem. Waarom kan dat niet genoeg zijn?'

Kristoffer legde het boek van Torgny neer. Het was al middag, maar hij lag nog steeds in bed. Met regelmatige tussenpozen had hij stukjes in *De wind fluistert je naam* gelezen en tussendoor had hij stil naar het plafond liggen staren. Hij kon de tekst alleen in kleine porties tot zich nemen. Gedurende al die jaren van onzekerheid had zijn verborgen wereld in de bibliotheek voor hem klaar gelegen.

Met tegenzin probeerde hij zijn identiteit bij te stellen. Van half en hoopvol tot heel en zinloos. Drie jaar lang had hij geploeterd om gerechtigheid te verdienen. Hij dacht dat de wereld zo in elkaar zat dat goedheid werd beloond. Hij had geprobeerd het goede voorbeeld te geven. Hij was de middelmaat ontstegen en had zijn best gedaan om de wereld te verbeteren. Hij had zich ingespannen om de voorvaderen die bij hem leken te passen waardig te zijn. Hij had de drank afgezworen en zijn demon bevochten, niet wetend dat die in zijn eigen genetisch materiaal verstopt zat.

De waarheid die hem achter zijn rug had bespot.

Je doet je best maar, ventje, binnenkort ga je wel weer onderuit.

De kosmische machten hadden zich waarschijnlijk gestoord aan zijn grootheidswaanzin. Aan zijn opvatting dat de ene mens genetisch beter toegerust was dan de andere, en aan de vanzelfsprekendheid waarmee hij ervan uitging dat hij bij de eerste categorie hoorde. Nu was er een reuzenvinger op zijn hoofd neergekomen, die hem als een punaise naar beneden duwde.

Hij hield het boek voor zijn gezicht en ademde de geur ervan in. Sigarettenrook en oud stof. Er was van zijn moeder gehouden. Die wetenschap troostte hem. Hier en daar beweerden de letters dat er ook van hem was gehouden. Dat vond hij moeilijker te geloven, aangezien hij wist hoe het verhaal afliep. Die ervaring viel niet te rijmen met wat Torgny gezien meende te hebben.

Het onrecht dat hem was aangedaan was niet vergeven. Haar ziekte voldeed niet als excuus. Iemand moest het hebben zien aankomen, iemand had kunnen besluiten in te grijpen. Daarmee hadden vijfendertig weggegooide jaren in onzekerheid voorkomen kunnen worden. Er zaten vier maanden tussen de dag dat ze uit Torgny's huis waren weggegaan en de dag dat ze hem in Skansen had achtergelaten. Er moesten mensen geweest zijn die hen in die periode hadden gezien en hadden begrepen dat ze ziek was.

Niemand was hun te hulp geschoten.

Hij hoorde de brievenbus klepperen en post op de vloer van de hal neerkomen, maar hij had niet de energie om op te staan. Het geluid van de voetstappen van de postbode stierf weg. Hij draaide zijn hoofd en keek naar de computer. Zelfs zijn toneelstuk vond hij niet meer belangrijk. De mensen die hij het liefst had willen imponeren, zouden toch niet in het publiek zitten.

Zijn blik ging naar de cognacfles.

Met een diepe zucht stond hij op en hij wikkelde zich in zijn ochtendjas. Hij zag de post op de mat liggen, maar haalde hem niet op. In plaats daarvan ging hij achter zijn bureau zitten. Hij bleef een hele poos met zijn handen op schoot zitten, toen klapte hij het scherm van zijn laptop op.

Meteen klonk de 'pling' van een pas binnengekomen mailtje.

Eindelijk een levensteken van Jesper.

Hij opende het mailtje, maar vond alleen een bijgevoegde link. De computer vroeg hem even te wachten totdat de site werd gedownload. Het duurde ongewoon lang en hij trommelde ongeduldig met zijn vingers terwijl hij zat te wachten. Vervolgens toetste hij Jespers nummer in op zijn mobiel, maar ditmaal ging zelfs de voicemail niet aan. Er klonken alleen een paar vreemde tonen alsof hij een verkeerd nummer had ingegeven.

De computer was nog steeds bezig. Hij stond op en liep naar de hal. Hij duwde met zijn voet tegen de stapel post. Een folder van de supermarkt, een vensterenvelop van de bank, een brief met een handgeschreven adres en een postzegel. Hij raapte de brief op en liep ermee naar zijn bureau. Er was een zwart hokje op het scherm verschenen en Kristoffer klikte op 'play'. De film startte. Een beeld van Jesper in zijn flat. Kristoffer herkende het behang op de achtergrond.

'Ik ben Jesper Falk. Bedankt dat je naar deze film kijkt en mijn hypothese bevestigt dat de meeste mensen vergeten zijn welke plichten er uit hun mens-zijn voortvloeien.'

Kristoffer legde de brief neer en zakte onderuit. Het was leuk hem te zien. Iets vertrouwds in een wereld die niet meer dezelfde was.

Op het scherm wapperde Jesper met een paar briefjes van honderd.

'Hier heb ik vijfhonderd kronen. Die ga ik aan hem geven, kom eens een stukje dichterbij!'

Jesper wenkte iemand die zich schuin achter de camera bevond. Even later dook er een zwart hoofd op. Een gezicht verborgen achter een bivakmuts. Door de gaten keken een paar blauwe ogen hem aan. Kristoffer herkende ze niet.

'Zwaai even om te laten zien hoe blij je ermee bent.'

De anonieme man zwaaide.

'Ik betaal hem vijfhonderd kronen om dit filmpje op het net te zetten. Iedereen is te koop, de een is wat duurder, de ander wat goedkoper. Heb je er zelf al over nagedacht wat jouw prijs is? Zo, nu mag je weer gaan zitten.'

De man met de bivakmuts verdween en aan de hand van de richting stelde Kristoffer vast dat hij op Jespers bed was gaan zitten.

'Nu naar het eigenlijke onderwerp. Ik heb een roman geschreven die heet *Nostalgie, een eigenaardig gevoel van hanteerbaar ver-*

driet. Onthou die titel. Ik heb er zeven jaar aan gewerkt en nu heeft een deftige uitgeverij besloten om hem uit te geven. Daar ben ik natuurlijk heel blij om. Er staan namelijk belangrijke dingen in mijn boek. Ik heb het geschreven om de wereld te veranderen. Want zo kan het niet langer. Nee toch?'

Jesper zocht bijval bij de gemaskerde man.

'Zelfs hij is het met me eens.'

Kristoffer kon een glimlach niet onderdrukken. Kennelijk had Jesper iets bedacht om zijn roman aan de man te brengen.

'Zoals alle schrijvers geloof ik dat uitgerekend mijn boek van groot belang is, en net als alle schrijvers wil ik dat jij leest wat ik heb geschreven. Maar hier duikt meteen een levensgroot probleem op. Want hoe krijg ik je zover om míjn boek te kiezen? Je ziet dat ik niet moeders mooiste ben. Met mij kun je geen flitsende tijdschriftpagina's vullen, met mij kun je geen leuk interview houden op tv. Ik ken geen bekende Zweden die op het Stureplan uitgaan. Ik kan ontzettend goed schrijven, maar praten kan ik helemaal niet, daarom gebruik ik nu ook een spiekbriefje.'

Hij keek naar iets onder de rand van het beeld, dat zou het genoemde spiekbriefje wel zijn.

'Oké, wat ik wil zeggen is dat het boek op 4 maart uitkomt. Niet vergeten: 4 maart, *Nostalgie, een eigenaardig gevoel van hanteerbaar verdriet.* Schrijf maar op. Oké? Dan nu weer terug naar het levensgrote probleem.'

Even zag je het spiekbriefje onderaan in beeld.

'Er worden in Zweden elk jaar ongeveer 4.500 boeken uitgegeven. Hoe moet ik mijn boek dan onder jouw aandacht brengen? Dat kan maar op één manier. Ik moet ervoor zorgen dat er zo veel mogelijk over wordt geschreven in de media. En hoe moet ik dat voor elkaar krijgen?'

Jesper pauzeerde even alsof iemand zijn vraag zou kunnen beantwoorden. Daarna ging hij weer verder.

'Sommige mensen denken dat kranten en tijdschriften over belangrijke dingen schrijven, omdat ze de plicht hebben je te informeren. Dat is niet zo. De meeste bladen schrijven over dingen waarvan ze weten dat jij erover wilt lezen. Op die manier weten ze zeker dat jij hun blad koopt. Jij bepaalt dus waarover je geïnformeerd wilt worden, wat voor soort nieuws voorrang moet krijgen, jij hebt de macht. Telkens wanneer jij je portemonnee trekt om iets te kopen, geef jij daarmee je fiat aan datgene wat je koopt en aan degene die rijk wordt van jouw centen. Dus ik heb de reclamekreten in die branche eens bekeken om te zien wat jij graag leest. Toen diende zich meteen het volgende probleem aan.'

Weer gluurde hij op zijn spiekbriefje.

'Ik ben geen moordenaar die zijn slachtoffers in stukken snijdt, geen pedofiel, ik heb nog nooit een oud dametje verkracht, nooit kinderen gemarteld, ik heb nog nooit geneukt op tv, nooit aan een docusoap meegedaan, ik heb geen siliconenborsten, ik heb nooit aan een groepsverkrachting meegedaan, ik heb nog nooit in mijn blootje over straat gelopen. Ik gebruik niet eens drugs. Ik ben een heel gewone jongen, ja oké, buitengewoon lelijk, dat wel. Wat kan ik in godsnaam doen om jouw belangstelling te wekken, zodat de media mijn boek eruit zullen pikken? Daar heb ik over nagedacht en toen kreeg ik het lumineuze idee om dit filmpje op internet te zetten. Ik weet nu al dat deze site een recordaantal bezoekers zal krijgen en dat mijn roman op alle reclameposters van de bladen in heel Zweden genoemd zal worden, want dit soort dingen spreekt jou het meest aan. Jou, ja, want het komt door jou dat dit de beste manier voor mij is om mijn boek bekendheid te geven. Jij hebt hierover gehoord, je weet wat er komt en toch bezoek je deze site om naar deze shit te kijken.'

Zijn ogen werden smal en hij wees in de camera.

'Voor lieden als jij heb ik mijn roman geschreven. En waag het niet om na het zien van dit filmpje mijn boek niet te lezen, verdomme!'

Jesper zweeg en leunde achterover.

'Vergeet niet dat ik je een dienst bewijs. Ik doe dit om je te herinneren aan wat je bent vergeten.'

Hij bracht zijn handen naar zijn hals.

'Het kan nu alleen nog fout gaan als Paris Hilton een poes koopt, zodat mijn boek uit de koppen verdwijnt, maar op hoop van zegen dan maar.'

Hij prutste aan iets wat onder zijn boord zat en toen hij zijn handen weghaalde, werd een dun plastic bandje om zijn nek zichtbaar. Een kabelbinder. Het ene uiteinde liep door een opening aan het andere uiteinde, en kleine ribbels op het plastic zorgden ervoor dat het bandje niet weer losging als het eenmaal was aangetrokken.

'Goed onthouden, *Nostalgie, een eigenaardig gevoel van hanteerbaar verdriet*. Verschijnt op 4 maart. Ik heet Jesper Falk en dit was het wat mij betreft.'

Jesper trok het bandje aan, terwijl hij in de camera staarde.

Kristoffer stond met zo'n heftig gebaar op dat zijn stoel omviel.

De camera zoomde in. Het plastic bandje sneed in Jespers hals. Zijn blik brandde als een laserstraal door de lens van de camera en raakte de toeschouwer. Kristoffer was lamgeslagen. Zijn hersenen wilden niet bevestigen wat zijn ogen hadden gezien, het ging allemaal zo snel. Verward begonnen zijn handen over het toetsenbord te dwalen op zoek naar een knop waarmee hij de gebeurtenissen kon stopzetten. Hij greep zijn mobiel, belde het bekende nummer, maar kreeg alleen de onbegrijpelijke tonen te horen. Op het scherm vertrok Jesper zijn gezicht, de vastbesloten uitdrukking was verdwenen. Hij knipperde een paar keer met zijn ogen en keek smekend in de richting waarin de gemaskerde man was verdwenen. Kristoffer begon te huilen, hij kon er niet meer tegen. Jesper had hem om hulp gevraagd, hij had met hem willen praten over de presentatie van zijn boek en dat hij daar als een berg tegen opzag. Hij had hem met een kluitje in het riet gestuurd, afgunstig als hij was had hij zijn oproep gewoon weggedrukt. Zelfs toen hij voor de deur stond had hij hem niet binnengelaten. Hij sloeg zijn handen voor zijn gezicht en sloot zijn ogen, maar die gingen uit zichzelf weer open, of hij wilde of niet, en hij moest wel kijken naar de doodsangst in Jespers ogen toen zijn vingers vergeefs aan zijn hals krabden in een poging het plastic bandje los te maken.

De schreeuw uit Kristoffers keel viel niet te onderdrukken. Hij werd van binnenuit opgestuwd en alle opgekropte wanhoop kwam eruit. Op het geluid van zijn vertwijfeling viel Jespers hoofd naar beneden en bleef hangen. Het beeld werd zwart en alle hulp zou te laat komen.

Kristoffer werd stil.

Op straat toeterde een auto. Bij de buren klonk het stromen van water door de buizen.

Het laatste wat nog overeind had gestaan was ingestort.

Er klopte niets meer van wat hij ooit had gedacht of gevoeld.

Hij was in vier stappen bij de boekenkast. Met vingers die het niet waren verleerd trok hij de kurk van de cognacfles.

Hij smeekte om genade tot elke prijs.

Jan-Erik hoorde de voordeur opengaan en haalde snel de champagne uit de koelkast. De glazen stonden al klaar op de keukentafel naast de kaarsenstandaard. Hij streek een lucifer af om de kaarsen aan te steken. Hij wachtte al uren. Tussendoor was hij even weg geweest om champagne te kopen, en toen was Louise kennelijk net thuisgekomen; de tube paté die op het aanrecht was blijven liggen was daarvan het bewijs, maar toen hij terugkwam was het appartement alweer leeg. Ze had niets ingesproken op de voicemail.

Hij had zich even afgevraagd of het wel kon, zijn bekroning vieren nu Alice ziek was, maar hij had te veel te verliezen om het niet te doen. Voor één keer wilde hij de aandacht die zij anders altijd opeiste. Dit liet hij zich niet afpakken.

Hij zou Louise en Ellen verrassen met champagne en Champomy en vertellen van zijn prachtige prijs. Een gezamenlijke vakantie voorstellen. Hij zou de afbrokkeling stoppen die hem bezighield sinds Louise in tranen was uitgebarsten en haar twijfels had geuit. Hij stond versteld van zijn eigen heftige reactie. Dat iets wat hij heel gewoon vond zo belangrijk bleek te zijn. De basis moest koste wat het kost intact blijven, van daaruit vertrok hij en daarheen moest hij altijd kunnen terugkeren. Het was het geraamte dat het leven stevigheid gaf en een voorwaarde voor alles wat hij deed. Met alle beschikbare middelen zou hij ervoor zorgen dat zij drieën bij elkaar bleven. Bij het verzinnen van zijn plan had hij de gedachte aan de inhoudelijke kant van hun huwelijk zorgvuldig buiten beschouwing gelaten. Anders werd het niks. Hij kon geen seks met haar hebben. Daarom was het zo belangrijk dat Ellen erbij was. Hij had haar rooster bekeken dat op de deur van de koelkast hing en ze zou over een half uur thuis moeten komen. Wat voor hem nog steeds ondenkbaar was, zou dan niet eens kunnen gebeuren, hoe Louise zijn initiatief ook zou opvatten.

Hij zag dat zijn hand trilde toen hij de laatste lont aanstak.

Hij had, voorafgaand aan de verrassing, alvast een paar slokken van iets anders kunnen nemen tegen de zenuwen, maar dat had hij bewust niet gedaan. Soms was hij bang dat Louise doorhad hoeveel hij dronk, ook al vond het grootste deel van zijn alcoholinname buitenshuis plaats. Maar nu zouden ze samen het glas heffen, dat was iets heel anders, een normale, legitieme manier om iets te vieren.

Toen hij opkeek, stond ze in de deur. Een vreemde die regelmatig over de vloer kwam.

Hij doofde de lucifer.

'Hoi.'

Ze keek langs hem en zijn feestelijke voorbereidingen heen uit het raam.

'Ga zitten, we hebben iets te vieren.'

Hij pakte de champagnefles beet, peuterde de folie eraf en vond dat ze in elk geval zou kunnen groeten. Hij maakte het ijzerdraad los, draaide de kurk eruit en vulde de glazen zo snel als het schuim het toeliet.

De vrouw in de deuropening bleef roerloos staan en had kennelijk meer overreding nodig.

Hij tilde de glazen op om haar daarmee te lokken.

'Kom je?'

Iets aan haar was anders dan anders, maar hij kon niet precies zeggen wat het was. Drie dagen geleden had hij haar voor het laatst wakker gezien. Toen hij haar huilend had achtergelaten aan de tafel waarop nu champagne en brandende kaarsen stonden.

Hij liep naar haar toe en overhandigde haar het glas.

'Moet je horen, ik heb de literaire prijs van de Noordse Raad gewonnen. Het is voor het eerst dat ze die prijs aan een nietschrijver geven.'

'Gefeliciteerd.'

Zelfs daar kon ze niet blij om zijn. Dat kon hij duidelijk aan haar gezicht zien. Maar hij wist waar ze vrolijk van zou worden, wat ze altijd uitgaf als water.

'Het prijzengeld is driehonderdvijftigduizend kronen. Deense kronen, dus eigenlijk is het nog meer, ik heb nog niet nagekeken hoe de Deense kroon op dit moment staat.'

Ze dronk niet van de champagne, maar zette het glas op het aanrecht neer. Daar bleef ze met haar rug naar hem toe staan en toen het stil bleef, werd hij kwaad. Dat ze nooit een woord van waardering voor hem overhad, dat ze nooit eens zei dat hij iets goed had gedaan. Hij zwoegde als een beest en dan kon ze toch weleens een keer iets aardigs zeggen of een bemoedigende opmerking maken? Nu had hij zich nog extra uitgesloofd ook, en champagne in huis gehaald om haar op te vrolijken. Hij was haar tegemoetgekomen na hun nare gesprek van drie dagen geleden, dat begonnen was met haar gigantische ontevredenheid. Maar zoals gewoonlijk was het niet genoeg. Koppig en onverzoenlijk zou ze hem voor zich door het stof laten kruipen.

'Ik dacht dat je het leuk zou vinden, ik had willen voorstellen een reis te maken ergens heen, maar dat vind je natuurlijk weer niks.'

Hij dronk zijn glas leeg en schonk zichzelf bij. Het glas stroomde over en hij schudde de druppels champagne van zijn hand. Haar rug maakte hem razend. Hij blies de kaarsen uit zonder zijn hand erachter te houden en druppels kaarsvet landden op de tafel. Dat was Louise vast een doorn in het oog, maar dat maakte hem geen moer meer uit. Hij greep de fles en liep de woonkamer in, ging op de bank zitten, maar stond meteen weer op, ging zijn werkkamer binnen en schopte de deur dicht. Hij ging achter zijn bureau zitten en zette de champagne tussen de stapels ongeopende fanmail voor Axel Ragnerfeldt.

Ze was gewoon nooit tevreden, dat kon hij maar beter onder ogen zien. Ze was een zwart gat dat alle positieve energie opzoog en vernietigde.

Hij schonk nog eens bij en ging met zijn hand over de kring die op het eiken blad van het bureau was ontstaan. Ze deed de deur open zonder te kloppen, kwam met resolute passen binnen en ging in zijn leesstoel zitten. Hij keek een andere kant op, hij was nu niet van plan haar te helpen, nu moest het maar van haar uitgaan. Hij dronk wat champagne, ditmaal had hij geen schuld en hij had het recht om boos te zijn.

'Ik heb Ellen gevraagd of ze bij een vriendin kon blijven slapen vannacht, want wij moeten eens praten.'

Zijn woede hield nog een paar seconden stand, totdat de ernst in haar stem daar een eind aan maakte. Nu kwam er ongerustheid voor in de plaats, het verraderlijke monster met zijn slechte adem kwam kronkelend naderbij. Toen hij naar haar keek, besefte hij dat er echt iets veranderd was. Haar gezicht was open en haar blik recht, en het pantser dat haar anders omsloot was verdwenen, het leek wel of het er nooit was geweest.

'Ik begrijp dat dit een slecht moment is, gezien jouw blijdschap over je prijs en je zorgen om Alice, maar ik kan het maar beter meteen zeggen.'

Hij wachtte gespannen af.

'Ik wil scheiden.'

Er klapte een luik open in de vloer onder zijn stoel en hij maakte een duizelingwekkende val. De lucht werd uit zijn longen geslagen alsof hij een stomp in zijn middenrif had gekregen. Zij zat kalm en beheerst in de stoel, alsof ze een heel gewone opmerking had gemaakt.

'We weten immers allebei dat dat de enige oplossing is.'

Hij schrok nog het meest van haar vastberadenheid. Alsof de hele discussie al was afgerond nog voordat ze waren begonnen. Hij beet op zijn lippen en probeerde zijn paniek te verbergen. Hij klampte zich vast aan het enige feit dat hem houvast had geboden in de wirwar van gedachten die de afgelopen dagen door zijn hoofd waren geschoten. Ze was van hem afhankelijk. Ze had geen cent als ze niet meer aan zijn geld kon komen. Ja, totdat zijn vader stierf dan, maar die kon het nog een hele poos uitzingen als het een beetje meezat. Die omstandigheid was zijn beste verdediging. Dat ze van niets wist.

Hij glimlachte even. Hij zette zijn ellebogen op het bureau en steunde met zijn kin op zijn handen.

'Ja, ja. En hoe ga je dat financieel redden, had je gedacht? Je hebt toch geen geld?'

'Dat lost zich wel op. Ik ga weer studeren om mijn achterstand weg te werken, dus vraag ik om te beginnen studiefinanciering aan. Daarna ga ik weer als ingenieur aan het werk.'

Hij slikte. Ze had er goed over nagedacht.

'Waar ga je wonen?'

'Ik heb met Filippa gesproken. Ik kan voorlopig in haar flat, daarna zie ik wel verder.'

Alles was al in kannen en kruiken, en hij wist nergens van.

'Ellen blijft hier, als je dat maar weet!'

'Misschien. Ze is twaalf en dan mogen kinderen zelf beslissen bij wie ze na een scheiding willen wonen.'

Hij ademde diep in en hoorde dat hij zich daarmee verried, hij tilde het glas op, maar zette het weer neer omdat zijn hand trilde. De rollen waren omgedraaid. Hij was zo vaak het doelwit geweest. Hij had haar projectielen zo vaak handig ontweken en was overeind gebleven, wat ze ook had uitgekraamd. Hij schrok van haar kalmte. Van de zekerheid die ze uitstraalde. Hij zocht naar iets waar hij haar mee onderuit kon halen, zodat ze niet meer de overhand zou hebben, maar de controle weer aan hem zou moeten overlaten. Het was duidelijk dat ze wist wat ze wilde. Geen enkel dreigement van hem zou haar van koers doen veranderen. Haar besluit stond vast, ze had zich aan zijn invloed onttrokken en was buiten zijn bereik. Opeens kreeg hij het benauwd. Ze wilde hem in de steek laten, ze ging bij hem weg.

'Het hoeft zo toch niet, elk huwelijk heeft zijn ups en downs, we komen hier samen wel uit, Louise. Ik ga mijn leven beteren, echt waar, ik kan naar die therapeut gaan als je wilt, zeg maar wat ik moet doen.'

'Toe nou, Jan-Erik.'

Met haar hoofd schuin, alsof ze tegen een kind sprak.

'Zie je niet dat we elkaar kapotmaken?'

'Nee, dat zie ik niet. We kunnen toch niet zomaar alles weggooien wat we samen hebben, alleen omdat het nu even tegenzit, we moeten verdorie vechten, ook als dat moeilijk is.'

'Hebben we dat nog niet lang genoeg gedaan?'

Hij probeerde iets te verzinnen, maar zijn woordenschat was uitgeput. Die onmogelijke vragen van haar ook! Hij moest smeken en proberen zijn gevoelens onder woorden te brengen. Wat ze wilde, sloeg nergens op. Hij wilde gewoon dat alles bleef zoals het was. Dat hij degene was die kon kiezen.

'En Ellen dan?!'

'Ellen blijft altijd onze dochter, ook als wij gaan scheiden. Serieus, Jan-Erik, we wonen op hetzelfde adres, jij en ik, maar daar is dan ook alles mee gezegd.'

Ze schoof heen en weer op haar stoel. Ze schraapte haar keel alsof het moeilijkste nu pas kwam.

'Lena heeft gebeld. Ze wilde je graag spreken.'

Er klonk geen boosheid in haar stem. Het was gewoon een zakelijke mededeling.

'Welke Lena?'

'Lena uit Göteborg.'

Eerst begreep hij niet wie ze bedoelde. Voorzover hij wist, kende hij geen Lena uit Göteborg. Maar toen wist hij het weer en tot zijn ontzetting voelde hij dat hij bloosde.

'Ik ken geen Lena uit Göteborg.'

Maar zijn blik was langs de muur gegleden ook al had hij geprobeerd haar recht aan te kijken.

Hij gaf de vele vrouwen die hij ontmoette bij voorkeur nooit zijn telefoonnummer. En als hij het al deed, dan alleen zijn mobiele nummer. Als een laatste voorzorgsmaatregel veranderde hij dan één cijfer om nog eens duidelijk te maken dat hij echt niet op hun telefoontje zat te wachten.

'Dat maakt niet uit, Jan-Erik. Het is vreemd, maar ik ben zelfs blij voor je.'

Haar commentaar sloeg hem met verbazing.

'Wat, denk je dat ik iets heb met die Lena uit Göteborg?'

'Ja, dat denk ik.'

Hij snoof.

'Nou, dat is echt niet zo, ik heb er geen idee van wie Lena uit Göteborg is. Vermoedelijk iemand die een lezing van me heeft bijgewoond. Wil je daarom scheiden, omdat je denkt dat ik ontrouw ben geweest?'

'Nee, daar is het niet om.'

Hij begreep niet hoe ze zo kalm kon zijn. Hoe ze daar gewoon kon zitten zonder bang te zijn voor de enorme verandering die ze bezig was te ontketenen. Ergens moest ze die kracht vandaan halen. En opeens begreep hij het. Ze had een ander. Er was een man die zijn plaats had ingenomen en haar hiertoe aanzette. Haar koers was al uitgezet. Nu ze hun bestaan op zijn kop had gezet, hoefde ze alleen de rechte lijn nog maar te volgen. Al het dwalen en zoeken was al achter de rug, alle dreigende eenzaamheid bij voorbaat voorkomen, hij zou gewoon verwijderd worden en vervangen door een beter model.

'O, nu begrijp ik het. Je probeert de schuld op mij te schuiven en op de een of andere Lena uit Göteborg, terwijl jij degene bent die iemand anders heeft.'

Louise sloeg haar ogen neer. Toen keek ze hem met een vage glimlach aan, niet boosaardig en niet neerbuigend, maar haar gelijkmoedigheid maakte hem razend.

'Geef het maar toe! Geef maar toe dat je een ander hebt.'

'Nee, Jan-Erik, dat is niet zo.'

Hij geloofde haar niet. Hij was ervan overtuigd dat ze loog om zelf beter voor de dag te komen. Maar wat ze daarna zei, maakte korte metten met zijn slimme conclusie.

'Maar je moest eens weten hoe graag ik zou willen dat het wel zo was.'

Hij balde zijn vuisten. Hij werd belaagd door beelden die toonden hoe zijn territorium werd geschonden. Ontwapend zou hij de invasie moeten aanzien, niet in staat de aanval af te slaan. Voor altijd ongewenst door datgene wat hij wilde verdedigen.

'Je bent de vader van Ellen en dat zul je altijd blijven. Ik wil je niet haten, Jan-Erik, maar dat zal wel gebeuren als ik hier blijf. Ik ben vandaag bij Alice geweest. Weet je, ik heb haar nog nooit zo vrolijk gezien als nu, nu ze denkt binnenkort te zullen sterven. Ik besefte dat ik hard op weg ben om net zo te worden als zij, en dat wil ik niet. En jij begint met de dag meer op je vader te lijken.'

Haar belediging kwetste hem diep. De woede kwam van alle kanten aanstromen om het ontstane gat te dichten. Wat daarbinnen zat mocht er niet uit, anders verdronk hij er nog in.

'Als we de voogdij over Ellen delen, is ze om de week bij jou. Dan krijgen jullie eindelijk de kans om elkaar beter te leren kennen.'

Hij had last van zijn keel en door de pijn kon hij niet praten. Hij schoof de stoel naar achteren en ging staan, verliet de kamer en haalde zijn koffer uit de halkast. In de slaapkamer stopte hij hem vol met kleren die voor het grijpen lagen. Onderweg terug door de woonkamer stopte hij er een paar flessen in, zonder zich druk te maken om wat er op het etiket stond. Zijn keus werd bepaald door hoeveel er nog in zat.

Zij zat nog steeds in de stoel in zijn werkkamer. Hij zag haar benen toen hij erlangs kwam op weg naar de voordeur.

Met zijn hand op de deurkruk beëindigde hij het gesprek.

'Ik slaap vannacht in het huis van mijn ouders. Als ik morgen thuiskom, moet jij weg zijn. Als je verder nog iets wilt weten, verwijs ik je naar mijn advocaat.'

Met welk recht?

Kristoffer trok nog een meter boeken van de plank.

Met welk recht werd hem alles ontnomen?

Een nieuwe slok brandde in zijn keel, maar net als een oude versmade minnares weigerde die hem te hulp te komen. Het beeld van Jesper stond op zijn netvlies gebrand. Het brandde als loog en weigerde op te lossen in het universele middel dat hij naar binnen goot.

Hij had Jespers ouders gebeld. Die hadden het overlijden van hun zoon bevestigd. Twee dagen geleden hadden ze hem in zijn appartement gevonden. Er was aangifte gedaan bij de politie en de gemaskerde man werd gezocht. Van welke misdaad hij beschuldigd zou kunnen worden, had de politie nog niet kunnen aangeven.

Er kletterde weer een meter boeken op de grond en toen de boeken op waren, gooide hij de boekenkast erachteraan. Hijgend keek hij om zich heen of hij verder nog iets kon omgooien. Niets mocht overeind blijven staan of net doen of het heel was. Alle boeken rond zijn voeten die hij doorgeworsteld had. Geschreven door zelfvoldane wetenschappers die hem wijsgemaakt hadden dat er logica zat in het bestaan.

Hij bracht de fles naar zijn mond. Het vocht waarnaar hij zo lang had verlangd liep in zijn keel, maar hij hield er niet meer aan over dan een pieptoon in zijn oren.

Hij keek naar zijn laptop. Hij zag het zwarte hokje op het beeldscherm en maaide hem van het bureau. Het beeld verdween en hij gaf een trap tegen het scherm om er zeker van te zijn dat het ook nooit meer terug zou komen.

Jesper was dood.

Jesper had hem verlaten.

Jesper was weg en met hem ook datgene wat hij voor Kristoffer had betekend. Liefde durfde hij voor niemand te voelen, maar dit kwam er dicht bij in de buurt.

Uit het raam kon hij nog steeds de Katarinakerk zien. De takken zaten nog aan de bomen. Er waren geen ramen geëxplodeerd in de omliggende flats. En op het kerkhof wandelde iemand alsof je de lucht nog steeds kon inademen. Alleen in zijn flat was de catastrofe zichtbaar. De rest van de wereld was kennelijk van plan door te gaan alsof er niets aan de hand was.

Hij was weg. Voorgoed. Alles wat hij nog had zullen meemaken ging niet meer door. Zijn heldere kijk op de dingen was ten slotte overwonnen door het cynisme. Het kwaad had mogen zegevieren.

Uitgeput liet hij zich in zijn bureaustoel zakken. Met zijn armen langs zijn lichaam bleef hij met gesloten ogen zitten luisteren naar het geluid van zijn ademhaling. De dwangmatige herhaling. De voorwaarde voor overleven. De aangeboren drang om jezelf in stand te houden.

Zijn hersenen raakten verdoofd en dat was een bevrijdend gevoel waar hij dankbaar voor was. Dan vergat hij hoe diep zijn pijn was. Waarom werden mensen zo niet geboren? Met een paar promille alcohol in hun bloed. Met het afweersysteem uitgeschakeld en de ziel in een aangename ruststand.

Was overleven echt zo belangrijk? Was het al dat lijden waard?

Hij nam weer een slok uit de fles. Op het bureau voor hem lag een brief. Die had hij uit de hal gehaald toen Jesper nog leefde. Het was een wonder dat hij een reden zag om zijn hand ernaar uit te strekken, dat hij er ook maar de minste belangstelling voor kon opbrengen. Afzender Marianne Folkesson. Hij maakte de envelop open. Er zat een briefje in en nog een envelop.

Dit vond ik in Gerda's appartement. Tot ziens op de begrafenis.
Vriendelijke groeten,
Marianne

Een witte envelop met zijn naam erop. Geschreven in een krullerig handschrift.

Te overhandigen na mijn dood.

Met een sloom gebaar scheurde hij de envelop open en begon te lezen.

'Ellen moet het weten en ik ga haar nu bellen. Jij gaat haar niet een heleboel leugens verkopen en haar wijsmaken dat dit mijn schuld is.'

'Dat ben ik ook helemaal niet van plan. Maar bel haar nu vanavond niet, Jan-Erik, toe. Ze mag dit toch niet over de telefoon horen, we moeten met elkaar om de tafel gaan zitten en het haar samen vertellen.'

'Absoluut niet, ik ben niet van plan jou uit de brand te helpen. Je redt jezelf maar met je krankzinnige beslissingen.'

'Jan-Erik, alsjeblieft.'

Maar hij had de hoorn erop gegooid en, zoals hij had gedreigd, Ellen op haar mobiel gebeld.

'Ellen? Ellen, met papa. Ik moet je iets vertellen voordat je moeder dat doet en je een heleboel leugens vertelt, ze heeft besloten dat we moeten scheiden, dat we niet meer samen in één huis kunnen blijven wonen, ze zegt dat jij om de beurt bij een van ons moet wonen, maar ik vind dat je alleen bij mij moet wonen. Wij blijven in het huis, jij en ik, en zij moet maar zien wat ze doet. Je moet weten dat zij dit helemaal alleen heeft bedacht, ik heb geprobeerd haar van het idee af te brengen, maar ze denkt alleen aan zichzelf. Maar wij steunen elkaar, Ellen, jij en ik.'

Het was de schuld van Louise dat Ellen had gehuild aan de telefoon. De schuld van Louise dat hij dronken was en als een onzalige geest in het donker door zijn ouderlijk huis dwaalde.

De radiatoren stonden op de hoogste stand, maar niets kon de bittere kou verdrijven die door alles heen drong. Hij wilde daar niet zijn. Hij wilde niet rondlopen tussen alle herinneringen die aan de muren kleefden. Hij haatte het huis tot in de kleinste details, hij haatte elke spijker, elk plankje. De sfeer drong door zijn huid naar binnen en verspreidde zich als gal door zijn bloedvatenstelsel. Hij wilde vechten, maar er was niemand die hij iets kon aandoen. Hij wilde schreeuwen, maar er was niemand die hij daarmee bang kon maken.

Hij zou haar eens wat laten zien! Ze had zijn vader dan wel zo gek gekregen om haar in zijn testament te noemen, maar hij zou de culturele erfenis blijven beheren. Hij zou een hoger honorarium bedingen voor zijn lezingen, hij zou slim beleggen op rekeningen waar zij met haar grijpgrage vingers niet bij kon en hij zou een manier verzinnen om alle auteursrechten op zijn naam te laten zetten. Hij zou ervoor zorgen dat haar deel van de erfenis minimaal bleef, hij zou de plannen klaar hebben liggen op de dag dat die ouwe eindelijk zijn laatste adem uitblies. Louises korte triomf zou snel in verbittering omslaan wanneer ze besefte wat ze was kwijtgeraakt.

Hij stond stil voor de werkkamer van zijn vader. Als gewoonlijk aarzelde zijn lichaam bij de stap over de drempel. Het was hem al jong ingeprent dat hij dan een verboden grens overschreed. Zijn blik werd naar de lampenhaak getrokken, maar hij keek snel een andere kant op. Annika had hem ook in de steek gelaten. Zij hoorde ook bij de mensen die hem hadden laten zitten.

Hij keek naar de kast. Daar zou hij de oplossing vinden. Ongepubliceerde teksten, uit te geven als een eerbetoon na de dood van Axel Ragnerfeldt. De inkomsten zouden het deel van de erfenis compenseren dat aan Louise was verspild.

Hij liep erheen en opende de deur. Het donker stroomde naar buiten en hij pakte de zaklamp die nog op het bureau stond. Toen hij de kast in stapte, struikelde hij over de zwarte vuilniszak. Boos pakte hij die op en liep ermee de kamer in waar hij hem boven de vloer omkeerde. Blaadjes en drukwerk stroomden over de vloerbedekking. Hij ging op zijn hurken zitten, maar verloor zijn evenwicht bij die beweging. Zittend op de vloer roerde hij met zijn hand door alle documenten en even leefde hij op toen hij een dik pak papier ontdekte. Typisch een manuscript. Iets wat zijn vader had weggegooid, maar wat in de ogen van Jan-Erik nog best goed genoeg kon zijn. Er zat een kort briefje aan het voorblad vast en hij las wat erop stond.

Axel, de afgelopen uren zijn niet eenzaam geweest, je bent steeds in mijn gedachten. Ik kan moeilijk weg, en daarom stuur ik je mijn boek, ik zou je bijzonder erkentelijk zijn als je mij je gewaardeerde mening hierover zou willen geven. Ik heb het nog aan niemand laten lezen (je zult begrijpen dat dit Torgny's horizon ver te boven gaat!). Mijn woorden willen enkel door jouw mooie ogen gelezen worden.

Je Halina

PS: Ik ben zo ontzettend blij dat we elkaar eindelijk hebben ontmoet!

Hij vloekte binnensmonds. Weer die minnares. Overal in de kast dook ze op alsof ze een deel van de ruimte had gehuurd. Ongeïnteresseerd liet hij de handgeschreven bladzijden onder zijn duim doorlopen toen hij plotseling een geluid hoorde. Een ritmisch, rinkelend geluid dat niet uit het huis kwam, maar wel van ergens vlakbij. Hij legde het manuscript neer en stond op. Buiten was het donker en hij deed snel de grote lamp uit. Hij zag geen beweging in de donkere tuin. Hij nam de zaklamp mee en liep door de onverlichte kamers. Door elk raam keek hij spiedend de tuin in, maar nergens vond hij een verklaring. Hij zag niets vanuit de woonkamer, niets vanuit de eetkamer en ook niets vanuit de keuken. Hij opende de deur van de meidenkamer waar Gerda vroeger had gewoond, liep naar het kastje en keek door het ronde raampje erboven. Hij zag iets bewegen buiten. Een zwart silhouet op het gazon achteraan bij de struiken. Op de plek waar vroeger de broeikas had gestaan, maar die bij zijn terugkeer uit Amerika veranderd bleek te zijn in een betegeld terras. Hij stond stil te turen totdat zijn ogen aan het duister gewend waren. Toen pas begreep hij wat hij hoorde. Het blad van een schop die op de steen stootte om de tegels op te lichten.

Eerst voelde hij niets. Hij begreep niet wat hij zag. Meteen daarna werd hij kwaad omdat iemand hun terras overhoophaalde. Hij knipte de zaklamp aan en richtte de lichtkegel op wat daar bewoog. Het zwarte silhouet veranderde in een man, die toen hij door het schijnsel werd getroffen, zijn gezicht naar het licht keerde. Jan-Erik zag wie het was. De vondeling die zou erven van Gerda Persson.

Hij deed het raam open.

'Waar ben jij in godsnaam mee bezig?'

De vondeling antwoordde niet. Hij keerde Jan-Erik de rug toe en begon te graven op de plaats waar de tegels hadden gelegen.

'Zeg, als je daar niet mee ophoudt, bel ik de politie!'

Hij kreeg geen reactie.

Jan-Erik smeet het raam dicht en liep de hal in, trok zijn jas en schoenen aan en controleerde of zijn mobieltje in zijn jaszak zat, voor het geval hij om hulp zou moeten vragen. Hij drukte op de knop van de buitenverlichting voor de entree, maar er gebeurde niets. Geërgerd smeet hij de deur dicht, hij viel bijna van de trap en liep verder over het gras. Het licht van zijn zaklamp schoot heen en weer over de grond en af en toe deed hij een paar stappen opzij voor struiken of rommelige perkjes totdat de lichtkegel het gat bereikte dat Kristoffer had gemaakt. De tegels lagen om hem heen verspreid onder een laagje aarde.

'Waar ben je eigenlijk mee bezig? Dit is particulier terrein en als je dit niet allemaal meteen weer in orde maakt, bel ik de politie.'

Kristoffer snufte en veegde met zijn hand over zijn gezicht, voor hij weer doorging met graven. Zijn achteloosheid maakte Jan-Erik nog bozer en hij stak zijn hand uit naar de schop, maar Kristoffer sloeg zijn arm weg.

'Wist je het al die tijd al?'

Jan-Erik richtte de lichtbundel op zijn gezicht. Zijn ogen waren rood en gezwollen en er liepen tranen over zijn wangen. Kristoffer schermde zijn ogen af voor het verblindende licht en ging door met graven. Jan-Erik raakte steeds meer in verwarring. De absurde situatie, een indringer in tranen, Louise die wilde scheiden, alle alcohol die hij naar binnen had gegoten, alles werd een draaikolk die hem naar beneden zoog. De constructie waarop zijn verstand rustte, kraakte in zijn voegen. Hij liet de lichtkegel zakken en opeens kón hij niet meer, zo moe was hij.

Hij begreep het niet. Hij wist ook niet of hij het wel wilde begrijpen. Of hij wel wilde weten waarom Gerda's erfgenaam hier in hun tuin stond te spitten.

Hij wilde het niet weten.

Kristoffer stopte met graven en haalde een opgevouwen blaadje uit zijn zak. Hij stak het over de kuil heen uit naar Jan-Erik, die niet in staat was zijn arm op te tillen. Hij zou een gemene besmetting oplopen. Een chronische ziekte waar hij nooit meer van afkwam.

Kristoffer wapperde met het blaadje.

'Lezen!'

Nu zou hij het bewijs krijgen. Dat de man tegenover hem zijn halfbroer was. Dat er nog een deel van de erfenis zou verdwijnen naar iemand die dat beslist niet had verdiend.

Maar dat verklaarde het graven op zich nog niet. Hij moest niet bang zijn, want datgene waar hij bang voor was, dat kon helemaal niet.

Het papier brandde in zijn vingers. In het schijnsel van de zaklamp kreeg het krullerige handschrift van Gerda vorm. Het kronkelde over de regels als kunstzinnige decoratie en op het eerste gezicht zag het er allemaal onschuldig uit. Maar hij begreep dat onder die buitenkant iets vreselijks schuilging. Als hij de woorden toestond om zinnen te worden, zou er iets kapotgaan wat nooit meer hersteld kon worden.

Bij het geluid van de schop die de aarde verplaatste, begon hij te lezen.

Beste Kristoffer,

Ik weet niet of ik er goed aan doe deze brief te schrijven, maar ik maak mezelf zulke grote verwijten dat ik niet anders kan. Ik wil proberen iets recht te zetten waar ik ooit onder dwang aan heb meegedaan. Het is jaren geleden, maar er gaat geen dag voorbij dat ik niet denk aan wat er toen allemaal is gebeurd, en nu ben ik oud en ik voel mijn einde naderen …

Waarom volgt het oog de regel die het niet wil lezen? Waarom interpreteren de hersenen de woorden die ze niet willen begrijpen? Want met elk woord dat hij las, ging er iets verloren. Geruisloos was het geheim al die jaren achter hem aan geslopen. Zijn ouders hadden hem van alles voorgespiegeld, met hun misleidende gedrag hadden ze hem zijn bestaan en zijn denkwereld laten bouwen op iets wat er nooit was geweest. Onder de vergulde dekmantel zat één groot gat. De wortel van zijn bestaan was niet meer dan fantasie.

... en op de ochtend na die vreselijke gebeurtenis vond ik je in de houtschuur. Mevrouw Ragnerfeldt lag in bed, ze had een kalmerend middel ingenomen, dus zij weet hier niets van, en meneer Ragnerfeldt wist zich eerst geen raad, maar toen zei hij tegen mij dat ik met jou naar de stad moest gaan en jou dan ergens moest achterlaten waar iemand je zou vinden en ik durfde niet te weigeren. Ik heb al het kwaad zien gebeuren, en ik heb er niets tegen gedaan. Het is geen excuus, maar ik ben geboren in een familie waar me was geleerd niet op te staan tegen het gezag, maar ik haat die man om alles wat hij heeft gedaan en om de daden waartoe hij mij heeft aangezet ...

Hij hoorde het geluid in zijn lichaam. Van een zware, ondoordringbare muur die naar beneden kwam om hem te beschermen. Een vestingmuur om zijn persoon heen waar de aanval op af zou ketsen.

'Maar dit is je reinste waanzin, Gerda is dement geworden op haar oude dag, dat zie je toch zo. Het is zo duidelijk als wat dat dit is geschreven door iemand die ze niet allemaal meer op een rijtje heeft, dat begrijp jij toch ook wel? Om zoiets over mijn vader te beweren. Axel Ragnerfeldt, weet je wie dat is? Jij begrijpt toch ook wel dat dit helemaal nergens op slaat. Zoiets zou hij nooit doen!'

Kristoffer stopte, hijgend van inspanning.

'Dus je zus heeft geen zelfmoord gepleegd?'

'Wat?'

'Heb je alles al gelezen? Over waarom ze dat heeft gedaan?'

Een koude hand nam Jan-Eriks hart in een knellende greep. Een paar seconden gingen voorbij en in die tijd had hij onvrijwillig partij gekozen.

'Mijn zus is bij een auto-ongeluk omgekomen!'

... naast de kamer van meneer Ragnerfeldt zat een bezemkast. In die kast kon je alles horen wat in zijn werkkamer werd besproken en soms stond ik daar stiekem te luisteren, want ik kon het beter aan als ik wist wat er in huis gebeurde. Ik weet dat het fout was van me, maar dat deed ik. Een paar maanden nadat meneer Ragnerfeldt de Nobelprijs had gekregen, kwam de schrijver Torgny Wennberg op bezoek en aangezien ik wist dat hij je moeder had gekend was ik bang dat hij alles had ontdekt en dat ik ter verantwoording zou worden geroepen, dus daarom stond ik in de kast te luisteren en zodoende hoorde ik het toen ...

Voor hem viel Kristoffer op zijn knieën. Jan-Erik liet het licht van de zaklamp in de kuil schijnen en voelde hoe de angst zich door zijn lichaam verspreidde. Kristoffer had gevonden wat hij zocht. Opeens waren Gerda's woorden bevestigd, hij zou ze nooit meer kunnen bestrijden. Jan-Erik knipte de zaklamp uit om wat hij in de kuil had gezien te laten verdwijnen.

'Doe hem weer aan!'

Kristoffer schreeuwde.

'Doe hem weer aan, zeg ik!'

Jan-Erik knipte de zaklamp aan, plotseling bang dat iemand hen zou horen.

Een hele poos bleef Kristoffer stil in de donkere kuil zitten turen. Keer op keer ging hij met zijn arm langs zijn neus en zijn natte wangen glommen in het vage schijnsel.

'Je hebt me helemaal niet verlaten.'

Jan-Erik verlangde naar een slok.

Kristoffer kwam moeizaam overeind.

'Weet je wat een blijver is?'

Jan-Erik gaf geen antwoord. Alles wat tot nu toe waar was geweest, gold opeens niet meer en hoe het er nu voor stond, kon hij niet overzien.

'Dat zijn mensen die iets doen wat zo uniek is dat de herinnering aan hen altijd blijft leven. Zo iemand was Axel Ragnerfeldt voor mij. Maar al is het het laatste wat ik doe, ik zal ervoor zorgen dat hij de geschiedenis ingaat als de klootzak die hij is.'

Inwendig hoorde Jan-Erik zijn eigen stem. De woorden die hij zo vaak had herhaald in het licht van de schijnwerpers. *Mijn vader besefte dat het met onze daden net zo is als met onze kinderen, ze leiden een eigen leven en buiten ons of onze wil om laten ze hun invloed gelden. Joseph Schultz en mijn vader horen bij de kleine groep mensen die heeft ingezien dat een goede daad zijn eigen beloning is.*

Het was afgelopen met al zijn lezingen. Hij zou nooit meer op een podium staan en zich omsloten voelen door het applaus. Hij zou nooit meer met die respectvolle blik worden aangekeken als hij zijn achternaam noemde. Van nu af aan zou zijn naam een handicap zijn. Hij zou de prijs van de Noordse Raad nooit krijgen. Louise zou nooit spijt krijgen dat ze hem had verlaten.

Alles zou hem afgenomen worden.

Kristoffer griste de brief uit Jan-Eriks hand. Na een laatste bik in de kuil begon hij naar het hek te lopen.

'Wacht even!'

Kristoffer liep door.

'Wacht nou even, we kunnen toch nog wel even praten?'

Hij had geen schuld. Toch zou hij de straf moeten dragen.

'Je kunt geld krijgen, driehonderdvijftigduizend Deense kronen.'

Kristoffer bleef abrupt staan en draaide zich om. Jan-Erik kon de uitdrukking op zijn gezicht niet zien, maar het beetje hoop dat was gewekt doofde toen hij Kristoffers antwoord hoorde.

'Sodemieter op!'

Hij liep door naar het hek. Het witte briefje waar zoveel dreiging van uitging, wapperde in zijn hand. Daarbuiten zouden Gerda's woorden zich als stuifmeel verspreiden.

Jan-Erik had geen tijd om na te denken. Hij dacht niet na toen hij bukte om de schop op te pakken en ook niet toen zijn benen begonnen te rennen om Kristoffer in te halen. Zelfs toen hij een paar meter van het hek naar het roerloze lichaam op het grindpad stond te kijken, dacht hij niet. Zijn enige gewaarwording was verbazing. Het licht van de straatlantaarn viel op de handen die de schop vasthielden en hij verbaasde zich erover dat het zijn handen waren. Ze hadden zijn instinct gevolgd, dat even oeroud was als de mens, de bereidheid om te doden en zo te beschermen wat van ons is.

Dat vermogen had hij zonder het zelf te weten in zich gehad.

Hij had zo lang geploeterd en daar zo weinig mee bereikt.

Een leven in de schaduw van degene die hij bewonderde.

Voor dat weinige was hij in staat gebleken te doden.

De kuil was al gegraven. De vorige generatie had het voorbereidende werk al gedaan.

Nu, eenendertig jaar later, was hij aan de beurt om de plek te veranderen in een familiegraf.

Hoe lieflijk, hoe goed is mij, Heer, het huis waar Gij uw naam en eer hebt laten wonen bij de mensen.

Marianne Folkesson zat alleen in de kerkbank met een liedboek in haar handen. Ze kende de psalm uit haar hoofd, die werd zo vaak gezongen op begrafenissen. De gezwollen orgelklanken dreunden tussen de stenen muren waar niets het geluid dempte. Alleen zijzelf, de dominee, de organist en de begrafenisondernemer. Kristoffer Sandeblom was er niet, er was niemand van de familie Ragnerfeldt, en ook Torgny Wennberg had verstek laten gaan.

Op weg naar haar laatste rustplaats had Gerda Persson even weinig mensen om zich heen als ze tijdens haar leven gehad scheen te hebben.

Van kracht tot kracht gaan zij steeds voort. Hun lied weerklinkt van oord tot oord, tot zij Jeruzalem betreden.

Ze keek naar de witte kist, versierd met de rozen die Jan-Erik Ragnerfeldt had voorgesteld. Het was geen uitbundig bloemstuk, maar de bloemist had als altijd goed werk geleverd. De bloedrode kleur te midden van verschillende tinten groen gaf waardigheid aan het geheel en ze had iets minder het gevoel dat ze had gefaald.

Vlak voordat de kerkklokken werden geluid en de deuren waren dichtgegaan was ze op de kerktrap gaan staan om Kristoffer Sandeblom op zijn mobiel te bellen. Hij nam niet op. Ze vroeg zich af of die brief van Gerda hem op andere gedachten had gebracht, of hij daarom niet meer wilde komen. De nieuwsgierigheid naar wat er in de brief stond, en de vraag of daarin de verklaring van het testament werd gegeven, hadden haar achtervolgd sinds ze hem op de bus had gedaan.

Teleurgesteld dat iedereen wegbleef, had ze vooraan in de kerk plaatsgenomen en de jonge dominee toegeknikt dat hij maar moest beginnen. Er was helaas niemand op wie ze nog moesten wachten.

Zijn hand onthoudt het goede niet aan wie oprecht hem hulde biedt en eerlijk wandelt voor zijn ogen. Heer, die het al in handen houdt, welzalig die op U vertrouwt.

De orgeltonen galmden nog even na. De dominee kwam naast de kist staan.

'In de naam van de Vader, de Zoon en de Heilige Geest.'

Ze hoorde de organist bewegen op de galerij. Het geluid werd versterkt in de lege ruimte en het maakte haar nog weemoediger. Voor haar vouwde de dominee het blaadje open dat zij hem had gestuurd. De beknopte informatie over Gerda. Ze had het weinige opgeschreven wat ze wist, maar hoopte dat hij toch een passende gedenkrede had kunnen bedenken. Ze had gedaan wat er van haar werd verwacht, misschien zelfs wel iets meer, maar toch had ze het gevoel dat het niet genoeg was.

De dominee keek op van het blaadje en begon te spreken.

'We zijn hier vandaag bijeen om afscheid te nemen van Gerda Anna Persson, die ons op 4 oktober 2006 heeft verlaten. Ze heeft de gezegende leeftijd van tweeënnegentig jaar mogen bereiken en tijdens haar leven is er in de wereld veel gebeurd. Gerda werd in 1914 in Borgholm op Öland geboren. Op haar dertiende, na zes jaar lagere school, begon ze als dienstmeisje bij een familie in Kalmar. Vier jaar later kwam ze naar Stockholm en daar zou ze blijven. Ze werkte haar hele leven als huishoudster bij verschillende families in en om Stockholm. Het langst was ze in dienst bij de beroemde schrijver Axel Ragnerfeldt en zijn gezin, waar ze tot aan haar pensioen in 1981 bleef werken.'

Hij liet het blaadje zakken en stopte het tussen de blaadjes van de bijbel die hij in zijn handen hield. Marianne frunnikte aan de roos die ze op Gerda's kist zou leggen en hoopte dat hij nog iets meer zou zeggen. Dat hij zijn best had gedaan voor Gerda. Ze had de hoop al bijna opgegeven toen hij uitkeek over de lege banken en begon te spreken alsof de kerk tot de laatste plaats toe bezet was.

'Wanneer we ons een voorstelling proberen te maken van Gerda's leven, liggen de vooroordelen op de loer. Ik moet toegeven dat ik daar zelf ook last van had toen ik voor deze taak werd gesteld. Naar de criteria van onze tijd gemeten, zien we op het eerste gezicht niets benijdenswaardigs, niets wat we voor onszelf of voor onze kinderen zouden wensen, integendeel. Gerda's leven lijkt saai en zwaar. Maar wat weten we eigenlijk van een mensenleven? Van wat ze allemaal heeft meegemaakt? Van haar vreugde en verdriet. Waar ze van droomde en wat daarvan terechtgekomen is. We weten niet veel van Gerda, behalve dat ze nu hoort bij degenen die eindelijk het antwoord hebben gekregen op het eeuwige raadsel van het leven. Laat ons daarom de vraag stellen of zij ons vandaag iets kan leren, door ons te herinneren aan de eindigheid van het leven.'

Marianne leunde achterover. Hij had het begrepen; net als zij deed hij zijn best om Gerda te eren bij de laatste gelegenheid die daar nog voor was.

'Tegenwoordig is geluk een hot item. Er worden boeken over geschreven, cursussen georganiseerd, sommige mensen proberen het zelfs te kopen. Gelukkig zijn is een recht geworden. We jagen het na en denken dat al onze problemen zijn opgelost als we het eenmaal gevonden hebben. Niet gelukkig zijn is synoniem geworden met mislukken. Maar wat is geluk eigenlijk? Kun je wel altijd gelukkig zijn, elke minuut, dag in dag uit, jaar na jaar? Moet je dat wel nastreven? Want hoe zouden we ons eigen geluk kunnen begrijpen als we nooit pijn hadden gevoeld? Ik denk weleens dat het aan onze diepgewortelde angst voor het lijden ligt dat het ons tegenwoordig zo veel moeite kost om het geluk te vinden. Misschien zijn we de wijsheden vergeten die we in onze eigen duisternis kunnen vinden. Moeten we daar niet gaan zoeken om geleidelijk aan het licht van de sterren te kunnen zien? Om ten diepste te begrijpen hoe het geluk voelt dat we zo ijverig najagen. Een leven zonder verdriet is een symfonie zonder bassen. Is er iemand die naar waarheid kan beweren dat hij altijd gelukkig is? Ik moet de eerste nog tegenkomen. Daarentegen ben ik wel mensen tegengekomen die een gelukkige indruk op me maakten, en die zeiden dat ze tevreden waren. Dat woord heb ik opgezocht en de omschrijving die ik vond, luidt: het gevoel dat je hebt wanneer je datgene hebt bereikt of gekregen wat je redelijkerwijs kon verwachten. En toen ik dat las, bedacht ik dat we misschien wel verkeerd bezig zijn met onze jacht naar geluk, dat we eigenlijk op zoek zouden moeten gaan naar het vermogen om tevreden te zijn. We hebben op de een of andere manier het idee dat geluk een kortstondig moment van vervoering is, een emotionele roes, maar misschien vinden we het geluk juist wel als we de moed hebben om rustig op onze plaats te blijven en tevreden te zijn met wat we hebben.'

Hij richtte zich tot de kist.

'Hoe jij daarover dacht, Gerda, zullen we nooit weten. We weten alleen dat jij je leven zo goed mogelijk hebt geleid vanuit de mogelijkheden die je had. Dat heeft me aan het denken gezet en daar ben ik je dankbaar voor.'

Marianne glimlachte. Toen ze elkaar even aankeken, knikte ze hem oprecht dankbaar toe. Hij glimlachte terug, liep naar het hoofdeinde van de kist en pakte een handjevol aarde op.

'Stof zijt gij en tot stof zult gij wederkeren.'

Drie keer kwam de aarde op de kist neer en ze wist dat ze hun best hadden gedaan.

De sleutel van Gerda's appartement zat nog in de luchtkussenenvelop in haar tas, want ze had zich erop ingesteld dat zij en Kristoffer Sandeblom er na de herdenkingsbijeenkomst heen zouden gaan. Op de kerktrap weifelde ze en ze belde nog een keer naar zijn mobiele nummer. Al na het eerste signaal werd het gesprek doorgeschakeld naar zijn voicemail en ze vroeg hem terug te bellen. Het appartement moest worden opgeruimd en ze besloot om meteen aan het werk te gaan en niet op hem te wachten. Als ze iets vond waarvan ze dacht dat hij het misschien wilde hebben, zou ze het voor hem apart leggen.

Onder aan de roltrap naar de metro ging ze een kiosk binnen om iets te eten te kopen. Het was al laat in de middag en ze kende zichzelf goed genoeg om te weten dat ze straks honger zou krijgen. De aanplakbiljetten van de bladen herinnerden haar aan de familie Ragnerfeldt en ze wond zich weer op over de lege kerk. Dat Gerda's overlijden zo weinig betekende dat andere dingen voorrang kregen. Zelfs Jan-Erik, die eerder zoveel interesse had getoond, had het laten afweten.

Ze kocht een broodje en wat fruit en wendde haar ogen af van de schreeuwende koppen waaraan geen oog weerstand kon bieden.

SCHRIJVER FILMT ZIJN EIGEN ZELFMOORD
EN ZET FILM OP INTERNET

Ze hing haar jas op in de hal en zuchtte toen ze zag hoeveel werk er nog gedaan moest worden. Er moesten beslissingen worden genomen over al Gerda's bezittingen, wat van waarde was en wat weg mocht. Ze besloot met de slaapkamerkasten te beginnen. Wat heel en schoon was ging naar liefdadige instellingen en de rest ging naar de vuilstort.

De eerste kast hing vol kleren, die ze zorgvuldig stuk voor stuk inspecteerde en zo goed mogelijk sorteerde. De zwarte vuilniszak zat algauw vol en er belandde maar één jas in de doos voor goede doelen. In de volgende kast, een legkast, lagen handdoeken en keurig gestreken lakens in kaarsrechte stapeltjes, en de jas kreeg gezelschap in de goededoelendoos.

Ze klom op een stoel om de bovenste plank leeg te halen en toen zag ze ze. Helemaal achterin lag een stapel zwarte schriften. Ze had meteen door dat het dagboeken waren. Ze keek erin en zag dat de eerste aantekening van 4 augustus 1956 stamde. Ze kon zichzelf wel voor het hoofd slaan dat ze ze niet voor de begrafenis had ontdekt, misschien had ze er iets aan kunnen hebben bij haar zoektocht naar familieleden.

Ze stapte van de stoel en daar stond ze dan in Gerda's slaapkamer met alle geheimen van haar leven in handen. Ze vroeg zich af of ze het recht wel had en ging bij zichzelf na wat zij zou willen als ze een dagboek had bijgehouden en iemand vond dat na haar dood. Peinzend legde ze de stapel op het nachtkastje en liep terug naar de kast. Achter haar rug trokken de zwarte schriften aan haar als een magneet en verstrooid haalde ze een jurk uit de kast. Gerda's erfgenaam was niet eens komen opdagen op de begrafenis, wat zouden hem dan die dagboeken kunnen schelen? Als Gerda per se niet had gewild dat ze gelezen werden, had ze ze wel weggegooid. Als ze voor iemand in het bijzonder bestemd waren, had ze er wel een briefje op geplakt, net als bij de brief aan Kristoffer Sandeblom. Op dit moment was Marianne de enige die zich voor Gerda Persson en haar levensloop interesseerde. Weer dook de vraag op wat ze zelf gewild zou hebben. Het antwoord was snel gegeven: als ze dood was, zou het haar niets meer kunnen schelen. Wie dan leefde, moest zelf maar beslissen.

Toen ze de knoop had doorgehakt legde ze de jurk neer en nam de dagboeken mee naar de keuken, waar ze aan Gerda's tafel ging zitten lezen.

Een klein straaltje maanlicht kroop tussen de dichte gordijnen door Axels kamer binnen. Ze hadden hem op zijn rug gelegd en zijn ogen konden de beweging over het plafond volgen.

Wat zal je oog willen vangen, wanneer je weet dat dat het laatste is wat je zult zien? Die vraag had hij in zijn eerste roman gesteld, op geruststellende afstand van het einde dat nu nabij was.

Door de dichte deur heen was hij geruisloos zijn kamer binnengeslopen. Dankbaar voelde hij dat het moment was gekomen waarnaar hij al zo lang had uitgezien. Waarop hij eindelijk bevrijd zou worden uit zijn gevangenis. De hele middag voelde hij hem al naderen en hij wachtte het blijmoedig af.

Toen was de dag in avond overgegaan en het werd langzaam donker. Maar naarmate het schemeriger werd in de kamer, groeide zijn angst. Tijdens het wachten kwamen bange voorgevoelens bij hem op, die uitmondden in hevige angst. Hij had zich voorgesteld dat hij de genade zou smaken, maar nu was hij bang dat hij volledig weggevaagd zou worden. Chaos en ontbinding lagen in het verschiet.

Toen het personeel kwam om hem in bed te tillen wilde hij schreeuwen dat ze bij hem moesten blijven, dat ze hem niet alleen moesten laten met degene die stond te wachten in het hoekje dat hij niet kon zien. Nietsvermoedend hadden ze hem onder de dekens gestopt en hij had hun luchtige gesprekken moeten aanhoren. Hij had ze zien weggaan en ze hadden hem in eenzame wanhoop achtergelaten.

Hij wilde niet sterven. Hij was niet langer bereid. Vijf jaar lang had hij hem geroepen, maar nu hij eindelijk kwam, besefte hij dat hij er niet klaar voor was. Oog in oog met het onvermijdelijke zag hij niet de dood, maar zichzelf.

Hij kreeg het steeds benauwder, er drukte een enorm gewicht

op zijn borstkas. Zijn lichaam vocht als een bezetene om het leven vast te houden dat het niet wilde loslaten. In de verte zag hij vaag de rode alarmknop. De onbereikbare verbinding met mensen die hem konden komen redden.

Zijn borstkas werd steeds zwaarder, er hing een muffe lucht in de kamer. Hij nam alleen contouren waar en herkende niet meer wat hij zag.

Hij wilde Alice roepen, wilde haar vragen om hem te hulp te komen. Maar ze zat met haar rug naar hem toe aan het bureau en had het niet door. Hij hoorde het geluid van haar schrijfmachine en wilde naar haar toe gaan en met zijn neus in haar nek haar geur opsnuiven.

Hij viel, steeds sneller, maar zijn onbruikbare armen weigerden hem te beschermen. Hij wilde getroost worden door de zin en het doel van het leven dat hij had geleefd en van de dood die hij nu tegemoet ging. Hij wilde er niet zomaar tussenuit knijpen, maar zijn leven waardig afsluiten. Hij was uit zijn verstopplaats geduwd en viel hulpeloos langs fluisterende stemmen. Alle gebeurtenissen waaraan hij stilzwijgend voorbij was gegaan kwamen in sneltreinvaart voorbij.

Hij had het koud en vroeg smekend of iemand hem zou willen verwarmen.

Nu begreep hij pas dat het ernst was met de dood, dat alle wegen hem wegvoerden van wat zijn zintuigen kenden. Zijn gedachten doorkruisten alle momenten van het leven om die herinneringen eruit te halen die zijn angst konden verzachten.

Zijn reputatie was over de hele wereld bekend. Hij had koningen en presidenten de hand geschud. Als een onsterfelijke had hij zijn plaats in de geschiedenis ingenomen.

Wat had het voor nut gehad? Zijn leven zou uitgevaagd worden.

Hij werd overal ter wereld door tal van onbekenden bewonderd, maar niemand kwam hem troosten.

Waar had hij altijd naar gezocht?

En toen zijn borstkas inzakte en zijn hart stil bleef staan, klonk de echo van een laatste vraag: *wat heb ik aan al die roem?*

Door de takken boven hem kroop een zonnestraal, die hem verblindde. Hij lag op het grasveldje, onder de appelboom. Hij hoorde het vertrouwde geluid van zijn vaders hamerslagen. Zijn moeder was in de moestuin aan het werk.

Hij was terug in de Zaligheid.

De gelukkigste momenten van zijn leven.

Karin Alvtegen bij De Geus

Voortvluchtig
Sybilla is al vijftien jaar op de vlucht. Voor haar ouders, maar ook voor zichzelf. Als dochter van een welgesteld echtpaar weet de dakloze jonge vrouw hoe ze zich moet gedragen in chique kringen. En ze buit die kennis op inventieve wijze uit, tot het noodlot toeslaat. In een exclusief Stockholms hotel wordt een man vermoord terwijl ook Sybilla er verblijft. Ook als er een tweede slachtoffer valt, is Sybilla in de buurt. Nu moet ze echt op de vlucht: voor de politie.

Schuld
Zakenman Peter Brolin zit in grote geldnood. Daarom ziet hij het als een buitenkansje wanneer een wildvreemde vrouw hem vraagt om tegen riante betaling een pakketje te bezorgen bij 'haar man', Olof Lundberg. Die blijkt echter al jaren weduwnaar te zijn, en de inhoud van het pakje is, luguber genoeg, een afgesneden teen. Wanneer Brolin zich inspant om de identiteit van zijn opdrachtgeefster te achterhalen, richt de terreur zich ook op hem.

Verraad
De levenspaden van Eva en Jonas kruisen elkaar op een fatale manier. Eva ontdekt dat haar man een relatie heeft en bereidt zich voor op een scheiding. Tijdens een avondje uit in Stockholm ontmoet ze Jonas. Wat deze haar niet vertelt is dat hij een geliefde heeft, Anna, die in coma ligt. Jonas ziet in Eva een tweede Anna en dat zal Eva's leven drastisch veranderen ...

Schaamte
Voor Monika, een succesvolle jonge arts, stapelen de psychologische problemen zich op als een collega bij een auto-ongeluk om het leven komt. Eigenlijk had Monika in de verongelukte auto moeten zitten. Op het laatste moment heeft ze met medecursist Mattias van plaats geruild en is ze met iemand anders meegereden. Uit schaamte, schuld en medeleven bedenkt Monika een manier om de jonge weduwe van Mattias financieel bij te staan. Maar ze verzwijgt haar betrokkenheid. En omdat ze niet voor de waarheid durft uit te komen, wordt ze voor anderen chantabel.